Português
Via Brasil
Um curso avançado para estrangeiros

3ª edição

O GEN | Grupo Editorial Nacional – maior plataforma editorial brasileira no segmento científico, técnico e profissional – publica conteúdos nas áreas de ciências humanas, exatas, jurídicas, da saúde e sociais aplicadas, além de prover serviços direcionados à educação continuada e à preparação para concursos.

As editoras que integram o GEN, das mais respeitadas no mercado editorial, construíram catálogos inigualáveis, com obras decisivas para a formação acadêmica e o aperfeiçoamento de várias gerações de profissionais e estudantes, tendo se tornado sinônimo de qualidade e seriedade.

A missão do GEN e dos núcleos de conteúdo que o compõem é prover a melhor informação científica e distribuí-la de maneira flexível e conveniente, a preços justos, gerando benefícios e servindo a autores, docentes, livreiros, funcionários, colaboradores e acionistas.

Nosso comportamento ético incondicional e nossa responsabilidade social e ambiental são reforçados pela natureza educacional de nossa atividade e dão sustentabilidade ao crescimento contínuo e à rentabilidade do grupo.

Emma Eberlein O. F. Lima
Samira A. Iunes

Português
Via Brasil
Um curso avançado para estrangeiros

3ª edição

- As autoras deste livro e a editora empenharam seus melhores esforços para assegurar que as informações e os procedimentos apresentados no texto estejam em acordo com os padrões aceitos à época da publicação, *e todos os dados foram atualizados pelos autores até a data de fechamento do livro*. Entretanto, tendo em conta a evolução das ciências, as atualizações legislativas, as mudanças regulamentares governamentais e o constante fluxo de novas informações sobre os temas que constam do livro, recomendamos enfaticamente que os leitores consultem sempre outras fontes fidedignas, de modo a se certificarem de que as informações contidas no texto estão corretas e de que não houve alterações nas recomendações ou na legislação regulamentadora.

- As autoras e a editora se empenharam para citar adequadamente e dar o devido crédito a todos os detentores de direitos autorais de qualquer material utilizado neste livro, dispondo-se a possíveis acertos posteriores caso, inadvertida e involuntariamente, a identificação de algum deles tenha sido omitida.

- **Atendimento ao cliente: (11) 5080-0751 | faleconosco@grupogen.com.br**

- Direitos exclusivos para a língua portuguesa
  Copyright © 2022 by LTC | Livros Técnicos e Científicos Editora Ltda.
  Publicado pelo selo E.P.U – Editora Pedagógica e Universitária
  Uma editora integrante do GEN | Grupo Editorial Nacional
  Travessa do Ouvidor, 11
  Rio de Janeiro – RJ – 20040-040
  www.grupogen.com.br

- Reservados todos os direitos. É proibida a duplicação ou reprodução deste volume, no todo ou em parte, em quaisquer formas ou por quaisquer meios (eletrônico, mecânico, gravação, fotocópia, distribuição pela Internet ou outros), sem a permissão, por escrito, da LTC | Livros Técnicos e Científicos Editora.

- Capa: Priscilla Andrade
- Foto de capa: iStockphoto/pass17
- Editoração eletrônica: Hera
- Ficha catalográfica

CIP-BRASIL. CATALOGAÇÃO NA PUBLICAÇÃO
SINDICATO NACIONAL DOS EDITORES DE LIVROS, RJ

L697p
3. ed.

    Lima, Emma Eberlein O. F. (Emma Eberlein de Oliveira Fernandes), 1939-
       Português via Brasil : um curso avançado para estrangeiros / Emma Eberlein O. F. Lima, Samira Abirad Iunes ; [ilustração Marcos Machado]. - 3. ed. - Rio de Janeiro : E.P.U, 2022.
       : il. ; 24 cm.

    "Inclui áudios"
    ISBN 978-85-216-3784-4

    1. Língua portuguesa - Estudo e ensino - Falantes estrangeiros. 2. Língua portuguesa - Compêndios para estrangeiros. I. Iunes, Samira Abirad. II. Machado, Marcos. III. Título.

21-74520   CDD: 469.824
                              CDU: 811.134.3(81)'243

SOBRE AS AUTORAS

Emma Eberlein O. F. Lima, Mestre em Letras pela Universidade de São Paulo e professora de Português para estrangeiros. Diretora Pedagógica da Polyglot Ensino e Publicações Ltda desde 1986. Autora de muitos livros didáticos de Português para estrangeiros.

Samira Abirad Iunes, foi Doutora em língua e literatura francesa pela Universidade de São Paulo e professora do Departamento de Letras Modernas na mesma universidade. Autora de muitos livros didáticos de Português para estrangeiros.

PREFÁCIO

O método **Português Via Brasil – Um Curso Avançado para Estrangeiros**, nesta sua nova versão totalmente revista e ampliada, destina-se a estudantes de Português de nível pré-avançado.

Em cada uma de suas dez unidades, trabalham-se os vários níveis de linguagem, desde o bem coloquial até o formal, com os textos das mais diversas fontes e formas de redação, inclusive textos literários de autores consagrados. A gramática, inteiramente revista e reorganizada, retoma, em cada unidade, primeiramente estruturas já estudadas, ampliando-as e consolidando-as por meio de exercícios os mais variados. Em seguida, introduz estruturas novas, apoiadas em um conjunto de atividades diversas, quer orientadas, quer criativas, cobrindo um leque de vocabulário dos mais abrangentes.

O livro **Português Via Brasil** tem como objetivo levar o aluno pré-avançado a um alto nível de proficiência linguística, dando-lhe, ao mesmo tempo, visão ampla da cultura brasileira, por meio de textos que enfocam paisagens e usos e costumes regionais.

As autoras

NOTA DA EDITORA

Português Via Brasil – Um Curso Avançado para Estrangeiros foi escrito por Emma Eberlein O. F. Lima e Samira Abirad Iunes, duas das maiores especialistas em Português como Língua Estrangeira (PLE) do país. Esta nova edição foi cuidadosamente atualizada pela Professora Cely Valladão de Freitas, reconhecida profissional da área, tendo sido respeitados seu conteúdo, sua didática e a originalidade de sua metodologia.

RECURSOS DIDÁTICOS

COMO USAR O SEU PORTUGUÊS VIA BRASIL

Português Via Brasil – Um Curso Avançado para Estrangeiros chega à 3ª edição amplamente revisto e atualizado, ao passo que preserva a vanguarda da metodologia que o consagrou.

Conectado com o mundo dinâmico e em constante transformação, o conteúdo renovou seus recursos didáticos, desenvolvidos para promover a interatividade e ampliar a experiência dos leitores. Tudo cuidadosamente construído sobre os pilares do célebre método de aprendizagem desenvolvido pelas Professoras Emma Eberlein O. F. Lima e Samira Abirad Iunes.

O uso de iconografia nas principais seções busca facilitar a identificação de cada um dos recursos didáticos apresentados no livro.

Veja, a seguir, como usar o seu **Português Via Brasil** e boa leitura!

> O ícone representado por um fone de ouvido indica que existem áudios disponíveis para aquele tema ou seção. Ouça! Acompanhe!

TEXTO INICIAL

Verso & Reverso

Coisas & fatos

Depois de levar anos observando centenas de utilidades e geringonças destinadas a aliviar as pequenas desditas da vida, cheguei à conclusão de que elas só vêm aumentar nossas desditas. Assim, os automóveis nos impedem de ir aonde queremos. As superestradas induzem as pessoas a sair e torná-las intransitáveis. Os inseticidas imunizam os insetos contra os inseticidas. Compre um sofá novo e o resto da mobília lhe parecerá uma droga. Adote uma criança e logo sua esposa terá gêmeos. Meta-se a fazer algo em casa e terá de chamar um profissional para fazer tudo de novo. Socialmente, os auxílios tampouco auxiliam. Mantenha-se sóbrio e terá de conversar com bêbados. Segure o bocejo e a visita se demorará mais. Abaixe a voz para ser discreto e todos pararão de conversar para ouvi-lo.

Numa escala maior, também, a grande porcentagem de nossas atribulações cotidianas é o resultado de termos dado grande importância a pequenas dificuldades, que pouco significado teriam se as tivéssemos deixado cozinhar um pouco. Os controles monetários, por exemplo, provocam crises. O planejamento fiscal origina a inflação. A prosperidade endivida um país. O programa rural lança os agricultores em desespero. O pagamento facilitado provoca a falência. Os sindicatos trabalhistas acabam com o trabalho. E assim por diante.

No campo da moral, os tiros pela culatra são ainda piores – especialmente quando tentamos induzir as pessoas a se comportarem melhor. Por exemplo: a censura nos induz a ler livros escabrosos, o aviso de "tinta fresca" nos convida a encostar nos postes recém-pintados, dizer às crianças que não introduzam grãos de feijão no nariz só faz as crianças introduzirem feijão no nariz. Todas essas coisas sugerem que é melhor, bem melhor ficar quietinho e não fazer nada.

Dante Constantini – Jornal do Butantã

> Todas as Unidades começam com um texto de abertura, dando início a atividades para o desenvolvimento e proficiência do idioma.
>
> A seção conta com áudio correspondente para potencializar as habilidades de compreensão oral e escrita.

A. Dentre as interpretações abaixo, escolha a que melhor resume as ideias do texto.

1. Quando resolvemos melhorar as coisas, aí é que a situação se complica de fato.
2. Não devemos tentar resolver nenhum problema porque não adianta.
3. Os problemas se resolverão por si mesmos se não tomarmos nenhuma providência para eliminá-los.

GRAMÁTICA EM REVISÃO

Pretérito Imperfeito do Indicativo

Perfeito ou Imperfeito?

A. Leia o texto.

Desfile de carnaval

Hoje é 3ª feira de carnaval. O desfile vai começar. A avenida está toda enfeitada. A alegria é geral. De repente, alguém dá o sinal. O locutor anuncia a primeira escola. Aparece, então, a comissão de frente: vários bailarinos executam uma coreografia que abre o desfile e apresenta a escola ao público e aos juízes. Depois vêm os blocos. Surge o bloco das baianas. Todas sorriem felizes, cantando, enquanto rodam suas saias bonitas. Os carros alegóricos passam. Aí chega a vez da porta-bandeira e do mestre-sala. O luxo é incrível! A bateria faz o público vibrar. De repente, começa a chover, mas o samba não para. A escola leva 75 minutos para atravessar a avenida. Setenta e cinco minutos de sonho.

> Gramática revista e reorganizada. Em cada unidade, as estruturas já estudadas são ampliadas e fixadas por meio de exercícios variados.

Releia o texto, mas comece assim:
Ontem, ...

B. Conte a história. Comece assim: "Ontem..."
("Uma bela loja de antiguidades. Um funcionário leva um vaso chinês de um ponto a outro da sala, mas escorrega no caminho.")

C. Leia o texto.

Ontem, Marisa telefonou para mim e disse:
— Não posso sair com você hoje. Vou à polícia porque estou tendo problemas com meu vizinho. Ele vive reclamando do jacarandá que temos no jardim.
Ele se queixa das folhas que caem, da sombra, dos passarinhos, das raízes...
Já brigamos feio por causa disso. E agora ele me avisou que vai invadir o jardim e vai cortar a árvore. Até já comprou uma serra elétrica...

Relate o que ela disse.
Ontem, Marisa telefonou para mim e disse que não...

COTIDIANO BRASILEIRO

Cena Paulistana

Árvores Paulistanas

Incrível! São Paulo – um jardim botânico a céu aberto, é uma das cidades mais bem arborizadas do mundo! Árvores como jequitibá, ipê, jacarandá, cássia, mulungu, cedro, sapucaia e tantas outras espécies dão a São Paulo um ar especial.

Nos meses de primavera e verão, a cidade torna-se um jardim. Nas esquinas, nas alamedas, nas praças, surgem, de repente, azaleias, buganvíleas, ipês roxos, amarelos e rosa, jacarandás mimosos deitando pétalas violetas pelo chão, copas douradas de manacás, tipuanas, altas paineiras, flamboyants pegando fogo, quaresmeiras em flor até abril...

Contra toda a lógica, apesar da poluição, do barulho, do asfalto quente, da tensão, da correria, da gritaria, dos problemas todos de uma cidade imensa e indomável, sem mais nem menos, irrompem em nosso caminho, assim no meio de muito verde, árvores floridas, lindas – um espetáculo de cores que só nos faz bem.

Durante décadas e décadas, como autênticos jardineiros, antigos administradores, dedicaram-se a traçar bons planos de arborização para a cidade que crescia. E nessa missão contavam com aliados – os milhares de anônimos moradores, que, incansáveis, passaram a vida plantando mudas, regando, fertilizando, podando, protegendo, defendendo as árvores de seu jardim.

Em "Cotidiano Brasileiro", o dia a dia e as regionalidades do Brasil, em sua vastidão territorial, social e cultural, são apresentados. Para treinar e exercitar a compreensão oral, a seção é sempre acompanhada do áudio correspondente.

A. Responda.

1. O texto se inicia com a palavra "incrível". O que é "incrível"? Explique.
2. Em que época do ano São Paulo é mais florida?
3. Você sabe por que a quaresmeira tem esse nome?
4. Que papel tiveram os moradores da cidade em sua arborização?

Na seção "Linguagem Coloquial" você encontrará textos com expressões idiomáticas e linguajar tipicamente brasileiros, sempre acompanhados de áudios para desenvolver a compreensão oral.

LINGUAGEM COLOQUIAL

Blitz

— Seus documentos são falsos – disse o PM, – estão apreendidos.

Era uma blitz – mania brasileira de resolver os problemas no grito: proíbem, baixam o pau, prendem, para depois voltar tudo ao que era antes.

— Falsos por quê? – espantou-se o dono do carro.

Ele vinha calmamente da praia de São Conrado, e de repente, se viu cercado de soldados em frente ao Hotel Nacional. Detinham todos os carros e davam uma busca de cabo a rabo, olhando até dentro do motor. No seu, pelo menos, não encontraram nada – a não ser a falsidade dos documentos, que o soldado invocava agora:

— Falsos porque aqui diz que o senhor tem porte de arma. E o senhor não está armado.

Mais essa agora. Contando, ninguém acredita:

— O fato de eu ter porte de arma não me obriga a andar armado, qual é?

Tinha graça, ele na praia de revólver enfiado no calção de banho:

— Tá tudo bem, seu guarda, mas brincadeira tem hora. Me dá os documentos que estou com pressa, preciso ir andando.

— Estão apreendidos.

Acabou perdendo a paciência:

— Apreendido é a...

Nem bem ameaçou o palavrão, o soldado saltou sobre ele.

— Desacato à autoridade. O senhor está preso.

— Preso? Que bobagem é essa?

Os outros soldados se chegaram e a coisa começou a ficar preta: eram mais de vinte. Veio o sargento saber o que se passava. Ele se explicou como pôde, segurando a língua, mas o soldado insistia:

— Xingou a minha progenitora. Desacato à autoridade.

— Desacato à autoridade – confirmou o sargento gravemente.

Veio o tenente para conter seus subordinados, que já queriam acabar com a raça dele ali mesmo. Mas, não relaxou a prisão.

— Como é que o senhor, que parece um homem tão educado, vai xingando a mãe dos outros assim sem mais nem menos? Agora não tem perdão: preso por desacato à autoridade.

— Está bem, se querem me prender, me prendam – conformou-se ele, e foi acrescentando logo, com ar de entendido:

— Só que depois meto um processo em cima de todos por abuso de autoridade. E a pena por abuso de autoridade, vocês sabem disso, é muito maior que a de desacato.

Olhou o número da placa de um carro que ia passando:

— Artigo 2.365 do Código Penal, como vocês sabem.

Com essa, pelo sim, pelo não, acabaram concordando que o melhor era mesmo ele ir embora, com documentos e tudo.

Fernando Sabino (adaptação)

A. Reproduza a narrativa acima com suas próprias palavras, detalhadamente.

B. Faça frases com as seguintes expressões:

1. de cabo a rabo
2. ir andando
3. ter graça
4. mais essa agora!
5. chegar-se
6. segurar a língua
7. sem mais nem menos
8. pelo sim pelo não
9. ar de entendido

xi

GRAMÁTICA NOVA (I)

Formação de Palavras

Com prefixos

A. O que quer dizer? Explique o sentido da palavra.

1. repor — pôr novamente
2. antever _____
3. ensacar _____
4. extrair _____
5. emergir _____
6. interpor _____
7. desobstruir _____
8. contraproducente _____
9. sublocar _____
10. sobrevir _____
11. superfeliz _____
12. desfazer _____

B. O que quer dizer? Explique.

1. repatriar, retornar, reler, refazer, retocar, reprogramar
2. antedatar, anteceder, antecipar, antepassado, antevéspera, antepenúltimo
3. enterrar, embolsar, enquadrar, englobar, embarcar, encaixar
4. exportar, expulsar, excluir, excomungar, expatriar
5. imigrar, importar, incluir, infiltrar, imergir
6. emigrar, emergir
7. entressafra, intermediário, intercâmbio, intervir, interpor
8. destratar, desvendar, desdizer, desmentir, destravar, desamarrar
9. contra-ataque, contradizer, contraproposta, contrapropaganda
10. submarino, sublinhar, subemprego, subscrever, subnutrido, subestimar
11. sobrevoar, sobrepor, sobreaviso, sobrecarregado
12. superalimentação, superqualificado, superlativo, superdotado, superfaturar

Com sufixos

A. O que quer dizer? Explique o sentido das palavras.

Generoso	cheio de generosidade
Laranjal	_____
Criançada	_____
Facada	_____
Barrigudo	_____
Homicida	_____
Velhice	_____
Vendedor	_____
Ancoradouro	_____
Maquinista	_____
Pedreiro	_____
Palidez	_____
Brancura	_____
Inflamável	_____
Papelaria	_____
Bobagem	_____

B. O que quer dizer? Explique.

1. gorduroso, arenoso, famoso, cheiroso, gostoso
2. bananal, bambuzal, cafezal, canavial
3. papelada, meninada, mulherada, velharada
4. pedrada, cotovelada, guarda-chuvada, joelhada, sapatada, paulada
5. bigodudo, barbudo, orelhudo, narigudo, cabeludo, barrigudo
6. suicida, inseticida, pesticida

Em cada unidade são apresentados novas estruturas e vocabulário, apoiados por diversas atividades orientadas para estimular a proficiência do idioma.

"Pausa", como o nome da seção propõe, indica que você poderá dedicar um momento em sua trilha de aprendizagem para conhecer situações peculiares do idioma. São apresentados costumes, gírias e mesmo cenários em que a riqueza do Português pode levar a interpretações dúbias, diversas, e que as autoras tiveram o cuidado de mostrar e contextualizar para o leitor.

PAUSA

Expressões Idiomáticas

Boa jogada	Para inglês ver	Por baixo do pano	Rápido no gatilho
Em cima do muro	No fundo do poço	Nervos à flor da pele	Perdendo a esportiva
Em cima da hora	Em cima da mosca	A última cartada	Uma briga de foice
Tiro na água	Hora da verdade	Deixar na mão	Rodar a baiana
Um bate-boca	Sombra e água fresca	Em carne viva	

GRAMÁTICA NOVA (II)

Acentuação

A sílaba tônica

A. Separe as sílabas das palavras seguintes.

ótimo	ó-ti-mo
palha	_____
sofá	_____
sensível	_____
senhora	_____
psicólogo	_____
saída	_____
aqui	_____
perdi	_____
tórax	_____
mágico	_____
função	_____
êxito	_____
inoportuno	_____
desajustado	_____
Mateus	_____
Bauru	_____
imã	_____
irmã	_____
público	_____
Alexandre	_____
xerox	_____
fácil	_____
lâmpada	_____
paixão	_____
Artur	_____

B. Indique a sílaba tônica em cada uma das palavras acima.

Exemplo: ó [3] - ti [2] - mo [1]

pa [2] - lha [1]

so [2] - fá [1]

Novos tópicos para reforço da Gramática, com mais atividades propostas.

> Com o recurso da metáfora, a seção "Ponto de Vista" oferece textos mais avançados, em que será exercitada a compreensão dos cenários propostos e, ainda, a habilidade de debater e redigir a sua própria opinião sobre o tema exposto.

PONTO DE VISTA

Objetivos do item

Todas as unidades deste livro contêm a seção Ponto de Vista, cujo objetivo é, através da apresentação de um tema polêmico, estimular o debate entre os alunos ou entre o aluno e o professor.

Eis aqui algumas expressões que poderão ser úteis para o desenvolvimento da discussão:

Começando: o texto trata de, parece-me que, na minha opinião.

Em primeiro lugar, antes de tudo, logo de início, de (um) modo geral.

Desenvolvendo: em segundo lugar, de (por) um lado... de (por) outro, de (por) uma parte... de (por) outra, em relação a, quanto a, no que se refere a, no que diz respeito a, sob esse ponto de vista, concordo com, sou de opinião que, na minha opinião.

Aprofundando: na verdade, além do mais, além disso, em todo caso, obviamente, naturalmente, evidentemente, quer dizer, sem dúvida, além do que.

Restringindo, opondo-se: (muito) pelo contrário, de modo algum, de jeito nenhum, de forma alguma, discordo de.

Concluindo: assim, por isso, pode-se concluir que, em resumo, resumindo, em conclusão.

Uma opinião contra os transplantes

"É como chafariz em cidade do interior: cada uma quer ter o seu!" A comparação foi feita por um renomado professor da Faculdade de Medicina da Universidade de São Paulo, ao comentar "o festival de transplantes de órgãos humanos" que se verifica no país. Ele contesta a prioridade desse tipo de cirurgia sofisticada e caríssima em um país subdesenvolvido, que ainda não conseguiu solucionar problemas graves de saúde pública, como tétano, sarampo, tuberculose, febre amarela ou doença de Chagas – moléstias infecciosas previsíveis. Na opinião do professor, mais importante que aumentar a sobrevida de uma só pessoa é impedir a morte de milhões de brasileiros por doenças previsíveis. Para ele, os transplantes servem apenas para projetar nomes de médicos e instituições.

A. Responda.

1. Você acha que a ausência ou ineficiência de uma medicina social justifica a não realização de transplantes?
2. Se a vida de alguém de sua família dependesse de um transplante, que atitude você teria?
3. É moralmente justificável aplicar altas verbas para salvar um só indivíduo quando essa mesma verba poderia ajudar um grande número de outras pessoas?
4. De acordo com seus conhecimentos, o Brasil tem condições para "atacar" os dois problemas?

B. Redação.

Dê sua opinião sobre o assunto.

> A riqueza do Português envolve sua variação e suas "facetas", enaltecendo e contemplando as regionalidades e multiplicidade do Brasil. Mas há que se valorizar a importância (e a beleza) da "Linguagem Formal", imprescindível para a aprendizagem do idioma.
>
> Nesta seção, sempre acompanhada de áudio correspondente, são apresentadas diversas formas de redação para você dominar o Português do Brasil em amplitude.
>
> E também aqui são discutidos e exercitados aspectos essenciais da língua.

🎧 LINGUAGEM FORMAL

Em Minas, sinal aberto aos ladrões

Em recente passagem pelas cidades históricas mineiras, observamos com pesar que, em inúmeros casos, relíquias, documentos, objetos de arte sacra e profana de incalculável valor histórico encontram-se literalmente abandonados. Em diversas ocasiões fomos deixados sozinhos, a percorrer livremente inúmeras salas repletas de objetos sabidamente cobiçados por colecionadores ou simples ladrões em busca de ouro ou pedras preciosas. Ao chamar a atenção das pessoas responsáveis por aqueles museus, ouvimos sempre a alegação de que estava sendo feito todo o possível para se proteger o acervo e que, com os recursos disponíveis, aquilo era o máximo que podia ser realizado.

Não cabe aqui relacionar os locais mais suscetíveis de serem roubados, os responsáveis por eles certamente o sabem.

Gostaríamos apenas de alertar mais uma vez para a importância de que se destine maior número de verbas visando à segurança dessas igrejas e museus que, com certa frequência, têm alguma peça insubstituível roubada para ir habitar a prateleira dos colecionadores. Com isso, inevitavelmente, perdemos todos nós, que somos impedidos de admirar uma produção artística e cultural do mais elevado valor, e o turismo local, que, sem ter o que mostrar, perde a importância e acaba morrendo.

Reinaldo de Andrade – Guia 4 Rodas

A. Responda.

1. Quais as ideias do texto? Resuma-as.
2. A finalidade do artigo é eliminar de uma vez por todas os roubos dos museus?

B. Observe.

Incalculável valor	– valor que não pode ser calculado.
Recursos disponíveis	– recursos de que se pode dispor.
Peça insubstituível	– peça que não pode ser substituída.

Agora complete.

O que pode ser comido é _____
O que pode ser apresentado é _____
O que pode ser aceito é _____
O que não pode ser visto é _____
O que não pode ser lido é _____
O que não pode ser previsto é _____

Para conhecer outros conteúdos de **Português como Língua Estrangeira** (PLE), acesse o site https://www.grupogen.com.br/catalogo-portugues.

Há mais de 60 anos, a Editora Pedagógica Universitária (E.P.U.) é pioneira na publicação de livros sobre PLE que, com metodologia consagrada, conquistaram o mercado mundial e são referência no mercado.

xiii

Material Suplementar

Este livro conta com os seguintes materiais suplementares:

Para todos os leitores:
- Áudios: diálogos, textos de audição e exercícios orais, além do conteúdo de Fonética (requer PIN).

Para docentes:
- Manual do Professor (acesso restrito a docentes);
- Ilustrações da obra em formato de apresentação, em (.ppt) (acesso restrito a docentes).

Os professores terão acesso a todos os materiais relacionados acima (para leitores e restritos a docentes). Basta estarem cadastrados no GEN.

O acesso ao material suplementar é gratuito. Basta que o leitor se cadastre e faça seu *login* em nosso *site* (www.grupogen.com.br), clicando em GEN-IO, no menu superior do lado direito. Em seguida, clique no menu retrátil ▬ e insira o código (PIN) de acesso localizado na primeira orelha deste livro.

O acesso ao material suplementar online ca disponível até seis meses após a edição do livro ser retirada do mercado.

Caso haja alguma mudança no sistema ou diculdade de acesso, entre em contato conosco (gendigital@grupogen.com.br).

GEN-IO (GEN | Informação Online) é o ambiente virtual de aprendizagem do GEN | Grupo Editorial Nacional

SUMÁRIO

UNIDADE 1

Texto Inicial   2
Verso & Reverso   2

Gramática em Revisão   5
Pretérito Imperfeito do Indicativo   5
Perfeito ou Imperfeito?   5
Pronomes pessoais   6
o, a, os, as (-lo..., -no...)   6
o, a, os, as (-lo..., -no...), lhe, lhes   6
Ser, estar, ficar   7
Por que você está triste? Não fique triste! Hoje é
domingo e vou ficar com você!   7

Cotidiano Brasileiro   8
Cena Paulistana   8

Linguagem Coloquial   9

Gramática Nova (I)   10
Formação de Palavras   10
Com prefixos   10
Com sufixos   10
Substantivos Compostos   11
Formação   11
Plural   11

Pausa   12
Expressões Idiomáticas   12

Gramática Nova (II)   12
Acentuação   12
A sílaba tônica   12
Regras de acentuação   14
Ditongos e hiatos   15
Acentos diferenciais   15
Regência Verbal   16
Verbos e suas preposições   16

Ponto de Vista   17
Objetivos do item   17

Linguagem Formal   18

UNIDADE 2

Texto Inicial   20

Gramática em Revisão   22
Presente – Imperfeito do Subjuntivo   22
Indicativo ou Subjuntivo?   22

Conjunções de Presente e Imperfeito do
Subjuntivo   23
Colocação Pronominal   25
Concordância Nominal   25
Substantivos: Masculino e Feminino   25
Adjetivos: Masculino e Feminino – Singular e Plural   27

Cotidiano Brasileiro   28

Linguagem Coloquial   29

Gramática Nova (I)   30
Formação de palavras (2)   30
Formando verbos   30

Pausa   32
Como é que é?!   32

Gramática Nova (II)   33
Adjetivos: Superlativo   33
Expressões coloquiais com valor superlativo.   34
Pronúncia de palavras com "X"   34
Regência Verbal (2)   36
Verbos e suas Preposições   36

Ponto de Vista   37

Linguagem Formal   38

UNIDADE 3

Texto Inicial   40

Gramática em Revisão   45
Futuro do Subjuntivo   45
Conjunções de Futuro do Subjuntivo   45
Futuro do Subjuntivo com orações relativas   46
Expressão típica da língua: Venha quem vier   47
Verbo **ver**   47
Verbo **poder**   47
Contrações   47
Todo – Tudo   48
Numerais   48
Preposições – Locomoção   49

Cotidiano Brasileiro   49

Linguagem coloquial   50

Gramática Nova (I)   52
Verbos compostos de **ter**   52
Verbos compostos de **ver**   54
Pronomes oblíquos com valor possessivo   54

xvii

Pausa 55

    Sentido próprio – Sentido figurado 55

Gramática Nova (II) 56

    Substantivos Coletivos 56
    Regência verbal (3) 57
    Verbos e suas preposições 57

Ponto de Vista 58

Linguagem Formal 59

UNIDADE 4

Texto Inicial 62

    Vir vindo – Ir indo 64
    Acabar 64
    Expressões 65
    Gradação 66

Gramática em Revisão 67

    Perfeito Composto do Indicativo 67
    Mais-que-Perfeito do Indicativo 68
    Verbo **vir** 69
    Verbos **vir/ver** 70
    Verbo **pôr** 71

Cotidiano Brasileiro 73

Linguagem Coloquial 74

    Expressões idiomáticas 75

Gramática Nova (I) 76

    Pronomes indefinidos 76
    Particularidades de alguns pronomes indefinidos 77
    Repetição enfática 78
    Observe como se enfatizam as ideias 78

Pausa 79

Gramática Nova (II) 80

    Adjetivos eruditos (I) 80
    Regência verbal (4) 81
    Verbos e suas preposições 81

Ponto de Vista 82

Linguagem Formal 83

    Dois sonetos de antigamente 83

UNIDADE 5

Texto Inicial 86

    Expressões 89
    Tornar a 89
    Fazer questão de 89
    Assim é capaz de ele... 89
    ...e nada. Nada de... nem de coisa nenhuma 89

    Com certeza 90
    Afinal de contas 90
    Assim também não!... dá nisso! 90

Gramática em Revisão 91

    Levar e trazer 95
    Ir e Vir 96
    Pronomes relativos 97
    Invariáveis e Variáveis 97
    Palavras indefinidas + Pronome relativo 98

Cotidiano Brasileiro 99

Linguagem Coloquial 100

Gramática Nova (I) 102

    Verbos compostos de **vir** 102
    Verbos compostos de **pôr** 103
    Adjetivos Eruditos (2) 104

Pausa 105

Gramática Nova (II) 106

    Verbo **fazer** – impessoal 106
    Ações contínuas 107
    Regência verbal (5) 110
    Verbos e suas preposições 110

Ponto de Vista 111

Linguagem Formal 112

UNIDADE 6

Texto Inicial 114

Gramática em Revisão 118

    Tempos Compostos do Subjuntivo 118
    Perfeito do Subjuntivo 118
    Mais-que-Perfeito do Subjuntivo 118
    Futuro Composto do Subjuntivo 119
    Verbos Irregulares de 3ª Conjugação 119
    Modelo: **dormir** 119
    Modelo: **subir** 120
    Modelo: **preferir** 120
    Expressões de Tempo 121
    Há – daqui a 121
    Há – a – à – daqui a 122
    Perguntas de tempo 122
    Advérbios e locuções adverbiais de tempo 123

Cotidiano Brasileiro 123

Linguagem Coloquial 124

    Expressões familiares 124

Gramática Nova (I) 125

    Verbos Irregulares da 3ª Conjugação 125
    Modelo: **progredir** 125

Pausa 126

Gramática Nova (II)   127
    Advérbios e locuções adverbiais   127
    De modo, de lugar, de afirmação e de negação   127
    Regência Verbal (6)   128
    Verbos e suas preposições   128

Ponto de Vista   130

Linguagem Formal   131

UNIDADE 7

Texto Inicial   134

Gramática em Revisão   138
    Discurso indireto   138
    Crase   141

Cotidiano Brasileiro   142

Linguagem Coloquial   144
    O que é, o que é?   144
    O que é, o que é?   144

Gramática Nova (I)   146
    Verbos compostos de **dizer** e de **pedir**   146

Pausa   147
    A Pintura Brasileira   147

Gramática Nova (II)   152
    Verbos pronominais   152
    Ideias reflexivas   154
    Regência verbal (7)   155
    Verbos e suas preposições   155

Ponto de Vista   156
    Leia esta passagem.   156

Linguagem Formal   157

UNIDADE 8

Texto Inicial   160

Gramática em Revisão   164
    Verbos em **-ear -uir -iar**   164
    Verbos em **-ear**   164
    Verbos em **-uir**   165
    Verbos em **-iar**   165
    Odiar   165
    Mudanças ortográficas   166
    Infinitivo Pessoal   166
    Emprego do Infinitivo Pessoal   166

Cotidiano Brasileiro   167

Linguagem Coloquial   169
    Da linguagem coloquial para a linguagem formal   169

Gramática Nova (I)   170
    Verbo haver   170
    Diminutivos e Aumentativos   171
    Plural dos diminutivos   172

Pausa   172

Gramática Nova (II)   174
    Tu e você   174
    Pronomes pessoais com preposição   175
    Regência verbal (8)   176
    Verbos e suas preposições   176

Ponto de Vista   177

Linguagem Formal   178

UNIDADE 9

Texto Inicial   182
    Provérbios   182
    Interpretação   184
    Forma   185
    Vocabulário   185

Gramática em Revisão   186
    Orações reduzidas   186
    Voz passiva   187
    Voz passiva com verbos abundantes   188
    Voz passiva com **se**   189
    Preposição: **Para – Por**   189

Cotidiano Brasileiro   190
    Cena Carioca   190

Linguagem Coloquial   191

Gramática Nova (I)   192
    Dificuldades especiais da língua portuguesa (1)   192
    Meio – metade   192
    Tornar – Tornar-se   193
    Já   193
    Mesmo   194

Pausa   195
    Trabalhando com palavras   195

Gramática Nova (II)   196
    Regência nominal (1)   196

Ponto de Vista   197
    Novo Manual do Bom Tom   197

Linguagem Formal   198
    Morte e Vida Severina   198

XIX

UNIDADE 10

Texto Inicial   202

Gramática em Revisão   206
   Transformando orações   206

Cotidiano Brasileiro   207

Linguagem Coloquial   208
   Expressões idiomáticas   208

Gramática Nova (I)   209
   Período composto – Conjunções de
     Indicativo   209
   Ideia de alternância e de adição   209
   Ideia de explicação e de conclusão   210

   Ideia de causa   211
   Ideia de oposição: 211

Pausa   212
   Frasezinhas cinéticas   212

Gramática Nova (II)   213
   Conjunções de Indicativo e Subjuntivo   213
   Regência Nominal (2)   214

Ponto de Vista   216
   Carta de um Leitor   216

Linguagem Formal   217

CRÉDITOS   219

UNIDADE

1

Texto Inicial	Verso & Reverso – Dante Constantini	2
Gramática em Revisão	Pretérito Imperfeito do Indicativo	5
	Pronomes pessoais oblíquos o, a, os, as	
	(-lo, -no) lhe, lhes	6
	Ser, estar, ficar	7
Cotidiano Brasileiro	Cena paulistana: Árvores Paulistanas	8
Linguagem Coloquial	Blitz – Fernando Sabino	9
Gramática Nova (I)	Formação de palavras (1)	10
	Com prefixos	10
	Com sufixos	10
	Substantivos compostos	11
	Formação	11
	Plural	11
Pausa	Expressões Idiomáticas	12
Gramática Nova (II)	Acentuação	12
	A sílaba tônica	12
	Regras de acentuação	14
	Regência verbal (1)	16
Ponto de Vista	Objetivos do item	17
	Texto: Uma opinião contra os transplantes	17
Linguagem Formal	Em Minas, sinal aberto aos ladrões – Reinaldo de Andrade	18

TEXTO INICIAL

Verso & Reverso

Coisas & fatos

Depois de levar anos observando centenas de utilidades e geringonças destinadas a aliviar as pequenas desditas da vida, cheguei à conclusão de que elas só vêm aumentar nossas desditas. Assim, os automóveis nos impedem de ir aonde queremos. As superestradas induzem as pessoas a sair e torná-las intransitáveis. Os inseticidas imunizam os insetos contra os inseticidas. Compre um sofá novo e o resto da mobília lhe parecerá uma droga. Adote uma criança e logo sua esposa terá gêmeos. Meta-se a fazer algo em casa e terá de chamar um profissional para fazer tudo de novo. Socialmente, os auxílios tampouco auxiliam. Mantenha-se sóbrio e terá de conversar com bêbados. Segure o bocejo e a visita se demorará mais. Abaixe a voz para ser discreto e todos pararão de conversar para ouvi-lo.

Numa escala maior, também, a grande porcentagem de nossas atribulações cotidianas é o resultado de termos dado grande importância a pequenas dificuldades, que pouco significado teriam se as tivéssemos deixado cozinhar um pouco. Os controles monetários, por exemplo, provocam crises. O planejamento fiscal origina a inflação. A prosperidade endivida um país. O programa rural lança os agricultores em desespero. O pagamento facilitado provoca a falência. Os sindicatos trabalhistas acabam com o trabalho. E assim por diante.

No campo da moral, os tiros pela culatra são ainda piores – especialmente quando tentamos induzir as pessoas a se comportarem melhor. Por exemplo: a censura nos induz a ler livros escabrosos, o aviso de "tinta fresca" nos convida a encostar nos postes recém-pintados, dizer às crianças que não introduzam grãos de feijão no nariz só faz as crianças introduzirem feijão no nariz. Todas essas coisas sugerem que é melhor, bem melhor ficar quietinho e não fazer nada.

Dante Constantini – Jornal do Butantã

A. Dentre as interpretações abaixo, escolha a que melhor resume as ideias do texto.

1. Quando resolvemos melhorar as coisas, aí é que a situação se complica de fato.
2. Não devemos tentar resolver nenhum problema porque não adianta.
3. Os problemas se resolverão por si mesmos se não tomarmos nenhuma providência para eliminá-los.

B. Assinale o significado da expressão destacada.

1. geringonças destinadas a **aliviar** as pequenas desditas da vida
   - ( ) eliminar
   - ( ) diminuir
   - ( ) remediar

2. superestradas **intransitáveis**
   - ( ) não asfaltadas
   - ( ) impedidas
   - ( ) engarrafadas

3. ...e o resto da mobília lhe parecerá **uma droga**
   - ( ) coisa especial
   - ( ) "lixo"
   - ( ) um narcótico

4. ...os auxílios **tampouco** auxiliam
   - ( ) também não
   - ( ) pouco
   - ( ) não

5. se as tivéssemos deixado **cozinhar**
   - ( ) no fogo
   - ( ) esperar
   - ( ) preparar

6. livros **escabrosos**
   - ( ) muito escandalosos
   - ( ) muito interessantes
   - ( ) estranhos

C. Dê sinônimos.

1. ...geringonças **destinadas** a aliviar ...
2. ...elas só vêm aumentar nossas **desditas**
3. Assim, os automóveis **nos impedem de ir**
4. As superestradas **induzem** as pessoas a sair
5. ...e logo sua esposa **terá** gêmeos
6. ...e a visita se **demorará** mais
7. ...e todos **pararão de** conversar
8. ...nossas **atribulações** cotidianas
9. Os sindicatos trabalhistas **acabam com** o trabalho
10. ...faz as crianças **introduzirem** feijão no nariz

D. Complete o quadro.

Substantivo	Verbo	Adjetivo
a utilidade		
		destinado
	impedir	
		transitável
	imunizar	
	adotar	
		bêbado
o resultado		
	originar	
	endividar	
a falência		
	ler	

E. Complete com a preposição adequada.

1. A população foi imunizada _____ a doença.

2. Ninguém me impedirá _____ falar o que penso.

3. Ninguém sabe _____ que se destina esta geringonça.

4. Não se meta _____ me dar conselhos!

5. O rapaz foi induzido _____ mentir ao juiz.

6. Nós vamos convidá-lo _____ juntar-se a nós.

7. Não encoste _____ nada até a polícia liberar o local.

8. Ele não é mais o mesmo. As preocupações acabaram _____ ele.

9. Os técnicos introduziram inovações _____ _____ todos os processos de fabricação.

10. As medidas adotadas pelo governo lançaram o povo _____ dificuldades maiores.

F. Relacione as palavras entre si.

1. imunizar   ( ) dez anos
2. aliviar   ( ) ao crime
3. induzir   ( ) à conclusão
4. sair   ( ) a dor
5. levar   ( ) contra gripe
6. encostar   ( ) ridículo
7. chegar   ( ) em mim
8. tornar   ( ) pela porta dos fundos
9. parar   ( ) com o problema
10. acabar   ( ) de insistir

G. Diga de outro modo.

1. Depois de levar anos observando.
2. Os inseticidas imunizam os insetos contra os inseticidas.
3. Mantenha-se sóbrio.
4. Segure o bocejo.
5. Abaixe a voz.
6. Numa escala maior.
7. Pequenas dificuldades... pouco significado teriam se as tivéssemos deixado cozinhar um pouco.
8. O programa rural lança os agricultores em desespero.
9. No campo da moral, os tiros pela culatra são ainda piores.
10. ...quando tentamos induzir as pessoas a se comportarem melhor.
11. O aviso "tinta fresca" nos convida a encostar nos postes recém-pintados.
12. (... dizer às crianças que não introduzam grãos de feijão no nariz) só faz as crianças introduzirem feijão no nariz.

H. Desenvolva a oração. Observe o exemplo.

Ele não aceitou o convite **por estar cansado**.

Ele não aceitou o convite **porque estava cansado.**

1. **Depois de levar anos** trabalhando duro, resolvi pedir demissão.
2. Ninguém me impede **de fazer** o que quero.
3. Ele induziu o amigo **a cometer** o crime.
4. Eu vou chamar o mecânico **para resolver o problema**.
5. Ele abriu a porta **para eu entrar**.
6. Ele convidou os amigos **a irem à festa**.
7. Dizer a eles que não leiam esses livros só os induzirá **a procurarem esses livros** em todas as livrarias da cidade.
8. É bem melhor **você ficar quietinho**.

I. Complete as frases. Observe o exemplo.

As pequenas dificuldades teriam pouco significado se **as tivéssemos deixado cozinhar um pouco.**

1. Ele teria hoje uma vida mais fácil se, quando moço,_____
2. Agora eles teriam uma família maior se_____

_____
3. Hoje em dia tudo seria mais fácil para nós se, há 10 anos, você_____
4. Hoje eles estariam na miséria se, no passado, eles_____
5. Nossas preocupações hoje não seriam tão grandes se, ontem, você_____

GRAMÁTICA EM REVISÃO

Pretérito Imperfeito do Indicativo

Perfeito ou Imperfeito?

A. Leia o texto.

Desfile de carnaval

Hoje é 3ª feira de carnaval. O desfile vai começar. A avenida está toda enfeitada. A alegria é geral. De repente, alguém dá o sinal. O locutor anuncia a primeira escola. Aparece, então, a comissão de frente: vários bailarinos executam uma coreografia que abre o desfile e apresenta a escola ao público e aos juízes. Depois vêm os blocos. Surge o bloco das baianas. Todas sorriem felizes, cantando, enquanto rodam suas saias bonitas. Os carros alegóricos passam. Aí chega a vez da porta-bandeira e do mestre-sala. O luxo é incrível! A bateria faz o público vibrar. De repente, começa a chover, mas o samba não para. A escola leva 75 minutos para atravessar a avenida. Setenta e cinco minutos de sonho.

Releia o texto, mas comece assim:

Ontem, ...

B. Conte a história. Comece assim: "Ontem..."

("Uma bela loja de antiguidades. Um funcionário leva um vaso chinês de um ponto a outro da sala, mas escorrega no caminho.")

C. Leia o texto.

Ontem, Marisa telefonou para mim e disse:

— Não posso sair com você hoje. Vou à polícia porque estou tendo problemas com meu vizinho. Ele vive reclamando do jacarandá que temos no jardim.

Ele se queixa das folhas que caem, da sombra, dos passarinhos, das raízes...

Já brigamos feio por causa disso. E agora ele avisou que vai invadir o jardim e vai cortar a árvore. Até já comprou uma serra elétrica...

Relate o que ela disse.

Ontem, Marisa telefonou para mim e disse que não...

Pronomes pessoais

o, a, os, as (-lo..., -no...)

A violência

A violência nas grandes cidades tem aumentado assustadoramente e hoje parece claro que esse problema não pode ser resolvido apenas pela polícia. O problema tem raízes profundas e, para resolvê-**lo**, é necessário identificá-**las**. As autoridades perseguem os marginais, prendem-**nos**, mas isso não basta.

Complete as frases.

1. (alugar) Gostei desta casa e quero _____.
2. (castigar) Os pais chamaram o garoto e _____ _____.
3. (usar) O carro é meu. Não quero que você _____ _____.
4. (ler) Comprei o jornal, mas não _____.
5. (perder) Gosto dela e tenho medo de _____ _____.
6. (dar) Pegaram a revista e _____.
7. (matar) O ladrão segurou a moça e ameaçou _____.
8. (esperar) Estou com pressa por isso não posso _____.
9. (pôr) Comprei um armário enorme e agora não sei onde _____.
10. (ver) Onde anda seu irmão? Há muito tempo não _____.
11. (esconder) Os ladrões roubaram as joias e _____ _____.
12. (trair) Ele é meu amigo. Não posso _____.

o, a, os, as (-lo..., -no...), lhe, lhes

Auxiliar de Recursos Humanos

Procuramos alguém com experiência de dois anos na área. Oferecemo-**lhe** bom ambiente de trabalho, assistência médica e restaurante no local. Pedimos que envie currículo. Endereçá-**lo** a joandrade@recursoshumanos.com.br, aos cuidados de João de Andrade.

Complete as frases.

1. Fernando, vou _____ falar com franqueza.
2. Mário, este livro _____ pertence?
3. O pai confiou-_____ todo o dinheiro?
4. O carteiro entregou-_____ uma carta.
5. Todos admiram-_____ muito.
6. Recebi o pacote e dei-_____ a ele.
7. A verdade é essa e não posso negá-_____.
8. Vou enviar-_____ umas flores.
9. Elisa, esta criança não _____ obedece.
10. O presidente negou-_____ licença para sair.
11. A polícia comunicou-_____ que o ladrão foi preso.
12. Ele é um bom mecânico; é só _____ mostrar o problema e ele _____ resolve imediatamente.
13. A encomenda já chegou: vou levá-_____ ao chefe.
14. Resolvemos contar-_____ toda a verdade.
15. A história é esta. Eles contaram-_____ tal como aconteceu.
16. Não _____ perguntei o motivo porque não queria magoá-_____.
17. Telefonei-_____ ontem, mas não _____ disse que você _____ estava procurando.

Ser, estar, ficar

Por que você está triste? Não fique triste! Hoje é domingo e vou ficar com você!

Ser	expressa características permanentes, localização permanente, posse, religião/partido político, tempo cronológico. É usado com expressões impessoais, profissão/cargo, número (somos 3) e como auxiliar na voz passiva.
Estar	expressa estado temporário.
Ficar	expressa localização permanente, permanência, mudança de estado, preço, ficar bem/mal

A. Leia as frases do quadro e explique, um a um, o uso dos verbos **ser, estar, ficar**.

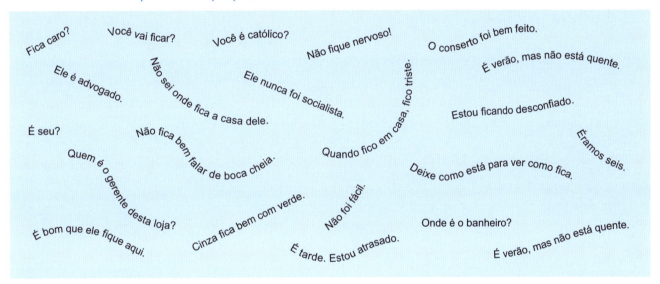

B. Complete. Use **ser – estar – ficar**.

1. Onde _____ o Banco do Brasil? O senhor _____ bem próximo dele. Ele _____ logo ali, naquela esquina. _____ perto.

2. A construção da casa _____ muito cara; por isso, ele ainda não comprou os móveis.

3. Quando _____ cansado, também _____ irritado. Por isso, não _____ boa companhia quando _____ cansado. Nesses momentos, acho melhor _____ em casa. Mas, em geral, _____ calmo, paciente.

4. Eles _____ dez e eu _____ sozinho. Não vou comprar briga. _____ melhor _____ quieto. Não quero _____ maltratado por eles.

5. Vou levar todos esses livros. Em quanto _____ tudo? Vou pagar com cartão porque _____ sem dinheiro.

6. Esta criança _____ muito tímida, mas agora _____ mais descontraída.

7

COTIDIANO BRASILEIRO

Cena Paulistana

Árvores Paulistanas

Incrível! São Paulo – um jardim botânico a céu aberto, é uma das cidades mais bem arborizadas do mundo! Árvores como jequitibá, ipê, jacarandá, cássia, mulungu, cedro, sapucaia e tantas outras espécies dão a São Paulo um ar especial.

Nos meses de primavera e verão, a cidade torna-se um jardim. Nas esquinas, nas alamedas, nas praças, surgem, de repente, azaleias, buganvíleas, ipês roxos, amarelos e rosa, jacarandás mimosos deitando pétalas violetas pelo chão, copas douradas de manacás, tipuanas, altas paineiras, flamboyants pegando fogo, quaresmeiras em flor até abril...

Contra toda a lógica, apesar da poluição, do barulho, do asfalto quente, da tensão, da correria, da gritaria, dos problemas todos de uma cidade imensa e indomável, sem mais nem menos, irrompem em nosso caminho, assim no meio de muito verde, árvores floridas, lindas – um espetáculo de cores que só nos faz bem.

Durante décadas e décadas, como autênticos jardineiros, antigos administradores, dedicaram-se a traçar bons planos de arborização para a cidade que crescia. E nessa missão contavam com aliados – os milhares de anônimos moradores, que, incansáveis, passaram a vida plantando mudas, regando, fertilizando, podando, protegendo, defendendo as árvores de seu jardim.

A. Responda.

1. O texto se inicia com a palavra "incrível". O que é "incrível"? Explique.
2. Em que época do ano São Paulo é mais florida?
3. Você sabe por que a quaresmeira tem esse nome?
4. Que papel tiveram os moradores da cidade em sua arborização?

LINGUAGEM COLOQUIAL

Blitz

— Seus documentos são falsos – disse o PM, – estão apreendidos.

Era uma blitz – mania brasileira de resolver os problemas no grito: proíbem, baixam o pau, prendem, para depois voltar tudo ao que era antes.

— Falsos por quê? – espantou-se o dono do carro.

Ele vinha calmamente da praia de São Conrado, e de repente, se viu cercado de soldados em frente ao Hotel Nacional. Detinham todos os carros e davam uma busca de cabo a rabo, olhando até dentro do motor. No seu, pelo menos, não encontraram nada – a não ser a falsidade dos documentos, que o soldado invocava agora:

— Falsos porque aqui diz que o senhor tem porte de arma. E o senhor não está armado.

Mais essa agora. Contando, ninguém acredita:

— O fato de eu ter porte de arma não me obriga a andar armado, qual é?

Tinha graça, ele na praia de revólver enfiado no calção de banho:

— Tá tudo bem, seu guarda, mas brincadeira tem hora. Me dá os documentos que estou com pressa, preciso ir andando.

— Estão apreendidos.

Acabou perdendo a paciência:

— Apreendido é a...

Nem bem ameaçou o palavrão, o soldado saltou sobre ele.

— Desacato à autoridade. O senhor está preso.

— Preso? Que bobagem é essa?

Os outros soldados se chegaram e a coisa começou a ficar preta: eram mais de vinte. Veio o sargento saber o que se passava. Ele se explicou como pôde, segurando a língua, mas o soldado insistia:

— Xingou a minha progenitora. Desacato à autoridade.

— Desacato à autoridade – confirmou o sargento gravemente.

Veio o tenente para conter seus subordinados, que já queriam acabar com a raça dele ali mesmo. Mas, não relaxou a prisão.

— Como é que o senhor, que parece um homem tão educado, vai xingando a mãe dos outros assim sem mais nem menos? Agora não tem perdão: preso por desacato à autoridade.

— Está bem, se querem me prender, me prendam – conformou-se ele, e foi acrescentando logo, com ar de entendido:

— Só que depois meto um processo em cima de todos por abuso de autoridade. E a pena por abuso de autoridade, vocês sabem disso, é muito maior que a de desacato.

Olhou o número da placa de um carro que ia passando:

— Artigo 2.365 do Código Penal, como vocês sabem.

Com essa, pelo sim, pelo não, acabaram concordando que o melhor era mesmo ele ir embora, com documentos e tudo.

Fernando Sabino (adaptação)

A. Reproduza a narrativa acima com suas próprias palavras, detalhadamente.

B. Faça frases com as seguintes expressões:

1. de cabo a rabo
2. ir andando
3. ter graça
4. mais essa agora!
5. chegar-se
6. segurar a língua
7. sem mais nem menos
8. pelo sim pelo não
9. ar de entendido

GRAMÁTICA NOVA (I)

Formação de Palavras

Com prefixos

A. O que quer dizer? Explique o sentido da palavra.

1. **re**por — pôr novamente
2. **ante**ver — _____
3. **en**sacar — _____
4. **ex**trair — _____
5. **e**mergir — _____
6. **inter**por — _____
7. **des**obstruir — _____
8. **contra**producente — _____
9. **sub**locar — _____
10. **sobre**vir — _____
11. **super**feliz — _____
12. **des**fazer — _____

B. O que quer dizer? Explique.

1. repatriar, retornar, reler, refazer, retocar, reprogramar
2. antedatar, anteceder, antecipar, antepassado, antevéspera, antepenúltimo
3. enterrar, embolsar, enquadrar, englobar, embarcar, encaixar
4. exportar, expulsar, excluir, excomungar, expatriar
5. imigrar, importar, incluir, infiltrar, imergir
6. emigrar, emergir
7. entressafra, intermediário, intercâmbio, intervir, interpor
8. destratar, desvendar, desdizer, desmentir, destravar, desamarrar
9. contra-ataque, contradizer, contraproposta, contrapropaganda
10. submarino, sublinhar, subemprego, subscrever, subnutrido, subestimar
11. sobrevoar, sobrepor, sobreaviso, sobrecarregado
12. superalimentação, superqualificado, superlativo, superdotado, superfaturar

Com sufixos

A. O que quer dizer? Explique o sentido das palavras.

Gener**oso** — cheio de generosidade
Laranj**al** — _____
Crianç**ada** — _____
Fac**ada** — _____
Barrig**udo** — _____
Homi**cida** — _____
Velh**ice** — _____
Vende**dor** — _____
Ancora**douro** — _____
Maquin**ista** — _____
Pedr**eiro** — _____
Palid**ez** — _____
Branc**ura** — _____
Inflam**ável** — _____
Papel**aria** — _____
Bob**agem** — _____

B. O que quer dizer? Explique.

1. gorduroso, arenoso, famoso, cheiroso, gostoso
2. bananal, bambuzal, cafezal, canavial
3. papelada, meninada, mulherada, velharada
4. pedrada, cotovelada, guarda-chuvada, joelhada, sapatada, paulada
5. bigodudo, barbudo, orelhudo, narigudo, cabeludo, barrigudo
6. suicida, inseticida, pesticida

10

Bigodudo   Barbudo   Orelhudo   Narigudo   Cabeludo

7. tolice, burrice, macaquice, meninice, mesmice

8. inspetor, cobrador, leitor, portador, colecionador

9. bebedouro, comedouro, sumidouro

10. motorista, ciclista, campista, jornalista

11. jornaleiro, verdureiro, sapateiro, marinheiro, cozinheiro

12. habitável, comível, insolúvel, legível, insubstituível

13. livraria, barbearia, confeitaria, padaria, charutaria

14. folhagem, armazenagem, passagem, paisagem

15. feiura, secura, fervura, fartura

16. viuvez, mesquinhez, liquidez, timidez

Substantivos Compostos

Formação

A. O que é?

a couve-flor   o pé de moleque
o amor-perfeito   o pombo-correio
a má-língua   o para-lama
o boa-vida   o beija-flor
o vaivém   o salva-vidas
o alto-falante   o mandachuva
o pão-duro   o arroz de festa
o tico-tico   o quebra-nozes
o bota-fora   o tapa-buraco
o tira-manchas   o quebra-galho

Plural

Só vão para o plural os substantivos e adjetivos

a couve-flor   as couves-flores
o beija-flor   os beija-flores

Mas

Só a primeira palavra vai para o plural nas palavras unidas por **de**:

o pé de moleque   os pés de moleque

Com a ideia de finalidade ou semelhança, só a primeira vai para o plural

o salário-família   os salários-família
o peixe-espada   os peixes-espada

Nas palavras unidas sem hífen:

o pontapé   os pontapés

Nas palavras repetidas, só a última vai para o plural:

o tico-tico   os tico-ticos

A. Explique o que é e faça o plural

O conta-gotas   _____
O rabo de saia   _____
O pé-frio   _____
O pisca-pisca   _____
O bem-te-vi   _____
O cara de pau   _____
O banho-maria   _____
O tique-taque   _____
O quebra-quebra   _____
O guarda-costas   _____
O porta-chaves   _____
O/A maria-vai-com-as-outras _____
O boia-fria   _____
O leva-e-traz   _____
O vira-lata   _____
O abaixo-assinado   _____
O quebra-gelo   _____
O bate-papo   _____
A lua de mel   _____
O ganha-pão   _____
O guarda-sol   _____
A lenga-lenga   _____
O quebra-galho   _____

PAUSA

Expressões Idiomáticas

Boa jogada	Para inglês ver	Por baixo do pano	Rápido no gatilho
Em cima do muro	No fundo do poço	Nervos à flor da pele	Perdendo a esportiva
Em cima da hora	Em cima da mosca	A última cartada	Uma briga de foice
Tiro na água	Hora da verdade	Deixar na mão	Rodar a baiana
Um bate-boca	Sombra e água fresca	Em carne viva	

2 GRAMÁTICA NOVA (II)

Acentuação

A sílaba tônica

A. Separe as sílabas das palavras seguintes.

ótimo — ó-ti-mo
palha _____
sofá _____
sensível _____
senhora _____
psicólogo _____
saída _____
aqui _____
perdi _____
tórax _____
mágico _____
função _____
êxito _____
inoportuno _____
desajustado _____
Mateus _____
Bauru _____

ímã _____
irmã _____
público _____
Alexandre _____
xerox _____
fácil _____
lâmpada _____
paixão _____
Artur _____

B. Indique a sílaba tônica em cada uma das palavras acima.

Exemplo ó - ti - mo

pa - lha

so - fá

12

C. Separe as sílabas das palavras seguintes e indique a posição da sílaba tônica.

sala

táxi

único

atrás

tornar

coração

último

tatu

década

pálido

símbolo

atlas

café

metálico

rapaz

açúcar

bati

ácido

janeiro

órgão

esconder

Atenção!

ó – ti – mo é palavra proparoxítona

| 3 | 2 | 1 |

pa – lha é palavra paroxítona

| 3 | 2 | 1 |

so – fá é uma palavra oxítona

| 3 | 2 | 1 |

Regras de acentuação

Regra Geral

1. Todas as palavras proparoxítonas têm acento:

   mé – di – co   ár – vo – re   ó – cu – los   matemá – ti – ca
   [3] [2] [1]   [3] [2] [1]   [3] [2] [1]   [3] [2] [1]

2. As palavras em português são, em sua maioria, paroxítonas, por isso, geralmente não têm acento.

   pa – re – de   pro – ble – ma   a – cen – to   pa – la – vra
   [3] [2] [1]   [3] [2] [1]   [3] [2] [1]   [3] [2] [1]

3. Palavras oxítonas terminadas em a(s), e(s), o(s) têm acento:

   so – fá   ca – fé   mo – sso – ró
   [2] [1]   [2] [1]   [3] [2] [1]

   As terminadas em i(s) e em u(s) não têm acento:

   a – qui   ta – tu
   [2] [1]   [2] [1]

   Por isso, táxi, júri, vírus, bônus têm acento.

Atenção!

As palavras terminadas em **l, r, x, n, ão, ã, ei, um** são naturalmente oxítonas:

Observe:

nor – mal   espe – ci – al   a – zul
[2] [1]   [3] [2] [1]   [2] [1]

Por isso, fácil, difícil, útil, cônsul, túnel têm acento.

co – ra – ção   a – le – mão   Ja – pão
[3] [2] [1]   [3] [2] [1]   [2] [1]

Por isso, órfão, bênção têm acento.

---

an – dar   fa – lar   mu – lher
[2] [1]   [2] [1]   [2] [1]

Por isso, açúcar, éter, líder têm acento.

ir – mã   ma – çã   ta – lis – mã
[2] [1]   [2] [1]   [2] [1] [2]

Por isso, ímã, órfã têm acento.

---

xe – rox   du – plex   Pen – tax
[2] [1]   [2] [1]   [2] [1]

Por isso, tórax, clímax, Félix têm acento.

an – dei   fa – lei   gos – tei
[2] [1]   [2] [1]   [2] [1]

Por isso, fósseis, pônei têm acento.

---

ne – on   ma – rrom
[2] [1]   [2] [1]

Por isso, próton, nêutron têm acento.

ne – nhum   al – gum
[2] [1]   [2] [1]

Por isso, fórum, álbum têm acento.

Ditongos e hiatos

Separe as sílabas das palavras e justifique o uso do acento quando houver.

saudade _____
saúde _____
saída _____
vai _____
Havaí _____
ruína _____
Jundiaí _____
recaí _____
recaída _____
faísca _____

Acentos diferenciais

pôr (verbo)	por (preposição)

Ele vai **pôr** a casa à venda **por** necessidade.

dá (verbo)	da (de + a)

Ele **dá** notícias **da** família

pôde (perfeito de poder)	pode (presente de poder)

Ontem ele não **pôde** ajudar. Ele nunca **pode**;

más (adjetivo)	mas (conjunção)

Recebi **más** notícias **mas** não me abalei.

tem, vem (singular)	têm, vêm (plural)

Ele **tem** tempo, por isso sempre **vem**.
Eles nunca **têm** tempo, por isso não **vêm**.

A. Acentue se necessário. Faça o exercício coluna por coluna.

Leia as palavras em voz alta.

pensar	aqui	tatu	pulmão
discutir	ali	urubu	feijão
omitir	preferi	bambus	orgãos
eter	abri	virus	orfão

ambar	gratis	Itu	irmã
caviar	safari	Venus	imã
líder	taxi	propus	maçã
dançar	escondi	Jau	orfã
resolver (subst.)	Paris	zebu	condição
container	juri	onus	orgãos

B. Faça o mesmo.

algum	papel	exito
nenhum	jornal	pessego
album	hotel	panico
forum	gentil	timido
albuns	sutil	rubrica
alguns	facil	intimo (adjetivo)
comuns	dificil	eu intimo
tunel	proximo	rubrica

C. Acentue o **i** ou o **u** quando necessário.

cocaina	heroismo	reunião
gratuito	sauva	graudo
fluido	saude	ciume
conteudo	egoista	moido
caiu	jesuita	muito
eu destrui	reune	paraiso

D. Acentue se necessário.

1. Não de atenção aos problemas de Renato.
2. Não da para esperar a resposta da diretoria.
3. Todo mundo tem problemas. So voces não tem.
4. Vamos por um ponto final por aqui.
5. As mas línguas falam de mim, mas eu não ligo.
6. Ontem ele não pode falar comigo.
7. Ela é muito critica. Ela critica tudo.
8. Ele vai revolver as gavetas à procura de revolver.
9. Ela folheou o album, mas não pode encontrar a foto da irmã.
10. Cesar entrou em pânico quando entendeu o conteudo da historia.

15

Regência Verbal

Verbos e suas preposições

Exemplo

Aborrecer-se

Eu me aborreço com a <u>política</u>.

Ele se aborreceu por <u>estar</u> sem dinheiro.

verbo	sem preposição com substantivo	com preposição + substantivo	com preposição + infinitivo
aborrecer-se		com	por
acabar	•	com, em	de, por
aconselhar	•		a
acostumar-se		a, com	a
acreditar		em	em
aderir		a	
admirar-se		de	de
agradar	•	a	

A. Complete com a preposição adequada.

1. Ontem, eu me aborreci _____ você _____ você não ter telefonado.

2. Ele acabou _____ assinar o contrato.

3. Foi difícil convencê-lo, mas ele acabou _____ aceitar nossas condições.

4. Ele nos aconselhou _____ ficarmos quietos.

5. Alguém tem de acabar _____ essa discussão para que nossa festa não acabe _____ briga.

6. O plano agradou _____ todos e todos aderiram _____ ele.

7. Não acredite _____ (ele).

8. Eu me admirei _____ (a) coragem dela.

9. Ele se acostumou _____ levantar às 5 da manhã. A verdade é que a gente se acostuma _____ tudo.

10. Eu o aconselhei _____ participar da pesquisa, pois acredito _____ (ela).

B. Relacione.

1. acostumar-se   ( ) em pizza

2. acabar   ( ) no amigo

3. acreditar   ( ) a esperar

4. aconselhar   ( ) ao protesto

5. agradar   ( ) com a ideia

6. aderir   ( ) a alguém

PONTO DE VISTA

Objetivos do item

Todas as unidades deste livro contêm a seção Ponto de Vista, cujo objetivo é, através da apresentação de um tema polêmico, estimular o debate entre os alunos ou entre o aluno e o professor.

Eis aqui algumas expressões que poderão ser úteis para o desenvolvimento da discussão:

Começando: o texto trata de, parece-me que, na minha opinião.

Em primeiro lugar, antes de tudo, logo de início, de (um) modo geral.

Desenvolvendo: em segundo lugar, de (por) um lado... de (por) outro, de (por) uma parte... de (por) outra, em relação a, quanto a, no que se refere a, no que diz respeito a, sob esse ponto de vista, concordo com, sou de opinião que, na minha opinião.

Aprofundando: na verdade, além do mais, além disso, em todo caso, obviamente, naturalmente, evidentemente, quer dizer, sem dúvida, além do que.

Restringindo, opondo-se: (muito) pelo contrário, de modo algum, de jeito nenhum, de forma alguma, discordo de.

Concluindo: assim, por isso, pode-se concluir que, em resumo, resumindo, em conclusão.

Uma opinião contra os transplantes

"É como chafariz em cidade do interior: cada uma quer ter o seu!" A comparação foi feita por um renomado professor da Faculdade de Medicina da Universidade de São Paulo, ao comentar "o festival de transplantes de órgãos humanos" que se verifica no país. Ele contesta a prioridade desse tipo de cirurgia sofisticada e caríssima em um país subdesenvolvido, que ainda não conseguiu solucionar problemas graves de saúde pública, como tétano, sarampo, tuberculose, febre amarela ou doença de Chagas – moléstias infecciosas previsíveis. Na opinião do professor, mais importante que aumentar a sobrevida de uma só pessoa é impedir a morte de milhões de brasileiros por doenças previsíveis. Para ele, os transplantes servem apenas para projetar nomes de médicos e instituições.

A. Responda.

1. Você acha que a ausência ou ineficiência de uma medicina social justifica a não realização de transplantes?

2. Se a vida de alguém de sua família dependesse de um transplante, que atitude você teria?

3. É moralmente justificável aplicar altas verbas para salvar um só indivíduo quando essa mesma verba poderia ajudar um grande número de outras pessoas?

4. De acordo com seus conhecimentos, o Brasil tem condições para "atacar" os dois problemas?

B. Redação.

Dê sua opinião sobre o assunto.

LINGUAGEM FORMAL

Em Minas, sinal aberto aos ladrões

Em recente passagem pelas cidades históricas mineiras, observamos com pesar que, em inúmeros casos, relíquias, documentos, objetos de arte sacra e profana de incalculável valor histórico encontram-se literalmente abandonados. Em diversas ocasiões fomos deixados sozinhos, a percorrer livremente inúmeras salas repletas de objetos sabidamente cobiçados por colecionadores ou simples ladrões em busca de ouro ou pedras preciosas. Ao chamar a atenção das pessoas responsáveis por aqueles museus, ouvimos sempre a alegação de que estava sendo feito todo o possível para se proteger o acervo e que, com os recursos disponíveis, aquilo era o máximo que podia ser realizado.

Não cabe aqui relacionar os locais mais suscetíveis de serem roubados, os responsáveis por eles certamente o sabem.

Gostaríamos apenas de alertar mais uma vez para a importância de que se destine maior número de verbas visando à segurança dessas igrejas e museus que, com certa frequência, têm alguma peça insubstituível roubada para ir habitar a prateleira dos colecionadores. Com isso, inevitavelmente, perdemos todos nós, que somos impedidos de admirar uma produção artística e cultural do mais elevado valor, e o turismo local, que, sem ter o que mostrar, perde a importância e acaba morrendo.

Reinaldo de Andrade – Guia 4 Rodas

A. Responda.

1. Quais as ideias do texto? Resuma-as.
2. A finalidade do artigo é eliminar de uma vez por todas os roubos dos museus?

B. Observe.

Incalculável valor	– valor que não pode ser calculado.
Recursos disponíveis	– recursos de que se pode dispor.
Peça insubstituível	– peça que não pode ser substituída.

Agora complete.

O que pode ser comido é _____

O que pode ser apresentado é _____

O que pode ser aceito é _____

O que não pode ser visto é _____

O que não pode ser lido é _____

O que não pode ser previsto é _____

UNIDADE 2

Texto Inicial	Dona Custódia – Fernando Sabino	20
Gramática em Revisão	Presente e Imperfeito do Subjuntivo	22
	Conjunções de Presente e Imperfeito do Subjuntivo	23
	Colocação pronominal	25
	Concordância nominal	25
	Substantivo: masculino e feminino	25
	singular e plural	26
	Adjetivos: masculino e feminino	27
	singular e plural	27
	adjetivos compostos	28
Cotidiano Brasileiro	Cena brasileira – o negro	28
Linguagem Coloquial	Vamos acabar com esta folga – Stanislaw Ponte Preta	29
Gramática Nova (I)	Formação de palavras (2)	30
	Formando verbos	30
Pausa	Como é que é?	32
Gramática Nova (II)	Adjetivos: superlativo	33
	Pronúncia de palavras com x	34
	Regência verbal (2)	36
Ponto de Vista	Viajar para quê?	37
Linguagem Formal	Os sinais do tempo – Fernando Pedreira	38

TEXTO INICIAL

Dona Custódia

Ar de empregada ela não tinha: era uma velha mirrada, muito bem arranjadinha, mangas compridas, cabelos em bandó num vago ar de camafeu – e usava mesmo um, fechando-lhe o vestido ao pescoço. Mas via-se que era humilde – atendera ao anúncio publicado no jornal porque satisfazia às especificações, conforme ela própria fez questão de dizer: sabia cozinhar, arrumar a casa e servir com eficiência a senhor só.

O senhor só fê-la entrar, meio ressabiado. Não era propriamente o que ele esperava, mas tanto melhor: a velhinha podia muito bem dar conta do recado, por que não?, e além do mais impunha dentro de casa certo ar de discrição e respeito, propício ao seu trabalho de escritor. Chamava-se Custódia.

Dona Custódia foi logo colocando ordem na casa: varreu a sala, arrumou o quarto, limpou a cozinha, preparou o jantar. Deslizava como uma sombra para lá, para cá – em pouco sobejavam provas de sua eficiência doméstica. Ao fim de alguns dias ele se acostumou à sua silenciosa iniciativa (fazia de vez em quando uns quitutes) e se deu por satisfeito: chegou mesmo a pensar em aumentar-lhe o ordenado, sob a feliz impressão de que se tratava de uma empregada de categoria.

De tanta categoria que no dia do aniversário do pai, em que almoçaria fora, ele aproveitou-se para dispensar também o jantar, só para lhe proporcionar o dia inteiro de folga. Dona Custódia ficou muito satisfeitinha, disse que assim sendo iria também passar o dia com uns parentes lá no Rio Comprido.

Mas às quatro horas da tarde ele precisou dar um pulo ao apartamento para apanhar qualquer coisa que não vem à história. A história se restringe à impressão estranha que teve, então, ao abrir a porta e entrar na sala: julgou mesmo ter errado de andar e invadido a casa alheia. Porque aconteceu que deu com os móveis da sala dispostos de maneira diferente, tudo muito arranjadinho e limpo, mas cheio de enfeites mimosos: paninho de renda no consolo, toalha bordada na mesa, dois bibelôs sobre a cristaleira – e em lugar da gravura impressionista na parede, que se via? Um velho de bigodes o espiava para além do tempo, dentro da moldura oval.

Nem pôde examinar direito tudo isso, porque, espalhadas pela sala, muito formalizadas e de chapéu, oito ou dez senhoras tomavam chá! Só então reconheceu entre elas Dona Custódia, que antes proseava muito à vontade mas ao vê-lo se calou, estatelada. Estupefato, ele ficou parado sem saber o que fazer e já ia dando o fora quando sua empregada se recompôs do susto e acorreu, pressurosa:

— Entre, não faça cerimônia! – puxou-o pelo braço, voltando-se para as demais velhinhas: – Este é o moço de quem eu falava, a quem alugo um quarto.

Foi apresentando uma por uma: viúva do desembargador Fulano de Tal; senhora Assim-Assim, senhora Assim Assim-Assado; viúva de Beltrano, aquele escritor da Academia!

Depois de estender a mão a todas elas, sentou-se na ponta de uma cadeira, sem saber o que dizer. Dona Custódia veio em sua salvação.

— Aceita um chazinho?

— Não, muito obrigado. Eu...

— Deixa de cerimônia. Olha aqui, experimenta uma brevidade, que o senhor gosta tanto. Eu mesma fiz.

Que ela mesmo fizera ele sabia – não haveria também de pretender que ele é que cozinhava. Que diabo ela fizera de seu quarto? E os livros, seus cachimbos, o nu de Modigliani junto à porta substituído por uma aquarelinha...

— A senhora vai me dar licença, Dona Custódia.

Foi ao quarto – tudo sobre a cama, nas cadeiras, na cômoda. Apanhou o tal objeto que buscava e voltou à sala.

— Muito prazer, muito prazer – despediu-se, balançando a cabeça e caminhando de costas como um chinês. Ganhou a porta e saiu.

Quando ele regressou, tarde da noite, encontrou, como por encanto, o apartamento restituído à arrumação original, que o fazia seu. O velho bigodudo desaparecera, o paninho de renda, tudo – e os objetos familiares haviam retornado ao lugar.

— A senhora...

Dona Custódia o aguardava, ereta como uma estátua, plantada no meio da sala. Ao vê-lo, abriu os braços dramaticamente, falou apenas:

— Eu sou a pobreza envergonhada!

Não precisou dizer mais nada: ao olhá-la, ele reconheceu logo que era ela: a própria Pobreza Envergonhada.

E à tal certeza nem seria preciso acrescentar-se as explicações, a aflição, as lágrimas com que a pobre se desculpava, envergonhadíssima: perdera o marido, passava necessidade, não tinha outro remédio – escondida das amigas se fizera empregada doméstica! E aquela tinha sido a sua oportunidade de reaparecer para elas, justificar o sumiço... Ele balançava a cabeça, concordando: não se afligisse, estava tudo bem. Concordava mesmo que de vez em quando, ele não estando em casa, evidentemente, voltasse a recebê-las como na véspera, para um chazinho.

O que passou a acontecer dali por diante, sem mais incidentes. E às vezes, se acaso regressava mais cedo, detinha-se na sala para bater um papo com as velhinhas, a quem já se ia afeiçoando.

Não tão velhinhas que um dia não surgisse uma viúva bem mais conservada, a quem acabou também se afeiçoando, mas de maneira especial. Até que Dona Custódia soube, descobriu tudo, ficou escandalizada! Não admitia que uma amiga fizesse aquilo com seu hóspede. E despediu-se, foi-se embora para nunca mais.

Fernando Sabino

A. Certo ou errado?

	C	E
1. Dona Custódia mentiu ao dono da casa quando se apresentou, atendendo ao anúncio.	( )	( )
2. Feliz e sem qualquer tipo de dúvida, o dono da casa imediatamente contratou Dona Custódia.	( )	( )
3. Dona Custódia foi contratada como cozinheira.	( )	( )
4. Com o passar dos dias, Dona Custódia revelou toda a sua eficiência como dona-de-casa.	( )	( )
5. O pai do dono do apartamento morava com o filho.	( )	( )
6. O dono da casa pagava aluguel à Dona Custódia.	( )	( )

	C	E
7. A ausência do dono da casa era a condição para a realização dos chazinhos de Dona Custódia. Ele próprio, porém, desobedecia à condição.	( )	( )

B. Complete.

1. A velhinha _____ pelo apartamento como uma sombra.

2. De vez em quando, como boa cozinheira que era, Dona Custódia preparava algum _____.

3. Não faça _____! Deixe de _____! Aqui você está em casa.

4. Ele ficou muito, muito surpreso. Ele ficou _____ _____, e não sabia o que fazer.

C. Dê sinônimos.

1. velhinha mirrada – ....
2. aumentar o ordenado – ....
3. regressar à noite – ....
4. justificar o sumiço – ....
5. na véspera da festa – ....
6. aguardar amigo – ....
7. deter-se para bater papo – ....
8. afeiçoar-se às pessoas – ....

D. Linguagem coloquial. Explique.

1. Uma velha muito bem arranjadinha.
2. Ela ficou muito satisfeitinha.
3. Tudo muito arranjadinho.
4. Ele proseava muito à vontade.
5. Ele já ia dando o fora, ressabiado.
6. Ele deu um pulo ao apartamento.
7. Que diabos ele fizera de seu quarto?
8. Ela o aguardava, plantada no meio da sala.
9. Ele detinha-se na sala para bater um papo.
10. Foi-se embora para nunca mais.

E. Dê o substantivo.

1. afligir
2. sumir
3. despedir-se
4. dispensar
5. acrescentar
6. perder
7. afeiçoar-se
8. escandalizar
9. arrumar
10. restringir-se

F. Faça frases.

1. dar conta do recado
2. passar necessidade
3. não ter remédio
4. dar-se por satisfeito
5. dar com
6. errar de (de casa, de página...)
7. pretender

GRAMÁTICA EM REVISÃO

Presente – Imperfeito do Subjuntivo

Indicativo ou Subjuntivo?

Complete as frases livremente.

1. Eu não permito que você _____ e _____.
2. Antigamente, ele não nos deixava viajar porque _____.
3. Não sei se você _____.
4. Ninguém sabia que eu _____.
5. Pode ser que nossos planos _____.
6. É pena que tudo _____.
7. Foi necessário que a polícia _____.
8. Meu chefe não admite que seus funcionários _____.
9. Tudo deu certo, mas _____.
10. Duvidaram que nós _____, por isso _____.

Conjunções de Presente e Imperfeito do Subjuntivo

1. para que = a fim de que

| Vou falar mais alto | para que <br> a fim de que | todos me ouçam. |

2. embora = se bem que

| Vivemos bem | embora <br> se bem que | não sejamos ricos. |

3. contanto que = desde que

| Ela disse que iria à reunião | contanto que <br> desde que | fôssemos também. |

4. a não ser que = a menos que

| Espera-se uma produção fantástica de soja no Brasil | a não ser que <br> a menos que | haja problemas de clima por aqui. |

5. mesmo que = ainda que

| Cuidado com essa empresa! Não feche negócio com ela | mesmo que <br> ainda que | as condições lhe pareçam boas. |

6. sem que

| Ele fez o negócio | sem que | alguém o orientasse. |

7. até que

| Todo mundo esperou | até que | o artista chegasse. |

8. antes que

| Por favor pense bem | antes que | se meta em alguma encrenca. |

9. nem que

| Vou me casar com ela | nem que | tenha de ir a Roma falar pessoalmente com o Papa. |

10. caso

| Ele pediu que eu chegasse na hora | caso | o chefe marcasse uma reunião. |

11. por mais que = por muito que

Por mais que .... eu explicasse o problema, ele continuava confuso.

Por muito que ....

12. por menos que = por pouco que

Por menos .... barulho que ele fizesse, os vizinhos reclamavam.

Por pouco ....

A. Complete livremente.

1. Não quero falar com você

antes que _____

embora _____

sem que _____

2. Não assinaremos este contrato

até que _____

a não ser que _____

mesmo que _____

3. Demoliram aquela casa antiga

para que _____

se bem que _____

sem que _____

4. Eles viajariam conosco

desde que _____

caso _____

nem que _____

5. Não chamaremos a polícia

contanto que _____

a fim de que _____

ainda que _____

B. Diga de outro modo, sem mudar o sentido da frase. Observe o exemplo.

Ele queria ir lá, mas não foi.

Embora ele quisesse ir lá, não foi.

1. Ele estava rindo, mas não se sentia feliz.

2. Não sei se chegaremos a tempo. Mesmo assim devemos ir até lá.

3. Só lhe direi o que aconteceu se você prometer que guardará segredo.

4. Ele comprou a passagem para poder viajar no fim de semana.

5. Ele saiu sem dizer aonde ia.

6. Você pode ganhar muito. Mesmo assim não ganhará o suficiente para levar vida de rei.

C. Complete

1. (ajudar – funcionar) Para que as máquinas nos _____ em nosso trabalho, é necessário que _____ bem.

2. (tratar – ser) Ele não admitia que nós o _____ de senhor, embora _____ muito mais velho do que nós.

3. (perguntar – guardar – ter) Mesmo que eles lhe _____ alguma coisa, sugiro-lhe que _____ a informação para si para que não _____ problemas depois.

4. (permitir – sair – haver) Eu duvido que meu chefe _____ que eu _____ em férias em janeiro, embora, nessa época, _____ pouco trabalho em nosso escritório.

5. (dar – parecer) Ontem, meu chefe pediu-me que _____ um jeito no arquivo. Não tive dúvida. Joguei fora todos os documentos, embora alguns _____ importantes.

6. (sair – tomar) A mãe permitiu que o filho _____ para brincar contanto que _____ seu leite antes.

24

Colocação Pronominal

A. Coloque corretamente o pronome átono na oração. Justifique a colocação.

1. Nada pedi. (lhe)

2. Diremos novamente. (o)

3. Deram ao amigo. (a)

4. Não vi quando aproximou de mim. (o, se)

5. Que belo presente vocês deram! (me)

6. Alguém enganou. (se)

7. Talvez deem outra oportunidade. (lhes)

8. Como faz isso? (se)

9. Com tempo tudo arranjará. (se)

10. Nada disse nem dirá. (nos – nos)

11. Lá fala português. (se)

12. Poria em outro lugar se permitissem. (o, lhe)

B. Transforme as frases de acordo com o modelo.

Dou o dinheiro.	Dou-o.	Não o dou.	Dá-lo-ia se pudesse.	Dá-lo-ei se puder.

1. Escrevi estas cartas.

2. Paguei ao dentista.

3. Destruímos as provas.

4. Pegaram o bandido.

5. Vou anunciar o resultado.

6. Fiz o trabalho.

Concordância Nominal

Substantivos: Masculino e Feminino

O céu amanheceu limpo e o dia, ensolarado. Recostada no **sofá**, ela não tirava os olhos do telefone, que não tocava.

Da porta da sala, Marina perguntou:

— Como é, Cecília? Você vem ou não vem conosco à praia?

— Não posso, estou esperando o **telefonema** de meu pai para saber o resultado dos exames.

A. Substantivos masculinos terminados em –a.

Em português, quase todos os substantivos terminados em –a são femininos: a sala, a casa.

Exceções:

1. Substantivos terminados em –á, –ema, –oma e –grama:

o sofá	o crachá	o guaraná
o problema	o esquema	o sistema
o diploma	o idioma	o sintoma
o grama	o telegrama	o quilograma

2. Outros substantivos masculinos terminados em –a:

o dia	o mapa	o clima
o profeta	o pijama	o tapa
o planeta	o drama	o cometa

Complete as frases. Observe o exemplo.

Ele precisa dar uma solução para **este** problema **complicado**.

1. Não posso sair agora. Estou esperando _____ _____ telefonema _____.

2. Ele pendurou na parede da sala de espera _____ _____ diploma _____.

3. _____ atual sistema de comunicação é _____ e não funciona.

4. Para receber o presidente, a polícia montou _____ _____ esquema _____ de segurança.

5. Sinta _____ aroma _____ desta _____ flor!

6. _____ japonês é _____ idioma _____.

B. Substantivos com significados diferentes no masculino e no feminino.

o caixa   **a caixa**

O caixa errou no troco.

A caixa fica no fundo da loja.

Ponha os livros nesta caixa.

o guia   **o guia, a guia**

Preciso comprar um guia mais detalhado para dirigir nesta cidade.

Cuidado! Não perca a guia de vista senão você se perderá no museu.

a. Explique o significado destes substantivos.

o cabeça	a cabeça
o espinho	a espinha
o guarda	a guarda
o banheiro	a banheira
o praça	a praça
o nascente	a nascente
o capital	a capital
o moral	a moral
o rádio	a rádio

b. Complete.

1. _____ moral do time está _____. Estamos precisando de uma vitória.

2. O pequeno comerciante não consegue comprar material para trabalhar porque _____ capital de giro é _____

3. Ele sempre gostou de morar _____ capital. Agora precisa voltar para o interior porque o pai morreu. Ele está _____ dilema, não sabe o que fazer.

4. A polícia prendeu todos os conspiradores, menos _____ cabeça do movimento.

5. A excursão de geógrafos caminhou com dificuldade até _____ nascente do rio. A região era perigosa, por isso contrataram _____ guia para orientá-los.

C. Substantivos com significados diferentes no singular e no plural.

Alguns substantivos têm significado diferente no singular e no plural:

a féria = numa loja, é o rendimento em dinheiro do dia, do mês etc.

as férias = certo número de dias consecutivos destinados ao descanso dos funcionários (com remuneração), dos alunos etc.

o vencimento = data em que termina um prazo.

os vencimentos = salário.

o haver = o crédito.

os haveres = bens, patrimônio.

o bem = virtude.

os bens = as posses, o patrimônio.

a costa = o litoral.

as costas = o dorso.

Complete.

1. Economizei o ano todo para poder viajar _____ _____.

2. Ganho tão pouco! Não sei se _____ vão dar para pagar o aluguel, cujo _____ é amanhã.

3. _____ brasileira estende-se por 9.200 quilômetros, desde o Amapá até o Rio Grande do Sul.

4. A herança é enorme! Vai haver problemas para dividir _____ deixados pelo tio milionário.

5. Depois de fechar a loja, ele apura a _____ do dia.

D. Palavras com pronúncia diferente no singular e no plural.

1. Substantivo com timbre vocálico diferente no singular e no plural.

   Preste atenção à leitura feita por seu professor. Leia agora em voz alta.

   O **olho** – os **olhos** (no plural, o timbre da vogal assinalada passa de fechado para aberto.)

o **o**vo	os **o**vos
o c**o**rpo	os c**o**rpos
o j**o**go	os j**o**gos
o p**o**sto	os p**o**stos
o esf**o**rço	os esf**o**rços
o p**o**rco	os p**o**rcos
o p**o**vo	os p**o**vos
o **o**sso	os **o**ssos
o tij**o**lo	os tij**o**los

2. Adjetivos terminados em **–oso**, **–osa**, **–osos**, **–osas**

   – Todos estes adjetivos têm timbre vocálico fechado no masculino singular e aberto nas outras formas.

   um homem fam<u>oso</u> / uma mulher fam<u>osa</u>

   homens fam<u>osos</u> / mulheres fam<u>osas</u>

Leia em voz alta.

– um domingo gostoso

– uma conversa gostosa

– um plano perigoso

– bandidos perigosos

– candidatas nervosas

– uma chefe atenciosa

– um funcionário preguiçoso

– pais orgulhosos

– uma mãe carinhosa

– um pai orgulhoso

– uma carne gordurosa

Adjetivos: Masculino e Feminino – Singular e Plural

A. Complete.

1. contrato franco-brasileiro

   firmas ....

2. interesses asiático-europeus

   comunidades ....

3. mercado anglo-americano

   empresas ....

4. cooperação teuto-espanhola

   feiras ....

5. reunião técnico-administrativa

   problemas ....

6. organização político-religiosa

   festas ....

7. pelo castanho-escuro

   cabelos ....

8. blusa verde-clara

   casacos ....

9. olhos azul-claros

   flores ....

10. blusa azul-marinho

    blusas ....

B. Complete a lista.

Querido Artur

Vou fazer compras. Para nossa viagem precisamos de:

1. (azul) duas blusas..................
2. (cinza) duas malhas................
3. (amarelo) três saias.................
4. (rosa) dois vestidos..................
5. (violeta) um lenço....................
6. (verde) três gravatas.................
7. (preto) dois cintos....................
8. (laranja) duas malas..................
9. (azul-marinho) duas calças..........
10. (azul-marinho) três calções.........

Até às 7h.

Um beijo.

Márcia

C. Crie adjetivos compostos. Use sua imaginação. Observe o exemplo.

rosa – seda rosa-bebê
amarelo – vestido amarelo-gema
cinza – camisa cinza-rato

1. branco _____
2. vermelho _____
3. azul _____
4. rosa _____
5. marrom _____
6. verde _____
7. roxo _____
8. cinza _____

COTIDIANO BRASILEIRO

Cena brasileira: O Negro

O preconceito racial

O racismo e a desigualdade racial constituem um grande problema no Brasil, desde a era colonial e escravocrata.

Dados do IBGE – Instituto Brasileiro de Geografia e Estatística – mostram que 56,10% da população brasileira é composta por negros (o IBGE conceitua negros a soma de pretos e brancos).

Para que possamos entender o Brasil precisamos inter-relacionar questões, informações, dados de gênero, etnia e classe social.

Apesar de os negros serem maioria no ensino superior público brasileiro, ainda representam uma pequena parte das posições de liderança no mercado de trabalho, na política e na magistratura. O fato é que há racismo, sim, embora alguns brasileiros defendam a sua inexistência.

Responda.

1. Explique: cento e tantos anos depois da Abolição, a libertação dos negros é ainda uma questão mal resolvida.
2. Explique: apesar de os negros representarem uma maioria no ensino superior, são minoria nas posições mais altas da sociedade brasileira.
3. Pode-se afirmar que a atitude dos brasileiros em relação ao preconceito racial é hipócrita. Explique.
4. Você acha que a situação mundial dos negros e de outras etnias será menos problemática no futuro? Por quê?

LINGUAGEM COLOQUIAL

Vamos acabar com esta folga

O negócio aconteceu num café. Tinha uma porção de sujeitos, sentados nesse café, tomando umas e outras. Havia brasileiros, portugueses, franceses, argelinos, alemães, o diabo.

De repente, um alemão forte pra cachorro levantou e gritou que não via homem pra ele ali dentro. Houve a surpresa inicial, motivada pela provocação, e logo um turco, tão forte como o alemão, levantou-se de lá e perguntou:

— Isso é comigo?
— Pode ser com você também – respondeu o alemão.

Aí então o turco avançou para o alemão e levou uma traulitada tão segura que caiu no chão. Vai daí o alemão repetiu que não havia homem ali dentro pra ele. Queimou-se então um português que era maior ainda do que o turco. Queimou-se e não conversou. Partiu para cima do alemão e não teve outra sorte. Levou um murro debaixo dos queixos e caiu sem sentidos.

O alemão limpou as mãos, deu mais um gole no chope e fez ver aos presentes que o que dizia era certo. Não havia homem para ele ali naquele café. Levantou-se então um inglês troncudo pra cachorro e também entrou bem. E depois do inglês foi a vez de um francês, depois de um norueguês etc. etc. Até que, lá do canto do café, levantou-se um brasileiro magrinho, cheio de picardia para perguntar, como os outros:

— Isso é comigo?

O alemão voltou a dizer que podia ser. Então o brasileiro deu um sorriso cheio de bossa e veio vindo gingando assim pro lado do alemão. Parou perto, balançou o corpo e... pimba! O alemão deu-lhe uma porrada na cabeça com tanta força que quase desmonta o brasileiro.

Como, minha senhora? Qual é o fim da história? Pois a história termina aí, madame. Termina aí que é pros brasileiros perderem essa mania de pisar macio e pensar que são mais malandros do que os outros.

Stanislaw Ponte Preta – Tia Zulmira e Eu

29

A. Substitua as expressões destacadas por outras com mesmo sentido.

1. **O negócio** aconteceu num café.
2. **Tinha uma porção de sujeitos** sentados nesse café, **tomando umas e outras**.
3. Havia brasileiros, portugueses, franceses..., **o diabo**.
4. De repente, um alemão forte **pra cachorro** levantou...
5. Vai daí o alemão repetiu que **não havia homem ali dentro pra ele**.
6. **Queimou-se** então um português...
7. ...e **não conversou. Partiu pra cima** do alemão.
8. Levantou-se então um inglês... e também **entrou bem**.

B. Explique.

1. Então o brasileiro deu um sorriso **cheio de bossa**.
2. ...e **veio vindo gingando** assim.
3. ...**veio vindo... pro lado do alemão**.

C. Explique o título.

GRAMÁTICA NOVA (I)

Formação de palavras (2)

Formando verbos

E (n) + adjetivo + ecer

Exemplo:

(velho) en + velh (o) + ecer = envelhecer

| Fumar envelhece! | Andar emagrece! | Pensar enlouquece! |

A. Forme o verbo.

1. velho _____
2. fraco _____
3. rico _____
4. pobre _____
5. surdo _____
6. mudo _____
7. duro _____

B. Complete com verbos da lista dada.

Os maus negócios o tinham (pobre) _____. Seu crédito junto aos bancos tinha (fraco) _____. Mas nada o abatia. Ele tinha certeza de que, mais dia menos dia, (rico) _____ novamente. Não valia a pena pensar nas dificuldades. Não queria (louco) _____.

en + adjetivo + ar

Exemplo:

(direito)en + direit(o) + ar = endireitar

Ele levantou a cabeça, endireitou as costas, engrossou a voz... e partiu para a briga!

A. Forme o verbo.

1. direito _____
2. grosso _____
3. curto _____

4. comprido   _____

5. torto   _____

6. feio   _____

7. belo (beleza)   _____

B. Complete com verbos da lista dada.

Moda é moda! Siga-a sem discutir. Se, no ano passado, você (curto) _____ suas saias, (comprido) _____ -as agora! Roupas fora de moda (feio) _____ você.

....

a + adjetivo + ar

Exemplo:

(fino)a + fin(o) + ar = afinar

Abaixo as calorias! A ordem agora é afinar a cintura, ajustar o cinto, acertar as medidas. Vamos à luta!

Vamos afinar este instrumento, ou não vou aguentar escutá-lo.

....

A. Forme o verbo.

1. fino   _____

2. fundo   _____

3. próximo   _____

4. justo   _____

5. liso   _____

6. frouxo   _____

7. doce   _____

8. macio   _____

9. certo   _____

10. longo   _____

B. Relacione:

1. acertar   ( ) a saia

2. alisar   ( ) o café

3. afundar   ( ) -se do objeto

4. aproximar   ( ) contas com alguém

5. ajustar   ( ) a conversa

6. afrouxar   ( ) a gravata

7. adoçar   ( ) o cabelo

8. amaciar   ( ) na piscina

9. alongar   ( ) o pelo do gato

10. alargar   ( ) no alvo, na loteria

C. Responda usando os verbos dados.

1. Esta saia está muito comprida. O que devo fazer?

2. Meu cabelo está muito liso. Você acha que posso dar um jeito nele?

3. A pulseira de seu relógio não está muito apertada?

4. Esta rua é muito estreita. O que você sugere que a Prefeitura faça?

5. Você acha que este monumento de concreto embeleza nossa cidade?

6. Ué! Ele sempre foi pobre e agora vive como um rei! O que foi que aconteceu?

7. Você vai tomar café sem açúcar?

8. A notícia a alegrou?

9. A dieta que ela fez deu resultado?

10. Por que ela lançou todo aquele dinheiro pela janela?

11. Este creme está muito fino? O que é que vamos fazer?

12. Meu filho, você anda muito curvado. O que é que eu vivo lhe dizendo?

PAUSA

Como é que é?!

Explique o sentido destas frases.

1. Ele pegou a moto e saiu voando para o aeroporto.
2. Esse médico é de morte. Ó a quantidade de remédios que ele me receitou.
3. O forno estava muito quente e a clara ficou escura.
4. Está na cara que ela é coroa.
5. Cuidado com ele! Ele é esperto pra burro.
6. Esse inseticida mata pernilongos. Mata mesmo. Não tem mosquito.
7. Chegando em casa, ele se deitou correndo.
8. Ficar sem água é fogo.
9. Este açougueiro conhece os ossos do ofício.
10. Ele comprou maçãs a preço de banana.
11. A venda de leões para zoológico deu zebra. A das cobras deu bode.
12. O celular descarregado deixou-o uma pilha.
13. Na discussão, perder o fio da meada é o nó do problema.
14. Eu estou de olho no preço à vista.
15. Estes óculos me custaram os olhos da cara.
16. Todo mundo adorou o vatapá. A receita anda de boca em boca.
17. Esse mecânico tem um parafuso a menos.
18. Depois desta competição, o nadador vai pendurar as chuteiras.
19. Terraço sem telhado? Não sei o que deu na telha do arquiteto.
20. O motorista ligou o carro e pôs o pé na estrada.

Adjetivos: Superlativo

Tudo foi tão rápido! Ele estava triste **à beça**, mas aí ela entrou, **superanimada** e, num instante, lá estava ele sorrindo **alegre, alegre**. Dez minutos depois, já estavam **agarradinhos**, felizes, **como dois pombinhos**!

O ônibus está **muito cheio**. Ele está **cheíssimo**.

Esta ideia pode ser expressa de várias formas

– **com palavras de reforço**

O ônibus está **tremendamente cheio**.
O ônibus está **pra lá de cheio**.
O ônibus está **cheio à beça.**

– **com prefixo**

O ônibus está **supercheio**.
O ônibus está **ultracheio**.
O ônibus está **hipercheio**.

– **com repetição**

O ônibus está **cheio, cheio**.

– **com diminutivo**

O ônibus está **cheinho**. Nele, todo mundo vai **apertadinho**.

– **com uma comparação**

Nele, as pessoas viajam **como sardinhas em lata**.

A. Superlative a ideia.

1. Você está maluco? Uma viagem dessas é **cara**. (com palavra de reforço)
2. Esta sua ideia é **interessante**. (com prefixo)
3. Ele saiu com uma garota **linda**. (com repetição)
4. Parabéns! Seu exercício está **certo**. (com diminutivo)
5. Coma uma fatia de abacaxi! Está **doce**. (com comparação – mel)
6. Ele está **entusiasmado** com nosso plano.
7. Chi! O vidro de cola ficou aberto. A cola está **seca**.
8. Com Zás-Trás seus dentes vão ficar **brancos**.
9. No verão, com o sol tão forte, a terra fica **dura**.
10. Abaixe o volume! Esta música me deixa **nervosa**.

B. Substitua o superlativo dado por expressão de mesmo valor.

sala claríssima – sala superclara
casa limpíssima – casa limpa, limpa.

1. sucesso probabilíssimo _____
2. carta amicíssima _____
3. costume antiquíssimo _____
4. homem paupérrimo _____
5. casal felicíssimo _____
6. presente personalíssimo _____
7. amigos simpaticíssimos _____
8. cristal fragílimo _____
9. de primeiríssima qualidade _____
10. samba brasileiríssimo _____

C. O que quer dizer?

– O que você vai dar pra ele?
– **Coisíssima** nenhuma. Ele não merece nada.

– E quem apareceu depois?
– O **mesmíssimo** homem. Não é incrível?

– Pronto. Aqui está o que você me pediu.
– **Muitíssimo** obrigada.

Expressões coloquiais com valor superlativo.

Podre de rico – magro de dar pena
Lindo de morrer – feio de dar medo
Feio como o diabo
Doce feito mel

Faça frases com os superlativos acima.

Forme frases de valor superlativo, ligando palavras à esquerda com outras à direita.

1. amargo — como peru, como camarão, como pimentão!
2. magro — como papagaio!
3. surdo — feito gambá!
4. molhado — como um pinto!
5. trabalhar — feito um cordeiro!
6. branco — que nem um palito!
7. vermelho — feito neve!
8. forte — feito burro!
9. bêbado — como fel!
10. falar — como touro!
11. manso — como uma porta

Pronúncia de palavras com "X"

Som de:

CH (queixa)	Z (êxito)	S – SS – SC (exceção)	KS (sintaxe)
1. Em geral depois de ditongo	o êxito	a exceção	a sintaxe
a queixa	o êxodo	a experiência	o táxi
a ameixa	o exame	excelente	o tóxico
a paixão	o exemplo		
apaixonada	o exagero		
a caixa	o exercício	exclamar	o tórax
o peixe	o exército	a exclamação	o sexo
	executar	expressar	sexual

34

a faixa	execução		o nexo
o queixo	exato	expressivo	fixar
o feixe	a exatidão	a expressão	fixo
baixo	exatamente	explicar	o sufixo
debaixo	existir		anexar
deixar	a existência	extraordinária	o prefixo
	exonerar	extra	o léxico

2. Em geral depois de – en

enxame	expiar	ortodoxo
enxoval	extremo	oxigênio
enxada	auxiliar	flexão
enxaguar	o auxílio	sexagenário
enxuto	externo	anexo
enxerto	exterior	reflexão
	explícito	flexível
	sexta-feira	asfixiado

3. Outras palavras

oxalá	expor	reflexo
roxo	expulsar	fluxo
bruxa	extinguir	
xadrez	o texto	
xarope	próximo	
faxina	aproximar	
Alexandre	trouxe	
México	trouxeram	
mexcr	trouxerem	
	expediente	

Leia as frases em voz alta.

1. Os edifícios têm excelente extensão.

2. Na expectativa dos prêmios, as crianças ficam extremamente excitadas.

3. Ele está cansado de fazer exceções.

4. Envio cumprimentos extensivos a toda a família.

5. Todos se queixaram das questões do exame.

6. A explicação sobre o caso foi extraordinária.

7. Não adianta exigir mais dele. Ele já está fazendo o máximo.

8. A exposição foi um êxito.

9. Ele precisa de férias para relaxar, pois está exausto.

10. Em Bruxelas, Xavier nos auxiliou o tempo todo sem se queixar.

11. O resultado do exame deixou-o perplexo.

12. Ele está perdidamente apaixonado e com ideia fixa de se casar ainda este ano.

Regência Verbal (2)

Verbos e suas Preposições

Exemplo: agradecer

Agradeço <u>Mariana</u> pelo presente que me deu. Agradeço o presente à <u>Mariana</u>.

verbo	sem preposição com substantivo	com preposição + substantivo	com preposição + infinitivo
agradecer	•	a/por	
ajudar	•		a
apaixonar-se		por	
aprender	•		a
aproximar-se		de	
arrepender-se		de	de
bater	•	em	
cansar(-se)	•	de	de

A. Complete com a preposição adequada.

1. De todo coração, agradeço _____ todos.

2. Elisa apaixonou-se _____ (o) vizinho. Ela quer aproximar-se _____ (ele) a todo custo e não faz segredo disso.

3. Cansei-me _____ vocês. Cansei-me _____ ouvir bobagens. Aconselho vocês _____ pensar antes de falar.

4. O carro bateu _____ (o) poste e depois _____ (o) muro. O acidente acabou _____ o carro.

5. Nunca me arrependi _____ ter dito aquilo. Nunca me arrependi _____ (isso).

6. Preciso ajudar Joana _____ preparar a festa.

B. Relacione.

1. apaixonar-se   ( ) de gastar

2. arrepender-se   ( ) a esperar

3. acabar   ( ) a porta

4. aprender   ( ) pela ideia

5. bater   ( ) com a alegria

PONTO DE VISTA

Viajar para quê?

Por mim, prefiro não viajar.

Detesto o tempo perdido nos aeroportos, a poltrona apertada no avião, as horas sonolentas, a bagagem...

Odeio perambular por cidades novas para mim, às vezes no frio e na chuva, enfrentando a indiferença de pessoas que mal me veem, que nem sempre me entendem, que não sabem quem eu sou; percorrer longas ruas e corredores de museus, naves de igrejas, contemplando, contemplando...

Dizem por aí que, quando se viaja, se aprende. Duvido muito. Os prédios, os monumentos, os quadros, os fatos se fixam em nossa memória e, rapidamente, quase todos se apagam.

Viajar não é comigo. Prefiro ficar aqui, na minha cidade, observando as mudanças na paisagem, que conheço de cor. Aqui, eu sou eu. Aqui as pessoas me veem. Minha passagem é registrada e isso me dá tranquilidade. Nas paisagens que visito, não deixo rastros. Não sou ninguém fora daqui.

Emma Eberlein O.F. Lima

A. Responda.

1. Você concorda com a opinião expressa neste texto? Discuta.

2. Viajar é viver fora da própria realidade. Voltar é reinstalar-se nela. Você concorda com essa ideia?

B. Redação.

O que significa viajar para você?

LINGUAGEM FORMAL

Os sinais do tempo

A máquina do mundo, esse mecanismo imenso que move os céus e a Terra, funciona de acordo com leis estritas e precisas que a astronomia estuda. Tão precisas e exatas e constantes são essas leis, que sobre elas construíram os homens o calendário que rege suas vidas.

A escuridão da noite e a luz da manhã. O calor do verão e o frio do inverno sucedem-se a intervalos nem sempre previsíveis e confiáveis. Solstícios, equinócios têm dia certo no mês e no ano para ocorrer. E não há notícia de que essa regularidade, digamos suíça, da máquina do mundo tenha falhado em qualquer tempo ou em qualquer idade.

Há épocas, há anos inteiros, entretanto, em que os mais simples acontecimentos da vida na Terra parecem refutar o rigor dos astros. O calendário confunde-se e perde o compasso. Bichos e plantas obedecem a sinais obscuros que a astronomia não explica.

Este ano que passou foi um desses. Nas alturas do Trópico, as quaresmeiras floriram ainda em janeiro e fevereiro, muito antes do carnaval. O verão comprimiu-se numa semana, e quase não houve.

O outono apressou-se, estendeu-se, e engoliu o inverno. A primavera (se é que pode chamar isso de primavera) já veio misturada ao verão seguinte, cujos calores e aguaceiros chegaram logo em outubro, um outubro com cara e gosto de dezembro.

Tantos desregramentos desorientaram não só as flores, como também os frutos. As mangas, por exemplo, começaram a amadurecer em setembro. E mesmo as melhores vieram aguadas, sem graça. O excesso de chuvas, a falta do habitual período de seca do meio do ano tirou-lhes o gosto, assim como impediu as buganvílias, ao menos no Rio, de florirem com a fúria e o esplendor costumeiros. No Sul, houve e continua a haver vendavais terríveis e aguaceiros destruidores.

Estações do ano se atropelam e se confundem, bichos e plantas que saem do sério, tudo isso são irregularidades menores que não chegam a assustar os homens. Mas, por que não admitir que esses pequenos sinais humildes sejam o prenúncio de mudanças, de acontecimentos maiores?

Fernando Pedreira – *O Estado de S. Paulo*
(adaptação)

Responda.

1. O texto põe duas situações em oposição. Quais são elas?

2. Em que lugar da Terra ocorreu o descompasso do mundo?

3. Você é capaz de colocar os acontecimentos "desregulados" nos seus devidos lugares, ou melhor, no seu devido tempo?

4. Baseado no texto, você poderia dizer como deveriam ser as estações citadas?

5. O que é preciso para que as frutas tenham sabor e as buganvílias floresçam?

6. Eis algumas imagens extraídas do texto. Explique-as e faça frases com elas:
   - a máquina do tempo
   - perder o compasso
   - sair do sério

7. A que conclusão chega o autor do texto, diante de tantas irregularidades?

UNIDADE 3

Texto Inicial	Criança ontem e hoje – Otto Lara Resende – adaptado	40
Gramática em Revisão	Futuro do Subjuntivo	45
	Conjunções de Futuro do Subjuntivo	45
	Futuro do Subjuntivo com orações relativas	46
	Expressão típica da língua: Venha quem vier	47
	Verbo ver	47
	Verbo poder	47
	Contrações	47
	Todo – tudo	48
	Numerais	48
	Preposições – Locomoção	49
Cotidiano Brasileiro	Cena pernambucana	49
Linguagem Coloquial	Num país com tanto sol...	50
Gramática Nova (I)	Verbos compostos de ter	52
	Verbos compostos de ver	54
	Pronomes oblíquos com valor possessivo	54
Pausa	Sentido próprio – Sentido figurado	55
Gramática Nova (II)	Substantivos coletivos	56
	Regência verbal (3)	57
Ponto de Vista	Simpatias	58
Linguagem Formal	Do sol & da chuva com pequeno milagre – Gabriela Cravo e Canela – Jorge Amado	59

TEXTO INICIAL

Criança ontem e hoje

Quem vê a folga em que vive a meninada de hoje não pode fazer ideia de como a criança já foi um ser de segunda classe. Não tinha lugar de honra, nem lhe era reservada a melhor parte. Não se metia em conversa de gente grande. Se ficava quieta, ouvindo os adultos conversarem, logo alguém da roda mandava a pobre coitada lá dentro buscar um copo de água – simples pretexto para aprofundar a confidência ou a maledicência sem o incômodo testemunho infantil.

O respeito aos mais velhos era um dogma e a criança tinha de mostrá-lo por suas boas maneiras, desde o cumprimento até uma submissão servil. Criança não tinha vontade. Sua função era decorativa. Limitava-se a aparecer na sala de visitas, para umas gracinhas convencionais. Recitava, dizia algumas coisinhas bonitinhas, morrendo de timidez, e depois sumia.

O menor suplício consistia em cumprimentar, reverente e amável, receber uns tapinhas nas bochechas e responder às perguntas de sempre: nome, idade, em que ano está no colégio, que é que vai ser etc.

Havia crianças que trabalhavam como mouros, pois era aconselhável educá-las desde cedo no amor de pesadas tarefas.

Menina ajudava em casa, dava um duro de escrava. Menino era uma antecipação de *office-boy*, supria a falta do telefone e de outros instrumentos de comunicação. Se trabalhava no balcão, ou se ensaiava qualquer ofício, como aprendiz, jamais se falava em remuneração. Devia levantar as mãos para o céu agradecer a oportunidade de aprender. De um modo geral, as crianças arcavam com os deveres e os direitos eram reservados aos adultos. Não é de estranhar que todo garoto desejasse ardentemente crescer. Libertar-se daquela onerosa submissão, deixar para trás a escravidão da infância e ser gente grande, cidadão de primeira classe.

Os tempos mudaram. Vulgarizou-se o conhecimento de uma psicologia que, certa ou errada, valorizou a garotada e passou os velhos para trás. É preciso todo cuidado para não chocar o menino, para não criar nele sentimento de culpa, nem assustá-lo com a ameaça de castigo. Já nem se fala em castigar mesmo, pois o simples temor do castigo é um perigo para a delicada alma infantil. Autoridade é uma palavra praticamente banida e os coroas são fundamentalmente uns sujeitos retrógrados, quadrados, que não sabem onde têm o nariz.

A velha escola costuma, porém, dar resultados práticos. É o caso de um amigo meu, que voltou da Europa de navio, tendo a bordo um garoto infernal, que não deixava ninguém em paz. De sorriso amarelo, todo mundo aceitava o império do demônio, enquanto os pais do bandido se orgulhavam de sua brutal desinibição.

Eis, porém, que meu amigo achou jeito de pegar o garoto a sós e aplicou-lhe, de cara fechada, um beliscão histórico, seguido de enérgicos safanões. Apontou-lhe depois o mar e ameaçou atirá-lo na água, se denunciasse aquele episódio ou se insistisse em infernizar a vida a bordo.

O resultado foi surpreendente: o menino virou uma flor e desembarcou no Rio miraculosamente mudado, evitando sempre cruzar o olhar com meu mal-encarado amigo e seu improvisado professor.

Quando vejo o esforço que tanta gente hoje faz para compreender os jovens, em particular os adolescentes, penso nesse meu amigo. Sustenta ele que o caso, muitas vezes, é mais de corrigir do que de compreender. Sua pedagogia baseia-se no beliscão. É anterior a Freud e, evidentemente, muito anterior a essa juventude esportiva que sabe judô, caratê e outras bossas da Psicologia moderna.

— Otto Lara Resende
(adaptação)

A. Escolha a melhor alternativa.

Segundo o texto:

1. Quem vê a folga em que vive a meninada de hoje não pode fazer ideia de como a criança já foi um ser de segunda classe.

    a. a meninada de hoje não trabalha.

    b. a meninada de hoje vive melhor que a de antigamente.

    c. ninguém se lembra hoje de como a meninada de antigamente sofria.

    d. antigamente os adultos não tratavam bem as crianças.

2. Criança não tinha vontade.

    a. as crianças não sabiam o que queriam.

    b. as crianças eram pequenos robôs.

    c. as crianças não se revoltavam contra os adultos.

    d. os adultos mandavam nas crianças.

3. ...simples pretexto para aprofundar a confidência ou a maledicência sem o incômodo testemunho infantil.

    a. com as crianças por perto não era possível fazer fofocas.

    b. as crianças gostavam de ouvir fofocas.

    c. as crianças inibiam os fofoqueiros.

    d. as crianças não podiam ouvir fofocas.

4. Menino era uma antecipação de *office-boy*: supria a falta do telefone e de outros instrumentos de comunicação.

    a. Os meninos eram preparados para serem *office-boys*.

    b. Os meninos faziam serviços de *office-boys* porque não havia telefone.

    c. Não havia *office-boys* antigamente.

    d. Os meninos andavam para lá e para cá, levando recados, como os *office-boys* de agora.

5. É preciso todo cuidado para não chocar o menino, para não criar nele sentimento de culpa, nem assustá-lo com a ameaça de castigar mesmo, pois o simples temor da punição é um perigo para a delicada alma infantil.

Nesta passagem o autor está

    a. ironizando

    b. explicando

    c. denunciando

    d. fazendo uma advertência

B. Certo ou errado?

De acordo com o texto:

	C	E
1. as crianças antigamente eram tratadas como escravas	( )	( )
2. a garotada antigamente era "ser de segunda classe" porque não tinha vontade própria	( )	( )

41

3. as crianças de antigamente eram submissas ( ) ( )

4. as crianças ajudavam os adultos dentro e fora de casa ( ) ( )

5. os adultos de antigamente eram egoístas ( ) ( )

6. os adultos de antigamente faziam a meninada trabalhar porque acreditavam que isso era bom para ela ( ) ( )

7. criança antigamente só tinha deveres ( ) ( )

8. as crianças aceitavam bem seu papel de "ser de segunda classe" ( ) ( )

9. todo mundo agora entende de psicologia infantil ( ) ( )

10. as pessoas aprovam o comportamento da criançada de hoje ( ) ( )

C. Assinale o significado, no contexto, da palavra destacada.

1. Quem vê **a folga** em que vive a meninada de hoje
   ( ) falta de trabalho
   ( ) descontração
   ( ) festa

2. ...mandava a pobre coitada **lá dentro**
   ( ) à sala
   ( ) à cozinha
   ( ) para dentro de casa

3. Menina **dava duro** de escrava
   ( ) trabalha como
   ( ) revoltava-se como
   ( ) cansava-se como

4. Se trabalhava **no balcão**
   ( ) numa loja
   ( ) numa fábrica
   ( ) num escritório

5. As crianças **arcavam com** os deveres
   ( ) eram responsáveis por
   ( ) aceitavam
   ( ) faziam

6. **Não é de estranhar** que todo garoto desejasse ardentemente crescer
   ( ) é estranho
   ( ) é fácil entender
   ( ) é fácil concordar com

7. ...e ser **gente grande**
   ( ) adulto
   ( ) alto
   ( ) importante

8. **Vulgarizou-se** o conhecimento de uma psicologia
   ( ) tornou-se um fato
   ( ) tornou-se vulgar
   ( ) tornou-se popular

9. ...e os **coroas** são uns sujeitos retrógrados, quadrados...
   ( ) pessoas conservadoras
   ( ) pessoas de meia-idade

10. ...que **não sabem onde têm o nariz**
    ( ) não sabem o que estão fazendo
    ( ) são ignorantes

11. **De sorriso amarelo**, todo mundo aceitava o império do demônio
    ( ) de má vontade
    ( ) sem expressão no rosto
    ( ) disfarçando a má vontade

12. ...e aplicou-lhe, de **cara fechada**, um beliscão
    ( ) sem falar
    ( ) sem expressão no rosto
    ( ) de cara brava

D. Dê o sinônimo encontrado no texto.

1. interferir _____

2. trabalhar muito _____

3. a desculpa _____

4. o grupo _____

5. contar segredos fazer _____

6. bons modos boas _____

7. respeitoso _____

8. conveniente _____

9. inibição _____

10. parte lateral do rosto _____

11. o castigo _____

12. o pagamento do serviço feito _____

E. Faça como no exercício anterior.

1. gentil _____
2. a tortura _____
3. a palmadinha _____
4. o medo _____
5. expulso _____
6. do inferno _____
7. as obrigações _____
8. ficar livre _____
9. antiquado _____
10. meninada _____
11. sozinho _____
12. jogar, lançar _____
13. o tapa _____
14. tornar um inferno _____
15. desaparecer _____

F. Dê a forma do verbo.

tornar vulgar – vulgarizar

1. tornar escravo _____
2. tornar um inferno _____
3. tornar célebre _____
4. dar autorização _____
5. tornar industrial _____
6. introduzir no comércio _____
7. tornar fértil _____
8. tornar mais humano _____
9. tornar popular _____
10. tornar mecânico _____

11. tornar civilizado _____

12. tornar racional _____

13. tornar moral _____

G. Faça frases com os verbos do exercício anterior.

H. Responda, seguindo o exemplo.

Por que ele não reclamou?

(tímido) Por causa de sua timidez.

1. Por que ele estragou nosso plano? (estúpido)
2. Qual é maior vantagem deste negócio? (líquido)
3. Por que não cresce nada no deserto? (árido)
4. Por que o ouro é tão precioso? (escasso)
5. Por que você escolheu este tecido? (macio)

I. Siga o exemplo.

o menino tímido   **a timidez do menino**

1. O plano sensato _____
2. O veludo macio _____
3. O músculo flácido _____
4. A água escassa _____
5. A moça nua _____
6. O rapaz surdo _____
7. O doente pálido _____
8. A comunicação rápida _____
9. O vinho ácido _____
10. A menina muda _____
11. A ideia insensata _____
12. Um assunto árido _____
13. Comer avidamente _____

J. Complete as frases livremente. Observe o exemplo.

Em castigo já nem se fala, pois o simples temor dele faz mal à pobre criança.

1. Em lucro já nem se fala, _____
   _____

2. Em casamento já nem se fala, _____
   _____

3. Em viajar para a Europa _____
   _____

4. Comprar uma casa _____
   _____

5. Dar uma festa _____
   _____

6. Ir para cama cedo _____
   _____

7. Fazer novos investimentos _____
   _____

8. Esperar tempo bom _____
   _____

9. Vender o carro velho _____
   _____

10. Aumento de salário _____
    _____

L. Faça frases como a do exemplo. Para tornar mais clara sua ideia, estenda-se quanto quiser.

Em censura já nem se fala,
quanto mais em castigo.

1. faltar um dia/pedir férias
2. alugar uma casa/comprar
3. viajar para Bahia/Europa
4. ter uma pequena participação nos lucros/ficar sócio
5. visitar/hospedar-se
6. dirigir na cidade/na estrada
7. dar uma volta/passar o dia fora
8. convidar Marcelo/a família toda
9. ajudar Míriam/fazer o trabalho por ela
10. tirar uma soneca/dormir a noite toda

M. Folga.

estar de	folga
dia de	folga
ter	folga
dar	folga
ser	folgado

- Você não está de plantão hoje, não é? Hoje você está de folga.
- Nada disso! Hoje não é meu dia de folga. Eu só tenho folga às quartas-feiras.
- Não acredito! Esse seu patrão não lhe dá folga, hein?
- Pois é! Ele é que é **folgado**!

Fale sobre a rotina de um médico. Use todas as expressões acima.

N. Faça frases com as seguintes palavras ou expressões.

1. fazer ideia de
2. meter-se em
3. mandar buscar
4. limitar-se a
5. consistir em
6. dar duro
7. arcar com
8. libertar-se de
9. deixar para trás
10. achar jeito de
11. a sós
12. de cara fechada
13. insistir em
14. virar (transformar-se em)
15. evitar
16. fazer esforço para
17. anterior a
18. passar para trás

GRAMÁTICA EM REVISÃO

Futuro do Subjuntivo

Conjunções de Futuro do Subjuntivo

quando	se
enquanto	salvo se, exceto se
depois que	como = conforme
sempre que	segundo
logo que =	à medida que =
assim que	à proporção que
	quanto mais (menos)...
	tanto mais (menos)

Essas conjunções pedem **Futuro do Subjuntivo** quando a ação é futura.

Nas ações do Presente ou Passado, usam-se tempos de **Indicativo**.

A. Complete livremente as frases.

1. Não faremos nada
   quando vocês _____.
   enquanto a polícia _____.
   depois que _____.

2. O projeto trará benefícios à cidade
   se _____.
   logo que_____.
   à medida que _____.
   salvo se _____.

3. Faça seu trabalho
   como _____.
   sempre que_____.
   segundo _____.

4. A situação melhorará
   quanto mais _____.
   à proporção que o governo _____.
   assim que nós _____.
   conforme nós_____.
   exceto se o governo _____.

B. Complete as frases com o Indicativo ou o Subjuntivo.

1. (chegar) Não lhe dissemos nada quando ele ____ _____.

2. (estar) Não farei nada enquanto vocês _____ _____ aqui.

3. (trabalhar) Antigamente enquanto o marido _____, a esposa ficava em casa cuidando da família.

4. (vir) Ela sempre reclama quando eu _____ _____ aqui.

5. (investir) O negócio prosperava à medida que os sócios _____ mais dinheiro.

6. (fazer) Cuidado! Quanto mais investimento vocês _____, tanto maior será o risco.

7. (ver) Ontem, na rua, ele me reconheceu assim que me _____.

8. (vir – ver) Amanhã, se ele _____ aqui e _____ o que está acontecendo, tomará providências.

9. (pôr) Você vai pôr seu dinheiro nesse banco? Se você _____, eu também ponho.

10. (poder) Eu fiz meu trabalho como eu _____ _____. Faça o seu também como _____.

45

Futuro do Subjuntivo com orações relativas

Os aparelhos **que vierem do Japão** ficarão na minha sala.

Os aparelhos ficarão na minha sala / **que vierem do Japão** (oração relativa)

vierem – Subjuntivo (suposição)

Os aparelhos **que vieram ontem do Japão** ficarão no depósito.

Os aparelhos ficarão no depósito / **que vieram ontem** (oração relativa)

vieram – Indicativo (certeza)

O modo Indicativo é, por excelência, o modo que expressa a verdade, a certeza. O modo Subjuntivo, por outro lado, é o modo que expressa, principalmente, a dúvida, a incerteza, a suposição.

A. Identifique a ideia de certeza ou de suposição nas seguintes frases. Sublinhe a oração relativa e o seu verbo.

Aqueles **que forem promovidos** trabalharão mais.

oração relativa – que forem promovidos

forem – Futuro do Subjuntivo – suposição, incerteza

1. Todos os que quiserem trabalhar conseguirão um emprego.
2. Nada do que ele me disse me comoveu.
3. Calma! Desista! Eles rejeitarão qualquer proposta que você lhes fizer.
4. Elas ficarão contentes com todo o apoio que receberem.
5. Todo o dinheiro que foi roubado foi recuperado.

Embora a diferença entre as orações relativas com Indicativo ou Subjuntivo seja importante, o falante brasileiro usa, indiferentemente, os dois modos. A ideia da certeza ou da suposição será dada pelo contexto.

B. Responda às perguntas. Observe o exemplo.

Para onde você vai nessas férias?

Para onde houver paz, tranquilidade e pouca gente.

1. Para quem são esses livros? _____
2. Onde vocês vão construir a fábrica? _____
3. Quem ganhará o prêmio? _____
4. Para quem ficará a casa? _____

C. Complete no tempo e modo adequados.

1. Aos amigos que _____ me cumprimentar oferecerei um pedaço de bolo. (vir)
2. Nem todos os que _____ preenchiam os requisitos exigidos. (apresentar-se)
3. Refiro-me aos produtos que não _____ a marca do controle de qualidade. (exibir)
4. Você está proibido de comer todas as frutas que _____ ácidas. (ser)
5. Ele não pôde aceitar os pedidos que não _____ a tempo. (chegar)

Expressão típica da língua: Venha quem vier

A. Complete as frases.

1. (dizer – poder) Digam o que _____, farei por ele tudo o que eu _____.

2. (estar – querer) Esteja onde _____, quem _____ realmente ajudar-nos nos encontrará.

3. (doer – dizer) Doa a quem _____, todos ouvirão o que eu _____.

4. (haver – ir) Haja o que _____, eu o seguirei aonde você _____.

5. (custar – ouvir) Custe o que _____, convencerei todos os que me _____.

Verbo ver

A. Responda afirmativamente.

1. Você vê bem sem óculos?

   _____

   E eles?
   Eles também _____

2. Vocês não veem o perigo?

   _____

   E ela?
   Ela também _____

3. Você viu? _____
   Todo mundo viu?

   _____

   Eles também _____
   Vocês todos viram?

   _____

4. Você via tudo daqui?

   _____

   E elas?
   Elas também _____
   Todos nós _____

Verbo poder

A. Responda afirmativamente.

1. Você pode?

   _____

   E ontem? Ontem você pôde?

   _____

   Todo mundo pôde?

   _____

   Até eles _____
   Vocês também puderam?

   _____

2. Antigamente eles _____

3. E vocês. Vocês podiam?
   _____. Havia mais liberdade antigamente.

Contrações

A. Faça a contração.

de + o = do
em + o = no
em + um★ =
a + o =
a + aquele =
a + aqueles =
por + o =
de + ele =
em + este =
em + aquele =
em + isso =
de + aquilo =

★As duas formas existem: Ele trabalha **num** projeto novo. Ele trabalha **em um** projeto novo.

B. Complete com a contração adequada.

desistir _____ ideia
pensar _____ vida
bater _____ poste
pertencer _____ grupo
referir-se _____ problemas
resistir _____ tentações
trocar uma _____ outra

47

aproximar-se _____ (elas)

acreditar _____ políticos

acabar _____ situação complicada

tocar _____ assunto

depender _____ resposta dele

Todo – Tudo

Ele vem aqui **todo dia**.

Ele leu **todo o livro**. (= o livro todo)

Todos os meus amigos virão. **Tudo** está
pronto para a visita deles.

A. Complete.

1. Eu trabalho _____ semana, mas não
trabalho _____ semana _____.

2. Resolvi _____ meus problemas. Que
alívio! _____ está em ordem agora.

3. O terremoto destruiu _____:
_____ casas, _____
edifícios, _____ parques. A população
perdeu _____.

Numerais

A. Escreva por extenso.

1. (202) Este livro tem _____ páginas.

2. (1001) Foi uma festa das _____ noites!

3. (2342) Na pesquisa, ele entrevistou_____
_____ pessoas.

B. Escreva por extenso.

1. (10 – pãozinho) _____

2. (22 – razão) _____

3. (501 – laranja) _____

4. (22 – papelzinho)_____

C. Leia em voz alta.

1. A 1004ª vez

2. A 112ª tentativa

3. 29º dia

4. as 13ªs séries

5. os 11ºs colocados

D. Observe.

metade	a metade da laranja
terço	um terço do salário
quarto	um quarto da casa
quinto	um quinto da população
dobro, duplo	o dobro do preço, a dose dupla
triplo	salto triplo

E. Agora leia em voz alta.

1. 1/3 de 9 é 3.

2. 1/5 de 25 é 5.

3. 1/2 de 10 é 5.

4. 1/4 de 16 é 4.

5. 2/3 de 6 são 4.

6. 4/5 de 10 são 8.

7. 3/4 de 12 são 9.

F. Diga de outro modo.

1. Só mudarei de emprego se ganhar duas vezes
mais.

2. Este mesmo artigo custa três vezes mais na loja da
esquina.

G. Explique o que é.

1. vida dupla

2. chope duplo

3. mão dupla

4. barra dupla

5. pneumonia dupla

6. na mala, fundo duplo

7. duplo sentido

8. uma dupla famosa

Preposições – Locomoção

A. Complete.

1. Nas últimas férias, fizeram a viagem _____ _____ carro.
2. Perdi o ônibus e tiver que vir _____ pé, pois hoje há greve de metrô.
3. Não ando _____ trem há muitos anos. Para ganhar tempo, viajo normalmente _____ avião.
4. Quando criança, andava _____ bicicleta durante horas, sem me cansar.
5. Todos os dias vou _____ pé _____ casa _____ o escritório.
6. Este fazendeiro percorre a fazenda _____ cavalo, todas as manhãs.
7. Finalmente, vou aprender a andar _____ cavalo.
8. Nas próximas férias, vou realizar um velho sonho, vou viajar _____ navio para a Europa.
9. A viagem ideal é ir _____ avião e voltar _____ navio, quer dizer, ir depressa e voltar devagar.
10. As encomendas enviadas _____ via marítima levam de três a quatro meses para chegar. As _____ via aérea chegam em menos tempo, mas é mais caro.
11. Você tem coragem de viajar _____ moto _____ essa estrada?
12. Por incrível que pareça, o barco passou _____ dos rochedos, sem sofrer nenhum dano.

COTIDIANO BRASILEIRO

Cena Pernambucana

Festa juninas

Em todo o Brasil, junho, em sua tradição, conta com três festas populares, em homenagem aos santos do mês: Santo Antônio (dia 13), São João (dia 24) e São Pedro (dia 29). São as chamadas festas juninas.

Fogueira no quintal, rezas, fogos de artifício, danças, comida e bebida típicas, tudo de caráter bem popular, dominam as festas, que se prolongam por todo o mês.

Nas grandes cidades, as festas saíram das ruas e foram para as escolas, os clubes, os sítios, ou então para os ambientes domésticos. Crianças, jovens e velhos vestem-se à moda caipira, dançam a quadrilha, o forró, comem pé de moleque, paçoca, cocada, pipoca. São doces feitos de amendoim, milho, coco.

Santo Antônio é o santo "casamenteiro", quer dizer, as moças solteiras rezam para que o santo lhes encontre um marido. Em todo o país, sua devoção é muito grande.

Para a festa de São João, algumas cidades fazem uma grande procissão, com as crianças simbolizando João menino com um carneirinho.

Em Pernambuco, a festa mais tradicional do Estado é a de São João. Embora inúmeros locais festejem esse dia, duas cidades se caracterizam pela tradição de São João: Recife e Caruaru.

Recife
Na capital, Recife, vários bairros competem na disputa do primeiro lugar na animação e nos enfeites de rua. São milhares de bandeirinhas, arcos de bambu e muita folhagem enfeitando calçadas, bares e casas.

Quase toda a população se envolve nos festejos com a formação de "arraiais" espalhados pelos bairros mais populosos e com a organização de uma grande festa, a céu aberto, no Sítio da Trindade, em Casa Amarela. Em toda a orla marítima pode-se ouvir o som da gostosa sanfona, do triângulo, animando os forrozeiros até o amanhecer. Não faltam a tradicional fogueira e os fogos de artifício.

As barracas populares vendem canjica, pamonhas, bolo de fubá, milho cozido e assado.

Os restaurantes, mesmo os mais sofisticados, também preparam pratos típicos.

Nem mesmo as fortes chuvas, que podem cair nesta estação, conseguem apagar "o fogo" do entusiasmo dos festeiros.

Caruaru
Na época da festa de São João, a Polícia Federal tem grande trabalho na supervisão das estradas que dão acesso a Caruaru, tal o fluxo de veículos que tomam aquela direção.

Caruaru, no interior de Pernambuco, é a capital do forró. Ela e Campina Grande, também famosa pelos festejos de São João, batem recorde de movimento na estação rodoviária. Não é raro passageiros dormirem na estação, fazendo plantão, esperando pelos ônibus que vão a uma ou outra cidade.

Vocabulário
Arraial – pequena povoação, lugar de povoação temporária. No texto: lugar onde há festas e aglomerações populares.
Forró – ritmo de dança bem animado, popular. Atualmente, pode também significar o lugar da dança.

LINGUAGEM COLOQUIAL

Num país com tanto sol, é um pecado você ficar em casa, encorujado, vendo o tempo passar

Vamos! Não fique plantado aí! Não existe nada mais chato do que ver as férias, os feriados, os fins de semana passarem em branco. Saia por aí e curta o Brasil! Compre um guia e fique por dentro! Aqui vão algumas dicas.

No Paraná
Para alcançar o litoral paranaense, viaje de litorina pela estrada de ferro Curitiba – Paranaguá. São 110 Km de descida pela serra do Mar. 110 km de puro frio na barriga! Coisa de doido!

Em Parati, no Estado do Rio
Deixe o barco correr e fique de papo pro ar nas praias de Parati. Paisagens lindas de morrer, cidadezinha colonial... Tudo a ver.

Em São Paulo
A vida noturna paulistana reúne todo mundo: a moçada, os coroas, os folgados, os estressados, os joão-ninguém, os roqueiros... Sexta-feira então nem se fala!

Em Porto Seguro, na Bahia
10 km de praias de águas limpinhas azuis e verdes com coqueiros e sol à beça. O agito não para nunca. Muita música, muita paquera. Haja energia! Você vai adorar!

No Ceará
Passeios de jangada, caminhadas, paisagens de deixar qualquer cristão de queixo caído. E passeios de *buggy* pelas dunas branquinhas, "com muita emoção"! Tudo de tirar o fôlego! Turismo de tirar o chapéu!

Emma Eberlein O. F. Lima

A. Lido o texto, explique as expressões seguintes (não dê sinônimos).

1. estar, ficar encorujado
2. deixar, estar, ficar plantado
3. pôr o pé na estrada
4. sentir, ficar com, estar com, frio na barriga
5. deixar o barco correr
6. estar, ficar de papo pro ar
7. ser um joão-ninguém
8. deixar, estar, ficar de queixo caído
9. tirar o fôlego
10. tirar o chapéu

B. Faça frases com as expressões acima.

C. Leia a frase e complete-a com algumas destas expressões. Observe o exemplo:

ser um pecado!
passar em branco!
estar, ficar por dentro
dar, receber uma dica
coisa de doido!
estar, ficar de papo pro ar
lindo de morrer!
tudo a ver
à beça
haja energia! (paciência, dinheiro, tempo...)

Exemplo: Ela leva duas horas para se arrumar, mas o amigo nunca reclama. Um santo!
Haja paciência!

1. Não me conformo! Destruir um casarão tão bonito?! _____!

2. O sol, a praia, o mar azul, o sábado bonito... _____.

3. Não me lembrei de seu aniversário. Desculpe! _____.

4. Ele entrou na firma há apenas um mês, mas já sabe tudo sobre ela. _____ _____.

5. Incrível! O carro é supermoderno. Tem tudo o que você possa imaginar. Só falta falar! _____ _____!

6. Eu trabalho feito um condenado; mas nas férias não quero saber de nada. _____ _____.

GRAMÁTICA NOVA (I)

Verbos compostos de ter

reter
manter
suster
deter
conter
obter
entreter
abster-se de
ater-se a

A polícia me **reteve** durante toda a noite e me interrogou longamente.
Eu, no entanto, **mantive** a calma.

Observe.
Presente do Indicativo

Ter		Reter	
eu	tenho	eu	retenho
você ele ela	**tem**	você ele ela	**retém**
nós	temos	nós	retemos
vocês eles elas	têm	vocês eles elas	retêm

Compare a conjugação do verbo TER e do seu composto RETER. O que você notou? Isso acontece com todos os verbos compostos de TER no Presente do Indicativo.

A. Dê sinônimos para os verbos compostos de **ter**.

reter _____
manter _____
suster _____
deter _____
conter _____
obter _____
entreter _____
abster-se de _____
ater-se a _____

B. Complete as frases com os verbos compostos de **ter** acima.

1. Este documento _____ informações importantes.
2. Eu me _____ calmo em situações difíceis.
3. O trabalho _____ os funcionários no escritório até tarde.
4. Colunas _____ o telhado da casa.
5. A polícia _____ os suspeitos.
6. Eu me _____ lendo um bom livro.
7. Com esforço nós _____ bons resultados.
8. Eu me _____ de dar opinião sobre assunto tão delicado.
9. No escritório, ele se _____ a seu trabalho e não conversa com ninguém.

C. Faça frases com os verbos compostos de **ter** acima.

D. Complete as frases usando os verbos no tempo adequado.

1. (reter) Não quero _____ (o) aqui.
2. (reter) É possível que a chuva nos _____ lá.

52

3. (manter) Embora ela _____ a cabeça erguida, eu sei que está desanimada.

4. (conter) Se este cofre _____ um tesouro, não teria sido deixado aberto.

5. (obter) O jornal publicará a notícia quando _____ mais informações.

6. (suster) Ontem, com apenas uma mão, ele _____ uma melancia acima da cabeça.

7. (deter) Eu nunca me _____ diante de vitrinas.

8. (conter) Eu não me _____ e disse-lhe tudo o que sabia.

9. (abster-se de) Nas últimas eleições, nós todos _____ votar.

10. (manter) Duvido que ele _____ a família só com o seu salário.

11. (deter) Mesmo que nós nos _____ para pensar, não saberíamos o que fazer.

12. (obter) No mês passado, os funcionários públicos _____ um bom aumento.

13. (entreter) Ele nos _____ com suas piadas.

14. (suster) Quando ele percebeu o que ia acontecer, ele _____ a respiração.

15. (ater-se a) Por favor, senhores, _____ assinar o documento.

16. (conter) Ele nos pediu que nós _____ as despesas.

17. (manter-se) Pedestres, _____ à direita!

18. (deter) Embora eu o chamasse, ele não se _____.

19. (entreter) Mariana pediu que eu _____ _____ os convidados enquanto ela terminava de preparar o jantar.

20. (obter) Mesmo que nós _____ bons lucros, não viraremos milionários.

E. Responda às perguntas, usando em suas respostas verbos compostos de **ter**.

1. O que você disse quando ele gritou com você? Eu não disse nada. Eu _____

2. Já são 9 horas. Por que ele ainda não voltou do escritório?
_____

3. Depois do crime, o que é que a polícia fez?
_____

4. Por que é que esta gaveta está sempre trancada?
_____

5. Por que os operários suspenderam a greve?
_____

6. O que você faz com seus convidados?
_____

7. Por que o telhado não caiu?
_____

8. Seu carro já tem alguns anos, mas está novinho em folha. Como você consegue isso?
_____

9. Durante a reunião, João abriu a boca?
Não, ele _____

10. Você construiu uma bela casa. Como você conseguiu isso?
_____

Verbos compostos de ver

antever (ver antecipadamente)
entrever (ver confusamente, parcialmente)
prever (antever)
rever (ver novamente)

A. Diga de outro modo. Use os verbos acima.

1. Não consigo ver nenhuma dificuldade no futuro.
2. Através da janela semicerrada, vi a família jantando.
3. Ele já tinha percebido que haveria problemas com a família.
4. Sempre que corrijo um trabalho, torno a examiná-lo.

B. Faça frases com os verbos indicados.

1. antever (no Pretérito Mais-que-Perfeito Simples)
2. entrever (no Presente do Subjuntivo)
3. prever (no Presente do Subjuntivo)
4. rever (no Futuro do Subjuntivo)

Pronomes oblíquos com valor possessivo

Observe esta frase:

Vi-**lhe** o medo nos olhos.

Isto quer **dizer**:

Vi o medo em **seus** olhos.

A. Diga de outro modo.

1. A água chegou-nos à porta.
2. Tomaram-me o dinheiro.
3. Dei-lhe um tapa no rosto.
4. Nervoso, ele apertou-me as mãos.
5. Ouvi-lhes a voz.

B. Transforme as frases, substituindo os possessivos por pronomes oblíquos.

1. A inflação dificulta nossos negócios.
2. O fogo destruiu a casa deles.
3. Uma violenta martelada feriu os dedos dele.
4. Eu não quis atrapalhar seus planos.
5. O médico salvou minha vida.
6. As formigas invadiram minha fazenda e acabaram com meu cafezal.
7. A gripe tirou nossa fome.
8. Seu chefe ouviu suas reclamações, Julieta?
9. A inflação aumenta nossas preocupações.
10. O fiscal carimbou meu passaporte sem examiná-lo.

PAUSA

Sentido próprio – Sentido figurado

Babel econômica

Uma **corrente de greves atravessa** o país.

O plano econômico **esbarra** na inflação e **perde o vapor**.

O governo promete **tratamento de choque**.

As palavras e expressões negritadas acima foram usadas em sentido figurado.

A. Sublinhe as palavras usadas em sentido figurado.

Uma onda de entusiasmo explodiu na semana passada entre os caminhoneiros da região de Araçatuba quando se anunciou que Lucas Rei, o famoso cantor sertanejo, desfilará seus sucessos num *show* montado especialmente para eles.

B. Complete.

sentido próprio	sentido figurado
engolir o alimento	engolir um desaforo

1. abrir _____ abrir uma exceção
2. onda no mar _____ onda de _____
3. enterrar _____ enterrar a firma
4. cortar _____ cortar os gastos

C. Complete as frases com as palavras dadas.
(agulhada, alfinetada, fuzilar, coração)

1. No _____ da família, há muito amor, mas também muitos problemas.
2. Doutor, acho que meu caso é grave. Sinto _____ no peito o dia inteiro.
3. Durante toda a festa, as duas moças trocaram _____. Realmente, elas não se dão.
4. Quando eu percebi o que ele pretendia fazer, olhei feio para ele. Eu o _____ com o olhar.

D. Una as palavras da primeira coluna às da segunda:

1. engolir   ( ) para a briga
2. onda   ( ) de assaltos
3. queimar   ( ) uma brecha no regulamento
4. enforcar   ( ) sapo
5. abrir   ( ) a 2ª feira
6. partir   ( ) etapas

E. Explique.

1. nem a mais leve **sombra de dúvida**
2. receber tudo **mastigado**
3. **cortar** o mal **pela raiz**

4. levar um **contra**

5. "**torrar**" a paciência de alguém

6. sentir os pés **formigando**

F. Relacione.

1. Ele vai **embarcar** nesse negócio.
2. Estou vendo tudo **embaralhado**.
3. Se a fome **apertar**, comeremos alguma coisa.
4. Ele vai **murchar** quando eu disser "não".
5. Não posso **afrouxar** o controle.
6. Eles vão me **metralhar** com perguntas.

( ) confuso
( ) fazer perguntas uma após a outra
( ) aventurar-se
( ) enfraquecer, diminuir
( ) aumentar
( ) desanimar

2 GRAMÁTICA NOVA (II)

Substantivos Coletivos

O substantivo coletivo indica conjunto, grupo de pessoas ou coisas.

O exército está alerta.

A meninada faz um barulhão

A. Relacione.

1. o arquipélago
2. o exército
3. o rebanho
4. o código
5. a fornada
6. a criançada
7. a caravana
8. o enxame
9. a constelação
10. o elenco

( ) crianças
( ) ilhas
( ) estrelas
( ) ovelhas
( ) viajantes
( ) soldados
( ) leis
( ) pães
( ) abelhas
( ) atores

B. Faça o mesmo.

1. a flora
2. a pinacoteca
3. a matilha
4. a favela
5. o gado, a boiada
6. a esquadra
7. o clero
8. a fauna de uma região
9. o cardume
10. a quadrilha

( ) quadros
( ) bandidos
( ) navios
( ) animais de uma região
( ) lobos
( ) casas miseráveis
( ) peixes
( ) vegetação
( ) bois e vacas
( ) padres e freiras

C. Observe.

O exército de soldados **corajosos avança**.

O enxame **perigoso zumbia**.

Os quadros da **pinacoteca são valiosos**.

56

Continue.

1. A fauna _____
2. A fornada _____
3. A esquadra _____
4. O código _____

5. O júri _____
6. A discoteca _____
7. A quadrilha _____
8. O pomar _____

Regência verbal (3)

Verbos e suas preposições

Exemplo: casar-se

Ele se **casou com** Helena.

verbo	sem preposição com substantivo	com preposição + substantivo	com preposição + infinitivo
casar-se		com	
combinar	•	com	de
começar	•	com	a, por
compor-se		de	
comunicar	•	a	
comunicar-se		com	
concentrar-se		em	em
concordar		com	em

A. Complete as frases.

1. Enquanto ela se concentrava _____ (a) preparação da festa, ele se concentrava _____ (a) distribuição dos convites.

2. Vou comunicar _____ todos os planos da empresa. Quem quiser mais detalhes, por favor, comunique-se _____ (eu).

3. Ele foi despedido quando começou _____ fazer reclamações sem pé nem cabeça.

4. Comece seu trabalho _____ (a) parte mais simples. Não comece _____ reclamar antes de entender o que é necessário fazer.

5. Não podemos concordar _____ a ideia de o governo acabar _____ nossos privilégios.

6. Ele se arrependeu _____ casar-se _____ ela. Ele não combina _____ ela.

B. Relacione.

1. começar   ( ) no assunto
2. comunicar-se   ( ) pelo fim
3. casar-se   ( ) com o público
4. concentrar-se   ( ) em receber mensagens
5. concordar   ( ) com uma colega

PONTO DE VISTA

Simpatias

Se não fizer bem, mal não fará! Que tal tentar?

1. Para combater olho gordo
Coloque uma figa vermelha num frasco de perfume. Deixe-a lá durante 13 dias. Para carregá-la de energia positiva, reze com fé diariamente. Passados os treze dias, tire a figa do perfume e use-a sempre junto ao corpo. Borrife o perfume por todos os cantos de sua casa. Esta simpatia afastará de seu caminho todas as interferências negativas.

2. Para ganhar mais dinheiro
Pegue uma espiga de milho madura, vire a palha do avesso sem quebrar o fundo. Amarre essa palha com uma fita vermelha que nunca tenha sido usada. Pendure a espiga do lado de dentro da porta de entrada de sua casa. Faça, então, seu pedido. Você verá que tudo dará certo e nada lhe faltará.

3. Para conservar seu amor para sempre
Roube uma peça de uso pessoal de quem você ama. Corte a peça em pedacinhos. Costure os retalhos nas suas roupas íntimas, de modo que você esteja com um pedaço quando estiver com a pessoa amada. Depois disso, tenha certeza, você a terá a seu lado para sempre.

4. Para acabar com verrugas
Sempre que comer bananas, esfregue a casca na verruga e jogue para trás. É tiro e queda! (Qualquer tipo de banana serve).

5. Para evitar a inveja
Pendure um ramo seco de arruda atrás da porta de entrada de sua casa. Depois faça um saquinho com um pano bem branco e ponha dentro dele um outro ramo de arruda. Feche o saquinho com uma costura bem forte e use-o sempre junto ao corpo.

A. Comente cada uma das simpatias acima.

B. Responda.

1. Você pode, de alguma forma, explicá-las?
2. Em seu país existe (ou existia antigamente) algo semelhante?

C. Redação.

As "simpatias" e você.

LINGUAGEM FORMAL

Do Sol & da chuva com pequeno milagre

NAQUELE ANO DE 1925, quando floresceu o idílio da mulata Gabriela e do árabe Nacib, a estação das chuvas tanto se prolongara além do normal e necessário que os fazendeiros, como um bando assustado, cruzavam-se nas ruas a perguntar uns aos outros, o medo nos olhos e na voz:

— Será que não vai parar?

Referiam-se às chuvas, nunca se vira tanta água descendo dos céus, dia e noite, quase sem intervalos.

— Mais uma semana e estará tudo em perigo.
— A safra inteira...
— Meu Deus!

Falavam da safra anunciando-se excepcional, a superar de longe todas as anteriores. Com os preços do cacau em constante alta, significava ainda maior riqueza, prosperidade, fartura, dinheiro a rodo. Os filhos dos coronéis indo cursar os colégios mais caros das grandes cidades, novas residências para as famílias das novas ruas recém-abertas, móveis de luxo mandados vir do Rio, pianos de cauda para compor as salas, as lojas sortidas, multiplicando-se, o comércio crescendo, bebidas correndo nos cabarés, mulheres desembarcando dos navios, o jogo campeando nos bares e nos hotéis, o progresso enfim, a tão falada civilização.

E dizer-se que essas chuvas agora demasiado copiosas, ameaçadoras, diluviais, tinham demorado a chegar, tinham-se feito esperar e rogar! Meses antes, os coronéis levantavam os olhos para o céu límpido em busca de nuvens, de sinais de chuva próxima. Cresciam as roças de cacau, estendendo-se por todo o sul da Bahia, esperavam as chuvas indispensáveis ao desenvolvimento dos frutos acabados de nascer, substituindo as flores nos cacauais. A procissão de São Jorge, naquele ano, tomara o aspecto de uma ansiosa promessa coletiva ao santo padroeiro da cidade.

O seu rico andor bordado de ouro, levavam-no sobre os ombros orgulhosos os cidadãos mais notáveis, os maiores fazendeiros, vestidos com a bata vermelha da confraria, e não frequentavam igrejas, rebeldes à missa e à confissão, deixando essas fraquezas para as fêmeas da família:

— Isso de igreja é coisa para mulheres.

Contentavam-se com atender os pedidos de dinheiro do bispo e dos padres para obras e folguedos: o colégio das freiras no alto da Vitória, o palácio diocesano, escolas de catecismo, novenas, mês de Maria, quermesses, festas de Santo Antônio e São João.

Naquele ano, em vez de ficarem nos bares bebericando, estavam todos eles na procissão, de vela em punho, contritos, prometendo mundos e fundos a São Jorge em troca das chuvas preciosas. A multidão, atrás dos andores, acompanhava pelas ruas a reza dos padres. Paramentado, as mãos unidas para a oração, o rosto compungido, o padre Basílio elevava a voz sonora puxando as preces.

(...)

Realmente, alguns dias após a procissão, nuvens de chuva se acumularam no céu e as águas começaram a cair no começo da noite. Só que

São Jorge, naturalmente impressionado pelo volume de orações e promessas, pelos pés descalços das senhoras e pelo espantoso voto de castidade do padre Basílio, fez milagre demais e agora as chuvas não queriam parar, a estação das águas se prolongava já por mais de duas semanas além do tempo habitual.

Aqueles brotos apenas nascidos dos cocos de cacau, cujo desenvolvimento o sol ameaçara, haviam crescido magníficos com as chuvas, em número nunca visto, agora começavam novamente a necessitar do sol para se porem de vez. A continuação das chuvas, pesadas e persistentes, poderia apodrecê-los antes da colheita. Com os mesmos olhos de temor agoniado, os coronéis fitavam o céu plúmbeo, a chuva descendo, buscavam o sol escondido.

Velas eram acesas nos altares de São Jorge, de São Sebastião, de Maria Madalena, até no de Nossa Senhora da Vitória, na capela do cemitério. Mais uma semana, mais dez dias de chuvas e a safra estaria por inteiro em perigo, era uma trágica expectativa.

Jorge Amado (1912 – 2001), *Gabriela, Cravo e Canela*

A. Explique.

1. quando **floresceu o idílio** da mulata Gabriela e do árabe Nacib.

2. dinheiro **a rodo**.

3. as chuvas… **tinham-se feito esperar e rogar**.

4. os coronéis **não primavam pela religiosidade**.

5. **de vela em punho, prometendo mundos e fundos.**

6. para **se porem de vez**.

B. Responda.

1. Por que os fazendeiros estavam tão assustados com as chuvas prolongadas e intensas?

2. Para os habitantes de Ilhéus, o que significava civilização?

3. Segundo a tradição local, qual era a função religiosa dos ricos coronéis? E das mulheres?

4. Por que, naquele ano, estavam os coronéis todos na procissão de São Jorge, carregando o andor?

5. Por que o padre Basílio não podia ser considerado um modelo de padre?

6. Qual era a expectativa para a safra de cacau daquele ano?

C. Faça como no exemplo.

1. plantação de
cacau   cacaual   cacauais

2. plantação de
café   _____   _____

3. plantação de
laranja   _____   _____

4. plantação de
cana-de-açúcar   _____   _____

5. plantação de
algodão   _____   _____

6. plantação de
seringueiras   _____   _____

7. plantação de
banana   _____   _____

8. plantação de
milho   _____   _____

9. plantação de
trigo   _____   _____

UNIDADE 4

Texto Inicial	Página errada – Emma Eberlein O. F. Lima	62
Gramática em Revisão	Perfeito Composto do Indicativo	67
	Mais-que-perfeito do Indicativo	68
	Forma Composta	68
	Forma Simples	68
	Verbo vir	69
	Verbo vir – ver	70
	Verbo pôr	71
	Verbos pôr – poder	71
Cotidiano Brasileiro	Cena brasiliense	73
Linguagem Coloquial	Inferno nacional – Stanislaw Ponte Preta	74
Gramática Nova (I)	Pronomes indefinidos	76
	Repetição enfática	78
Pausa	A coisa aqui tá preta	79
Gramática Nova (II)	Adjetivos eruditos (1)	80
	Regência verbal (4)	81
Ponto de Vista	Engenheiro de telecomunicações abandona tudo...	82
Linguagem Formal	Dois sonetos de antigamente – Raimundo Correia e Vicente de Carvalho	83

TEXTO INICIAL

Página errada

A capela ficava numa ladeira esquecida, na parte velha da cidade. Na tarde velha de domingo, tudo cheirava a mofo: o calçamento de paralelepípedos gastos, calçada mil vezes remendada, casas velhas, abandonadas, o povo, pouco, andando devagar, ensimesmado. Por toda parte, mofo. Velharias por toda parte.

Entrei na capela meio escura. Foi como reencontrar de chofre na infância: toalhinhas engomadas sob os santos, imagens descascadas em eterno sofrimento, os vasos de dálias antigas, as carolas de preto esgueirando-se pelos cantos, aqui e ali figuras pálidas, o olhar distraído, rezando seu terço. Tinham-me avisado: o padre que celebraria o batizado era muito idoso. Reconheci-o imediatamente no passinho curto, inseguro, nas velhas mãos enrugadas segurando o livro de orações. Um outro padre, um pouco mais jovem, amparava-o discretamente, entre carinhoso e impaciente.

Era a nossa vez agora. O velho padre veio vindo devagar, meio trôpego e parou diante de nós. Olhou-nos, então, sem curiosidade, abriu seu livrinho, folheou-o durante algum tempo à procura da página. Demorou a achá-la. Achou. Ia iniciar o batizado.

Endireitando as costas, os braços, a cabeça, de repente ele derramou pela velha capela sua voz surpreendentemente clara e agradável:

— Eis aqui a Cruz do Senhor. Fugi, potências inimigas! Nós vos exorcizamos, espírito da impureza, poderes satânicos, ataques do inimigo infernal, seitas diabólicas...

Boquiabertos, ouvimo-lo sem pestanejar. O outro padre, até então em segundo plano, agitou-se, nervoso, e avisou entre dentes:

— Não, padre Alberto, não é esta página.

E, com a mão decidida, tentou alcançar o livrinho. O velho padre, desviando de si o gesto importuno, continuou impassível:

— Assim, pois, dragão maldito e toda legião diabólica, nós vos conjuramos. Foge daqui, Satanás, inventor e mestre de todos os enganos...

De repente, dando-se conta do engano, deixou de lado a fala clara:

— Mnhã, mnhã, mmnhã ... Aaamééémm!

Suspiramos aliviados, disfarçando o constrangimento. As mãos enrugadas, de novo os dedos em garras e secos folhearam o velho livrinho.

Um longo momento de suspense. É esta! Com voz outra vez bonita, sem se dar por achado, recomeçou:

— Conforme o costume cristão, vamos sepultar o corpo de nosso irmão. Peçamos a Deus que ressuscite na glória dos santos este pobre corpo que hoje sepultamos...

Horrorizada, olhei para a criança. Corada, a boquinha vermelha, o sono tranquilo. Vai-te embora, sombrio pensamento! A nuca ensopada em suor frio, as mãos frias, dedos gelados, as palmas úmidas.

— Não é esta a página, Padre Alberto! Por favor, pare! Reze um salmo e encerre a cerimônia! Por favor, Padre Alberto! Está errado! Acabe! Acabe!

E o velho padre, afastando do livrinho as mãos desesperadas do colega, continuou firme:

— Que nosso irmão descanse em paz em seu sepulcro até que...

— Um salmo, só um salmo, Padre Alberto. Não é este o texto. Um salmo e pronto. Por favor, Padre Alberto! Encerre a cerimônia! Encerre!

— Mnhã, mnhã, mmnhã, mmnhã... Aa-améééhmmm!

Outra vez a sensação de alívio. Outra vez poder respirar. De quem ter mais pena, do velho ou do outro.

E a velha mão fatídica novamente à procura da página. Gestos lentos. Outra vez a apreensão, o medo, o terror. O que será agora, meu Deus?

Com a voz clara e firme, que estranhamente, nada tinha a ver com o velho corpo em ruínas, o padre reiniciou a cerimônia:

— Irmãos, rezemos por esta criança que vai receber a graça do Batismo. Peçamos a Deus todo-poderoso conceda a ela a vida nova que vem pela água...

Alívio! Sorrimos todos, agradecidos. É esta a página! É esta!

Emma Eberlein O. F. Lima

A. Certo ou errado?

	C	E
1. A capela ficava num bairro muito antigo.	( )	( )
2. A capela e seus ocupantes haviam parado no tempo.	( )	( )
3. Na capela, havia muita gente.	( )	( )
4. O padre mais jovem cuidava do velho com todo carinho.	( )	( )
5. Durante o batizado, as pessoas demoraram a perceber o engano do padre.	( )	( )
6. O velho padre percebeu logo o problema, por isso passou a pronunciar as palavras da oração de maneira indistinta.	( )	( )
7. Depois de três tentativas, o padre finalmente achou a página certa.	( )	( )
8. Por pouco não houve batizado.	( )	( )

B. Relacione as palavras da primeira coluna com as da segunda.

1. mãos   ( ) trôpego
2. passo   ( ) distraído
3. voz   ( ) de alívio
4. olhar   ( ) enrugadas
5. suspiro   ( ) clara

C. Explique.

1. calçada mil vezes remendada
2. o povo ensimesmado
3. imagens de eterno sofrimento
4. vaso de dálias antigas
5. sem pestanejar
6. sem se dar por achado
7. esgueirar-se pelos cantos
8. falar entre dentes

D. Relacione as palavras da primeira coluna com as da segunda.

1. deixar de lado
2. dar-se conta de
3. de chofre
4. carola
5. amparar
6. impassível
7. ensopado

( ) perceber
( ) subitamente
( ) beata
( ) encharcado
( ) dar apoio
( ) sem expressão
( ) abandonar

E. Explique o que é.

1. Ficar boquiaberto
2. Pessoa ensimesmada
3. Ave pernalta
4. Ouvir cabisbaixo
5. Tomar aguardente
6. Virar lobisomem
7. Golpear com arma pontiaguda

F. Retire do texto todas as palavras ou expressões que dão ideia de velho, antigo.

Vir vindo – Ir indo

O velho padre **veio vindo**.

G. Complete as frases com locução verbal **vir vindo**.

1. Eu a reconheci quando ela _____ em minha direção.
2. Antigamente, nós corríamos ao encontro dele quando víamos que ele _____ pela calçada.
3. Veja! Lá está ela. Ela _____ para cá.
4. Amanhã nós conversaremos sobre o caso quando nós _____ para cá.

Complete com **ir indo**.

1. Não me espera! _____ que eu vou em seguida.
2. Veja! Lá _____ ele! E vai correndo!
3. Para ganharmos tempo, ele me pediu que eu _____ na frente.
4. Ele _____ para o aeroporto quando houve o desastre.
5. Espere! Eu já _____.

Acabar

– **terminar**
Acabei meu trabalho.
Deixe-me acabar a página.
O Correio Paulistano acabou há anos.
A viagem acabou aqui.

– **reflexivo**
Ele se acabou na enxada.
Ela está muito acabada.
Ela se acaba por causa da família.

64

– tornar-se	Ela era pobre, mas acabou milionária.
	Ele seguiu a carreira militar e acabou general.
– acabar de	Ele acabou de chegar.
	Acabo de saber que você vai embora.
– acabar por	Ele fez várias tentativas, mas acabou por desistir. (acabou desistindo)
	Ele acabou por conseguir o que queria. (acabou conseguindo)
– acabar com	Ele acabou com o jogo, escondendo a bola.
	Acabei com a discussão, dando um murro na mesa.
	Ele acabou comigo!
	Acabaram com os sabiás.
	O álcool acabou com a vida dele.
– acabar em	A amizade acabou em casamento.
	A festa acabou em pancadaria.
– acabar-se (se **expletivo**)	Acabaram-se as esperanças!
	Graças a Deus, acabou-se a confusão.
	Acabou-se o que era doce!

Complete a frase com **acabar** e dê um sinônimo para o verbo.

1. O mês _____, mas ele não apareceu.

2. Eu o vi ainda há pouco. Ele _____ passar por aqui.

3. Apesar de nossos esforços, nosso concorrente _____ fechar o negócio.

4. Embora ninguém percebesse, no fim, ele _____ envolver-nos em suas negociatas.

5. A serra elétrica _____ nossas florestas.

6. A viagem, no início tão alegre, _____ tragédia.

7. A preocupação vai _____ seus pais.

8. Dê um jeito nisso! _____ essa briga!

9. No começo era *office-boy*, mas _____ diretor de empresa.

10. Mãe, o açúcar _____.

11. O inseticida _____ com os mosquitos. Os que resistem _____ saindo pela janela.

12. Desculpe! Eu tinha tantos afazeres que _____ _____ esquecer nosso compromisso.

Expressões

dar-se conta de	De repente, dando-se conta do engano, ele se calou.
	Desculpe, só agora eu me dei conta de que já é tão tarde.
tomar conta de	Nas nossas férias, quem vai tomar conta da casa e dos cachorros?
fazer de conta que	Ele fez de conta que não me viu.
fazer conta de	Eu não faço conta do troco. Pode ficar com ele.
	Nosso professor é muito severo. Ele faz conta de cada vírgula.

dar conta de (dar conta do recado)	Ela é muito ativa. Ela dá conta da família e do trabalho. Ela dá conta do recado, porque é muito competente. Precisamos contratar mais um funcionário. O Fernando, sozinho, não dá conta do recado.
levar em conta	Não fique bravo com ela. Você precisa levar em conta que ela é muito jovem.

A. Relacione.

1. fazer conta de
2. dar-se conta de
3. dar conta do recado
4. fazer de conta que
5. tomar conta de
6. levar em conta

( ) desempenhar bem sua função
( ) perceber
( ) fingir
( ) cuidar
( ) levar em consideração
( ) fazer questão de

B. Reescreva o texto usando o maior número possível de expressões contendo a palavra **conta**.

É claro que ele não queria mudar de emprego! Era tão bom ficar ali, em seu cantinho, fingindo que trabalhava, quando, na verdade, divertia-se fazendo palavras cruzadas. Eficiente ele era e podia muito bem fazer todo o trabalho, cuidar do escritório todo. Mas faltava-lhe estímulo. O idiota de seu chefe ainda não percebera as suas qualidades. Em vez de elogiá-lo, caía em cima dele, não lhe perdoava nada. Um perfeito idiota!

Gradação

a apreensão – o medo – o terror

Estas palavras estão colocadas em ordem crescente de intensidade.

A. Organize as palavras em sequência de intensidade.

1. sacudir – tocar – agitar – abalar
2. sujo – imundo – manchado
3. maldade – rudeza – crueldade
4. pânico – timidez – medo
5. antipatia – ódio – inimizade
6. destruição – dano – extinção
7. afastar – desunir – isolar
8. esquentar – torrar – queimar

B. Complete a sequência.

1. irritação – raiva – _____
2. preguiça – cansaço – _____
3. falar – falar alto – _____ – berrar
4. arranhar – trincar – _____ – _____
5. _____ – rir – gargalhar
6. andar rápido – _____ – disparar
7. umedecer – _____ – encharcar
8. gastar – _____ – esgotar
9. bebericar – _____ – embebedar-se
10. cochilar – _____ – sonhar

GRAMÁTICA EM REVISÃO

Perfeito Composto do Indicativo

Ele **tem** trabalhado

Não **temos** viajado.

Exemplo: Ultimamente, vocês não **têm vindo** mais aqui. Por quê?

Porque **temos viajado** muito a negócios.

Emprego: O Perfeito Composto do Indicativo exprime uma ação que começa em um passado mais ou menos próximo e se prolonga até o presente, numa repetição quase constante.

A. Complete as frases com o verbo indicado no Perfeito Composto do Indicativo.

1. (ver) Eu não _____ Gustavo, ultimamente, por isso estou preocupada.

2. (passar/ir) Como na televisão não _____ bons filmes ultimamente, _____ muito ao cinema.

3. (chover) _____ pouco no Nordeste do Brasil, neste inverno.

4. (haver) Estamos com medo de perder o emprego porque _____ problemas na firma.

5. (dizer/repetir) Eu _____ e _____ inúmeras vezes para não deixar a porta do escritório aberta. Mas, não adianta, você não me ouve.

6. (fazer) Como ele quer acabar o trabalho antes do carnaval, _____ horas extras desde o princípio do mês.

7. (pagar) Desde que consegui o emprego, _____ minhas contas regularmente.

8. (noticiar) Todos os jornais _____ a possibilidade de racionamento de luz, pela falta de chuva.

9. (sentir) Desde quando você _____ dor de cabeça?

10. (receber) Eu não _____ e-mails ultimamente.

Observe.

Nas frases abaixo, há uma diferença de sentido entre os dois tempos:

Perfeito simples
(ação completamente acabada)

Perfeito composto
(ação inacabada, prolongada)

Exemplo: Não **vi** Mário nestes últimos dias.
(ação acabada)

Não **tenho visto** Mário nesses últimos dias.
(ação prolongada)

B. Substitua os tempos dos verbos para dar ideia de uma ação inacabada prolongada ou de uma ação terminada.

1. Para a prova de amanhã, ele **estudou** muito.
   _____

2. Desde que chegou aqui, não **encontrou** novos amigos.
   _____

3. Eu não **tenho saído** de manhã para fazer ginástica
   _____

4. Não **temos conseguido** melhorar nossa produção por falta de matéria-prima.
   _____

5. A última revisão que fizemos no carro foi há três anos. Depois disso, não **fizemos** mais revisão, e isso não é bom.
   _____

67

6. Eu sempre via Frederico na fábrica, mas não o **tenho visto** mais. Por onde andará Frederico?

7. As plantas murcharam. Você não **pôs** água nas plantas?

8. Ninguém **fez** nada para melhorar a situação.

9. Eu não **trouxe** novas ideias para a reunião. Aliás, ninguém **trouxe**.

10. Ele sempre vinha nos visitar. Mas, de um ano para cá, não **veio** mais.

Mais-que-Perfeito do Indicativo

O português possui duas formas de Mais-que-Perfeito: simples e composto.

Exemplo: Eu fizera = eu havia feito (eu tinha feito)

nós percebêramos = nós havíamos percebido (tínhamos percebido)

O Mais-que-Perfeito é empregado para indicar uma ação passada, anterior a outra ação passada.

Exemplo: Pedro veio ao escritório às 10h00, mas eu já **saíra**.

Pedro veio ao escritório às 10h00, mas eu já **tinha saído**. (havia saído)

Dei a notícia ao Bruno pelo telefone, mas ele já **soubera** dela pelos jornais.

Dei a notícia ao Bruno pelo telefone, mas ele já **tinha sabido** dela pelos jornais. (havia sabido)

A forma simples é de uso quase que só da língua literária.

A. Transforme as formas verbais como no exemplo.

Ninguém **começara** a trabalhar quando ele chegou.

Ninguém **havia começado** a trabalhar quando ele chegou.

Eu **dera** a notícia pelo telefone.

Eu **tinha dado** a notícia pelo telefone.

1. Ele trabalhou na filial durante três anos, mas antes já **havia trabalhado** sete anos na matriz.

2. Nós já conhecíamos muitos museus de artesanato, mas nunca **víramos** nada igual ao museu daquele país.

3. Eu queria acompanhá-la até sua casa, mas, quando a procurei, ela já **tinha saído** da festa.

4. Eu **tinha feito** o maior esforço para conseguir uma vaga naquela firma. E consegui.

5. Não sei como ele soube do caso. Eu não **dissera** nada a ele.

6. O gerente não trouxe os relatórios para a reunião porque o contador já os **havia trazido**.

7. Demos a notícia da família, mas os jornais já **escreveram** sobre o fato.

8. Foi um funcionário quem encontrou o documento. Ele o **vira** por acaso. **Pegara** a pasta para guardar o talão de cheque quando o encontrou.

B. Passe o texto abaixo para o Mais-que-Perfeito Simples.

A faxineira tinha ficado intrigada. Tinha aberto a porta devagar, mas logo percebeu que alguma coisa tinha acontecido. Com efeito, o patrão tinha se esquecido de desligar a televisão e ela depois viu que tudo estava fora do lugar. Alguém tinha entrado ali ou o patrão havia partido às pressas, por alguma razão muito forte.

Verbo vir

A. Complete.

1. Ele sempre _____ e eles também _____.

2. Ontem eu _____ e eles também _____.

3. Antigamente eu sempre _____ aqui e eles também _____.

4. Nós _____ aqui nestas duas últimas semanas e eles também _____.

5. Eu não conhecia esta praia porque nunca _____ aqui. Ela também nunca _____.

6. É preciso que você _____ e que ele _____ também.

7. Se nós _____ aqui e se ela _____ também, todos ficariam contentes.

8. Quando nós _____ aqui e quando eles _____ também, todos ficarão contentes.

9. Embora ele _____ ontem, eu não o vi.

10. Antigamente, todas as terças-feiras, ele _____ aqui para discutir os problemas da empresa. Nunca mais ele _____. Não sei o que aconteceu.

B. Complete.

1. Sempre que _____ a este restaurante, peço carne e não peixe.

2. Sempre que _____ a este restaurante, pedia carne e não peixe.

3. Sempre que posso, _____ conversar com ele.

4. Sempre que eles podiam, _____ conversar com ela.

5. Ontem não _____ porque não pudemos.

6. Por que vocês não _____ à festa? Foi ótima.

7. _____ me ver um dia destes. Diga a seu marido para _____ também.

8. Eu sei que você _____ à reunião do sábado passado. Seu amigo também _____?

9. Nós não _____ trabalhar ontem porque não pudemos. Houve greve de transportes.

10. Não compreendi por que vocês não _____ aqui, na reunião anual dos fabricantes de papel reciclado. Seus concorrentes _____.

C. Complete.

1. Agora ele quer que eu _____ às reuniões, mas antes ele não queria que eu _____.

2. Quer venhamos, quer não _____, eles vão adiar a festa.

3. Só darei o resultado se todos _____ amanhã às 8 horas.

4. Por que você queria que nós _____ ontem?

5. Quem _____ primeiro, poderá escolher a melhor mesa?

6. Espero que vocês _____ aqui mais vezes. É sempre um prazer recebê-los.

7. A não ser que todos _____ logo, o jantar estará arruinado. Ninguém gosta de comida fria.

8. Caso ele _____ agora, encontraria todos trabalhando.

9. Ele não deseja que ela _____. Prefere que ela não fique onde está.

10. Quando você _____ aqui, não deixe de trazer seu filho.

Verbos vir/ver

A. Complete com os verbos **ver** ou **vir** no Presente do Indicativo.

1. Faz tempo que eu não _____ aqui.

2. Faz tempo que eu não _____ Jorge.

3. Jorge _____ me ver toda semana.

4. Esta criança _____ televisão todo dia.

5. Estas crianças _____ televisão todo o dia.

6. Desde quando vocês _____ a este restaurante?

7. Desde quando vocês _____ este tipo de programa?

8. Nós _____ aqui para falar com ele, mas _____ que ele está muito ocupado agora.

9. Ele não _____ mais. Não adianta esperar! Você não _____ que está perdendo seu tempo com ele?

10. Eu fico maluca quando eles _____ aqui. Eles só criticam tudo, por isso é melhor que não venham.

B. Complete com os verbos **vir** ou **ver** no Perfeito do Indicativo.

1. Eu não _____ ontem porque não _____ o aviso no quadro.

2. Nós _____ trabalhar porque _____ _____ que você precisava de ajuda.

3. André, eu _____ seu nome na lista de candidatos.

4. André, eu _____ ontem, mas você não _____. Por quê?

5. Marta _____ aqui, mas não me _____.

6. Os técnicos _____ consertar os aparelhos, mas não _____ nada quebrado.

7. Ontem nós não _____ o filme que ele nos indicou porque _____ ver vocês.

8. Você não _____ que ele precisava de ajuda? Você _____ até aqui e não _____ nada?

9. Ele _____ a chuva pela janela.

10. Ontem eles _____, mas não nos _____. Chegaram e saíram sem olhar para ninguém. O que eles _____ fazer aqui?

C. Complete as frases com o Presente do Subjuntivo do verbo **ver** ou **vir**.

1. Para acreditar nessa história, é preciso que eu _____ aqui e _____ com meus próprios olhos todos os detalhes.

2. Telefone para mim, caso ele _____ mais cedo.

3. Tomara que todos _____ a minha festa.

vê vinha vindo vier venho veja vim vir veio via vendo vi

70

4. Vou deixar livros novos na biblioteca para que todos os alunos os _____.

5. Fique aqui até que alguém _____ substituí-lo.

6. Eles só farão o negócio desde que _____ algum interesse nele.

7. Embora eles sempre _____ aqui, não permitem que eu _____ com eles.

8. Eu ficarei aqui até que você _____ meu trabalho e _____ me dizer alguma coisa sobre ele.

9. Não quero que vocês _____ à aula sem o livro.

10. Duvido que ele _____. Ele nunca vem às nossas festas, não sei por quê.

D. Passe o texto para o passado.

Se bem que eu venha aqui todos os anos, não gosto do lugar. Embora veja o progresso da cidade, não posso dizer que a conheço bem. Coisas estranhas da vida.

O lugar é bonito, os habitantes são agradáveis. Mas não sei dizer por que não gosto daqui. Mesmo que esteja habituado e que veja o lado positivo da situação: a cidade não é longe, tem um clima ideal e não é cara; minha decisão está tomada.

Verbo pôr

A. Complete.

1. Quando ele chega do trabalho, _____ o carro na garagem. Eu também _____ o meu.

2. Ontem, quando chegamos do trabalho, _____ nosso carro na garagem. Eles também _____ o deles.

3. Antigamente, quando eu chegava do trabalho, _____ o carro na garagem. Ele também _____ o dele. Hoje nós não _____ mais.

4. Nessas últimas semanas, eles _____ o carro na garagem. Nós também _____ o nosso.

5. Eu lhes pedi que terminassem o trabalho e o _____ na minha mesa, mas vocês não _____. Por quê?

6. Não conhecemos ninguém desta firma. Nunca _____ os pés aqui.

7. Ela pediu que ele _____ paletó e gravata para ir à festa.

8. Se você _____ os documentos na minha gaveta, nós não perderíamos mais tempo.

9. Ele _____ a mesa se você pedisse, mas você nunca pede.

10. Eu ainda não _____ o dinheiro no banco. Espero que você o _____ ainda hoje. Se você não _____, vamos ter problemas.

B. Complete com os verbos **pôr** ou **poder**, no Presente do Indicativo.

1. Eu só _____ falar com ele amanhã.

2. Só _____ dinheiro na firma com o conselho do meu advogado.

3. Eu não _____ fé nesse negócio, por isso não _____ ajudá-lo.

4. Ele _____ fazer o que quiser, mas nós não _____.

5. Eles nunca _____ viajar porque nunca _____ dinheiro na poupança.

6. Eu não _____ nem pensar em falar com ele. Por ele não _____ minha mão no fogo.

7. Não _____ pôr a mala no carro. Você _____ me ajudar?

8. Eu _____ sal na salada, mas você não _____. Eles também não _____.

9. No Natal eles sempre _____ os presentes das crianças embaixo da árvore.

10. Todo dia ela arruma a sala e _____ tudo em ordem.

C. Complete com os verbos **pôr** ou **poder**, no Perfeito do Indicativo.

1. Ontem ele não _____ gasolina no carro porque não teve tempo. Por isso não _____ sair.

2. Finalmente, você _____ concluir o trabalho? E nele, você _____ todas as suas observações?

3. Não sei se _____ ou não _____ minhas chaves aqui na bolsa. O caso é que não _____ sair ontem à noite porque não as encontrei.

4. Explique-me por que eles não _____ vir jantar. Explique-me por que eles não _____ falar comigo.

5. Responda-me: ele _____ o dinheiro no cofre? — _____.

   — Eles _____ chegar na hora? — _____.

   —Vocês também _____? — _____.

   —Você também _____ dinheiro na firma? _____.

6. — Eu lhes pedi por favor para não porem mais papéis na minha mesa.

   — Mas nós não _____.

7. O que vocês _____ sobre a mesa? Os documentos do carro?

8. Nós _____ os nomes dos convidados na lista, mas eles não _____ vir. Eles nunca podem.

9. Eles não _____ o serviço em dia, por isso não _____ receber o pagamento.

10. Ele não _____ esperar, _____ o paletó e saiu rapidamente.

D. Complete com os verbos **pôr** ou **poder** no Presente ou Futuro do Subjuntivo.

1. Tomara que você _____ explicar a ele o que aconteceu. Não quero que ele _____ a culpa em nós.

2. Amanhã, se eu _____ escolher, talvez _____ roupa esporte.

3. Temos que preveni-los do perigo antes que eles _____ mais dinheiro no negócio.

4. Quando ele _____ falar com elas amanhã, talvez as convença.

5. Pena que nós não _____ ver o final do filme.

6. Ela vai ficar muito brava se nós não _____ seu nome na lista.

7. Não acabaremos este trabalho para a próxima semana, a não ser que você _____ mais gente para trabalhar conosco.

8. Enquanto eu _____, vou ajudar a nova equipe, mesmo que você não _____ fazer o mesmo.

E. Passe o texto para o passado.

Não sei o que fazer. Não dá para prever nada, mesmo que eu ponha a imaginação para trabalhar. Mas talvez eu possa entrar na casa e percorrer as salas. Como será a vida ali?

Caso eu ouse abrir alguma gaveta, talvez ponha os olhos em algum papel importante e assim possa descobrir alguma coisa. Quer dizer, caso haja algum mistério.

COTIDIANO BRASILEIRO

Cena brasiliense

Brasília e o Quadrilátero Cruls

O sonho de transferência da Capital Federal do litoral – Rio de Janeiro – para o interior do país vem de longa data. Ela sempre foi um sonho antigo dos brasileiros. Os Inconfidentes Mineiros, grupo de intelectuais e patriotas que almejavam a independência do Brasil, em 1780, já falavam no assunto. Jornalistas, no século XIX, fizeram campanha em favor do estabelecimento da capital em um ponto no interior do Planalto Central, no centro do país, próximo à nascente de grandes rios. O nome Brasília foi sugerido, já em 1823, por José Bonifácio de Andrade e Silva, paulista de muito destaque na política brasileira.

Com a proclamação da República, em 15 de novembro de 1889, o projeto ganhou força e passou a ser previsto pela Constituição.

No entanto, o primeiro passo concreto para que a cidade deixasse de ser um simples plano foi dado pelo geógrafo e astrônomo belga Luiz Cruls, em 1892, a pedido do então presidente da República, Floriano Peixoto. O cientista, na época diretor do Observatório Astronômico do Rio de Janeiro, partiu da capital com uma equipe de 21 pesquisadores entre geógrafos, médicos, naturalistas botânicos e engenheiros, seguindo de trem até Uberaba, em Minas Gerais. De lá, em lombo de burro, alcançou o cerrado brasileiro, até então completamente desconhecido. Sem pontos referenciais e diante da imensidão da região, a expedição valeu-se da técnica dos marinheiros, guiando-se pelas estrelas. Recolhendo dados sobre a geografia, a fauna e a flora da região, Cruls demarcou a área onde, 70 anos depois, Juscelino Kubitschek ergueria a nova capital, isto é, uma área de 14.400 km², que ficaria conhecida como Quadrilátero Cruls.

A expedição circulou entre maio e novembro de 1982, percorrendo mais de 4.000 quilômetros na região. Um dos aspectos que mais chamou a atenção de Cruls foi a abundância de rios: "Por aí se vê que as águas são abundantes, tornando-se fácil abastecer uma cidade", escreveu o cientista em seu relatório de mais de 300 páginas, entregue ao governo. O relatório contém, igualmente, dados sobre o modo de vida dos habitantes do lugar, sobre as doenças mais comuns e características do vilarejo que encontraram pelo caminho.

Cruls descobriu o ponto em que se encontram as nascentes das três maiores bacias hidrográficas do país, a Amazônica, a Platina e a do São Francisco, que formam a Reserva Biológica das Águas.

"O relatório Luiz Cruls é a certidão de nascimento de Brasília."

Muitos anos se passaram até que o Governo Federal fizesse outros estudos para determinar a

73

localização de Brasília, mas nenhum deles deixou um legado tão grande como o de Cruls.

Em 1948, então presidente Eurico Gaspar Dutra nomeou uma nova expedição de exploração do Planalto Central, a missão Poli Coelho. No entanto, depois de dois anos de trabalho, ficou claro que a melhor localização para a nova capital era mesmo aquela que já se conhecia, o **Quadrilátero Cruls**.

Responda.

1. Desde quando se pensou em mudar a capital do Brasil para o interior do país? Estabeleça as épocas.
2. Quem foi Luiz Cruls?
3. Dê o itinerário da expedição Cruls.
4. Por que, no cerrado, o cientista guiou-se pelas estrelas?
5. Além de demarcar o terreno da nova capital, qual a importância da expedição de Cruls?
6. O que é o Quadrilátero Cruls?

LINGUAGEM COLOQUIAL

Inferno nacional

A historinha abaixo transcrita surgiu no folclore de Belo Horizonte e foi contada lá, numa versão política. Não é o nosso caso. Vai contada aqui no seu mais puro estilo folclórico, sem maiores rodeios.

Diz que era uma vez um camarada que abotoou o paletó. Ao morrer nem conversou: foi direto para o Inferno. Em lá chegando, pediu audiência a Satanás e perguntou:

— Qual é o lance aqui?

Satanás explicou que o Inferno estava dividido em diversos departamentos, cada um administrado por um país, mas o falecido não precisava ficar no departamento administrado pelo seu país de origem. Podia ficar no departamento do país que escolhesse. Ele agradeceu muito e disse a Satanás que ia dar uma voltinha para escolher seu departamento.

Está claro que saiu do gabinete do Diabo e foi logo para o Departamento dos Estados Unidos, achando que lá devia ser mais organizado o inferninho que lhe caberia para toda a eternidade.

Entrou no Departamento dos Estados Unidos e perguntou como era o regime.

— Quinhentas chibatadas pela manhã, depois passar duas horas num forno de 200 graus. Na parte da tarde: ficar numa geladeira de 100 graus abaixo de zero até as três horas, e voltar ao forno de 200 graus.

O falecido ficou besta e tratou de cair fora em busca de um departamento menos rigoroso. Esteve no da Rússia, no do Japão, no da França, mas era tudo a mesma coisa. Foi aí que lhe informaram que tudo era igual: a divisão em departamentos era apenas para facilitar o serviço no Inferno, mas em todo lugar o regime era o mesmo: quinhentas chibatadas pela manhã, forno de 200 graus durante o dia e geladeira de 100 graus abaixo de zero, pela tarde.

O falecido já caminhava desconsolado por uma rua infernal, quando viu o departamento escrito na porta: Brasil. E notou que a fila à entrada era maior do que as dos outros departamentos. Pensou com suas chaminhas: "Aqui tem peixe por baixo do angu." Entrou na fila e começou a chatear o camarada da frente, perguntando por que a fila era maior e os enfileirados menos tristes.

O camarada da frente fingia que não ouvia, mas ele tanto insistiu que o outro, com medo de chamarem a atenção, disse baixinho:

— Fica na moita, e não espalha não. O forno daqui está quebrado e a geladeira anda meio enguiçada. Não dá mais de 35 graus por dia.

— E as quinhentas chibatadas? – perguntou o falecido.

— Ah... o sujeito encarregado desse serviço vem aqui de manhã, assina o ponto e cai fora.

Stanislaw Ponte Preta, *Tia Zulmira e Eu*. Agir, 2007.

A. Reproduza a história em seus detalhes.

B. Passe as falas do texto para o discurso indireto.

Expressões idiomáticas

dar à luz – parir, ter um filho

ser de lua – ter humor variável

até que enfim – finalmente

agora é que são elas – aqui começa a dificuldade

desenferrujar a língua – ter a oportunidade de falar uma língua estrangeira; voltar a falar uma língua estrangeira

ensinar o padre-nosso ao vigário – dar conselhos à pessoa mais competente

Complete as frases com as expressões idiomáticas dadas.

1. Ontem conheci um americano. Conversamos muito e eu aproveitei para _____ _____.

2. Ontem o Jeremias quase me comeu vivo. Hoje estava uma seda comigo _____ _____.

3. Cansei de explicar o problema a ele, mas agora parece que ele entendeu _____ _____.

4. Nossa família aumentou. Minha mulher ontem _____.

5. Não se entusiasme muito, rapaz! Nosso trabalho até agora foi fácil, mas _____ _____.

6. A secretária do colégio explicou ao professor como se lida com alunos insubordinados. Enquanto ouvia, o professor sorria porque _____ _____.

GRAMÁTICA NOVA (I)

Pronomes indefinidos

> **Concurso para a Promotoria**
>
> Foram abertas inscrições para o concurso de Promotor Público do Estado. Até agora já se inscreveram **muitos** candidatos e **outros** ainda vão aparecer. **Todos** devem apresentar diploma de Direito e *Curriculum Vitae* no momento da inscrição. **Nenhuma** inscrição será feita sem estar condições. Há 15 vagas para **todo o** Estado.

Há palavras que se referem, de modo vago, indefinido, a seres e coisas da 3ª pessoa gramatical. São os pronomes indefinidos.

Alguns pronomes variam em gênero e número:

muitos candidatos
todos devem apresentar
nenhuma inscrição

Os principais pronomes indefinidos variáveis são:

algum, alguma, alguns, algumas
certo, certa, certos, certas
muito, muita, muitos, muitas
nenhum, nenhuma, nenhuns, nenhumas,
outro, outra, outros, outras
pouco, pouca, poucos, poucas
qualquer, quaisquer
quanto, quanta, quantos, quantas
todo, toda, todos, todas
vários, várias

Exemplo: **Certas** pessoas não conhecem seu devido lugar.
Você tem **algum** dinheiro? — Não, **nenhum**.
Alguma coisa me diz que não devo fazer esse negócio.

Outros pronomes invariáveis:

algo   nada
alguém   ninguém
cada   tudo

Exemplo: — **Alguém** me procurou? — Não, **ninguém**
Ele não faz **nada** na vida
Como havia vários oradores, **cada um** podia falar somente cinco minutos.

76

Complete com o pronome indefinido.

1. Os vencedores são dez. Quanto receberá _____ _____ um?

2. É uma pessoa esquisita. Não fala com _____ _____.

3. Apareceram _____ candidatos para a vaga de diretor, mas infelizmente, _____ deles preenchia os requisitos.

4. Só _____ repórteres puderam entrar na sala de conferência. Os _____ tiveram que esperar do lado de fora.

5. Ontem comi neste restaurante e não gostei. Vamos procurar _____.

6. Os problemas o deixam abalado, _____ que sejam eles.

7. Tanto Adalberto quanto Guilherme queriam se casar com Sílvia, mas _____ deles tinha a menor chance.

8. As orientações estão no envelope. O responsável pelo plano poderá esclarecer _____.

9. Perdeu _____ o que tinha.

10. Não sei se ele tinha _____ coisa a ver com o escândalo da Bolsa.

Particularidades de alguns pronomes indefinidos

algum, alguma – após o substantivo, tem sentido negativo
Exemplo: A construção custou algum dinheiro.
Dinheiro algum pagará isso (nenhum dinheiro).

nada – tem valor positivo em algumas frases interrogativas.
Exemplo: Não trouxe nada com ele?
(= alguma coisa).
O senhor não quer comer nada?
(= alguma coisa).

outro – pode significar "diferente"
Exemplo: Depois que mudou de firma, é outro homem.
(= um homem diferente, um homem que não é o mesmo).

Certo, certa, certos, certas – antes do substantivo, são pronomes indefinidos.
Exemplo: **Certas** pessoas pensam diferentemente.
Colocados após o substantivo, são adjetivos.
Exemplo: Ele é a pessoa **certa** para o cargo.

A. Coloque as palavras indicadas em posição correta na frase.

1. (certo) _____ momentos _____ são difíceis, mas ele sempre age no _____ momento _____.

2. (algum) Antes de bater à porta, ficou parado _____ minutos _____, pensando.

3. (algum) Não apresentou _____ argumento _____ convincente.

4. (algum) Andava depressa, sem olhar para trás, como se _____ pessoa _____ o perseguisse.

5. (certo) Conheço um _____ lugar _____ que serviria para a construção de nossa casa.

B. Indique o sentido dos pronomes indefinidos.

1. Quando voltei a São Paulo, 25 anos depois, encontrei outra cidade. _____

2. Jornal algum publicou a notícia. _____

3. Por que ele não trouxe nada para nós? _____ _____

4. Certas pessoas nunca fazem a coisa certa. _____ _____

5. Garçom, traga outra cerveja, por favor. _____ _____

6. Amigo algum me ajudou. _____

Repetição enfática

João, aquele é que sabe levar a vida

Vive na praia por causa do mar – o mar, esse é que o atrai. O trabalho ele o faz sem se queixar, mas sempre arranja tempo para sair com seu barco. Passa dias em alto-mar. À Marília resta-lhe apenas esperar.

Observe como se enfatizam as ideias

com **este, esse, aquele**

Ele está em São Paulo, cidade **essa** que o surpreende.
O Simão, **esse** o que precisa é trabalhar.
O livro que eu li, **aquele** é que é interessante.

com **o, a, os, as**

O dinheiro, ninguém **o** viu.
As aranhas, matou-**as** o jardineiro.

com **me, lhe, nos, lhes**

A mim não **me** deram nada.
Aos pais não **lhes** dá explicação.
A nós não **nos** deu nem um bom-dia!

Dê mais expressão ao texto, enfatizando as palavras em destaque.

Querida Dorinha

Escrevo-lhe para contar as últimas.

Perdi *meu emprego* porque com a mudança na firma, acabei sobrando...

O *sálario* me fez falta, mais vou levando. (Estou à procura de outro emprego, é claro.)

Um carro atropelou *o Rex*, coitado. *Mamãe* ficou muito triste, mas agora já parece melhor. *Renato e Ofélia* não se entendem mesmo. Brigam o tempo todo. Nada lhes resta fazer a não ser separarem-se. Que o façam o quanto antes para alívio geral. Quanto ao *Alexandre*, depois de 5 anos de namoro (meu Deus, um tempão!), sumiu do mapa! Não sei o que pensar dele. De resto, tudo em ordem. Acho que não me posso queixar da *vida.*

Escreva. É sempre bom receber notícias daí. Um abraço

da Sônia.

PAUSA

Vida cor-de-rosa

A vida, agora, lhe parecia cor-de-rosa. Havia terminado os preparativos para receber o neném que tanto esperara. O bercinho, as roupinhas... Estava tudo lindo, tudo azul!

A. Explique o sentido desta expressão: A vida, agora, lhe parecia cor-de-rosa.

B. Na frase "Estava tudo lindo, tudo azul" o que pode ser entendido? Há mais de uma possibilidade de compreensão? Explique!

A linguagem das cores

- Está tudo azul. (= tudo bem)
- Recebeu bilhete azul. (= foi despedido)
- Você tem carta branca para resolver o caso. (= você tem todos os poderes para...)
- No exame, tive um branco = deu-me um branco. (= esqueci-me de tudo)
- Não assine cheque ou documento em branco. (= cheque ou documento não preenchido)
- Vou votar em branco. (= não vou assinalar nenhum nome)
- Ficou branco de susto. (= pálido)
- Antes do fim do mês já estava no vermelho. (= estava sem fundos, sem dinheiro)
- Ficou roxo de raiva. (= com muita raiva)
- Você vê tudo cor-de-rosa. (= vê tudo bem, com otimismo)
- Deu um sorriso amarelo. (= sorriso falso, constrangido)
- Ele é corintiano roxo. (= fanático pelo Corinthians)

Faça frases com algumas das expressões acima.

79

GRAMÁTICA NOVA (II)

Adjetivos eruditos (I)

A. Explique o que é:

1. solo **lunar**
2. branco **níveo**
3. cavalo **alado**
4. movimento **felino**
5. poder **aquisitivo**
6. eleições **sindicais**
7. andar **simiesco**
8. calor **estival**
9. paisagem **hibernal**
10. navio **pesqueiro**
11. águas **pluviais**
12. frio **glacial**

B. Diga numa só palavra.

1. doença **do coração**
2. produção **de fábrica**
3. zona **de gado**
4. som **da garganta**
5. homem **da cidade**
6. festas **de junho**
7. obra **de mestre**
8. fúria **de leão**
9. problema **de rim**
10. navegação **de rio**
11. vento **do sul**
12. região **do sul**

C. Una livremente as palavras das duas colunas. Faça a concordância.

1. silêncio
2. pescoço
3. olhar
4. nariz
5. doença
6. chalé
7. língua
8. impressão
9. determinação
10. abalo
11. nuvem
12. projeto

( ) plúmbeo
( ) viperino
( ) tumular
( ) faraônico
( ) sísmico
( ) aquilino
( ) pétreo
( ) férreo
( ) taurino
( ) capilar
( ) digital
( ) alpino

80

Regência verbal (4)

Verbos e suas preposições

Exemplo: confiar

Confio o segredo a você.

Confio a você a chave do cofre.

Confiamos em todo mundo.

Confio em receber o dinheiro até amanhã.

verbo	sem preposição com substantivo	com preposição + substantivo	com preposição + infinitivo
confiar	•	em, a	em
conformar-se		com	em
consentir		em	em
contar	•	com	em
continuar	•	com	a
crer		em	em
cuidar		de	de
deixar	•	de, por	de, por
depender		de	de
desconfiar		de	

A. Complete.

1. Ninguém confia _____ (ele). Pouca gente se aproxima _____ (ele). Todo mundo se aborrece _____ ele e desconfia _____ (o) que ele diz.

2. O sucesso de nosso trabalho depende _____ nós mesmos. Acredite _____ (isso)!

3. Ele não consentiu _____ ter seu nome na lista. Já contávamos com isso.

4. Não deixe _____ examinar os documentos. Deixe-os depois em minha gaveta. São importantes.

5. Vou cuidar _____ (os) cachorros. E você, por favor, cuide _____ regar as plantas.

6. Eles continuam _____ a mesma ideia, mas nós continuamos _____ apontar-lhes as desvantagens do negócio. Um dia eles concordarão _____ (nós).

7. Jamais me conformei _____ essa cobrança. Quem se conforma _____ pagar um absurdo por um serviço mal feito?

8. Ele resolveu continuar _____ falar, embora todos desconfiassem _____ suas palavras e não acreditassem _____ nada do que estava sendo dito.

9. Deixe _____ falar tanto! Conforme-se _____ a decisão do chefe e continue _____ trabalhar.

10. Ela não gosta de depender _____ filhos. Desconfia _____ todos.

B. Relacione.

1. confiar   ( ) de ajudar
2. conformar-se   ( ) de alguém
3. contar   ( ) a falar
4. desconfiar   ( ) com o que aconteceu
5. continuar   ( ) em alguém
6. deixar   ( ) com você

PONTO DE VISTA

Engenheiro de telecomunicações abandona tudo para levar vida simples em Alto Paraíso

Engenheiro deixou emprego de alto salário para montar pousada

Alto Paraíso (GO). Quando o engenheiro decidiu abandonar o emprego em que ganhava alto salário, ninguém entendeu. Seu chefe na ocasião tentou fazê-lo mudar de ideia. Afinal tratava-se de um profissional brilhante, estrela da equipe. Mas toda a conversa de nada adiantou.

O engenheiro trocou tudo o que havia conquistado por uma vida simples em Alto Paraíso, cidadezinha de Goiás. Lá montou uma pousada e faz terapia alternativa.

"Acho que não era aquilo que eu queria", diz o engenheiro, agora Secretário do Meio Ambiente e Turismo da cidade.

Como um dos criadores da internet no Brasil, ele foi enviado ao exterior para dar palestras sobre o sistema brasileiro. Hoje não pensa mais no assunto.

A. Faça uma lista das vantagens e desvantagens imediatas, decorrentes da decisão tomada pelo engenheiro.

B. Discuta.

Admitindo-se que o engenheiro é relativamente jovem e tem filhos pequenos, foi sensata sua decisão?

C. Redação.

Apresente sua opinião sobre o caso em discussão.

LINGUAGEM FORMAL

Dois sonetos de antigamente

As Pombas

Raimundo Correia (1859-1911)

Vai-se a primeira pomba despertada...
Vai-se outra mais... mais outra... enfim dezenas
De pombas vão-se dos pombais, apenas
Raia sanguínea e fresca a madrugada...

E à tarde, quando a rígida nortada
Sopra, aos pombais de novo elas, serenas,
Ruflando as asas, sacudindo as penas.
Voltam todas em bando e em revoada...

Também dos corações onde abotoam,
Os sonhos, um por um, céleres voam,
Como voam as pombas dos pombais;

No azul da adolescência as asas soltam,
Fogem... Mas aos pombais as pombas voltam,
E eles aos corações não voltam mais...

Velho Tema

Vicente de Carvalho (1866-1924)

Só a leve esperança em toda a vida
Disfarça a pena de viver, mais nada;
Nem é mais a existência, resumida,
Que uma grande esperança malograda.

O eterno sonho da alma desterrada,
Sonho que a traz ansiosa e embevecida,
É uma hora feliz, sempre adiada
E que não chega nunca em toda a vida.

Essa felicidade que supomos,
Árvore milagrosa que sonhamos,
Toda arreada de dourados pomos,

Existe, sim; mas nós não a alcançamos
Porque está sempre apenas onde a pomos
E nunca a pomos onde nós estamos.

As pombas

1. No soneto, as pombas são comparadas aos sonhos da adolescência. Explique.

2. As pombas abandonam os pombais mal nasce o sol. E os sonhos, quando se revelam?

3. Segundo o poema, no fim do dia, o pombal, cheio de pombas, volta a uma alegre atividade. No fim da vida, como está o coração do homem?

Velho tema

1. Segundo o soneto, viver é difícil. O que nos permite, apesar de tudo, seguir vivendo?

2. "A hora feliz" é um desejo que jamais se realiza. Indique, no soneto, a passagem que afirma isso.

3. De acordo com o poema, como imaginamos a felicidade?

4. Por que não conseguimos ser felizes?

Releia os dois poemas e indique o que há de comum entre eles quanto a seu conteúdo.

UNIDADE

5

Texto Inicial	Anjo brasileiro – Fernando Sabino	86
Gramática em Revisão	Conjunções condicionais	91
	Levar e trazer	95
	Ir e Vir	96
	Invariáveis e variáveis	97
	Palavras indefinidas + pronome relativo	98
Cotidiano Brasileiro	Cena do Pantanal Mato-Grossense	99
Linguagem Coloquial	Otílio – um magro abusado – Henrique Leça	100
Gramática Nova (I)	Verbos compostos de vir	102
	Verbos compostos de pôr	103
	Adjetivos eruditos (2)	104
Pausa	Comportamento brasileiro: o diálogo oculto	105
Gramática Nova (II)	Verbo fazer impessoal	106
	Ações contínuas	107
	Regência verbal (5)	110
Ponto de Vista	Caixa de idiotices	111
Linguagem Formal	O Sertanejo – Euclides da Cunha	112

TEXTO INICIAL

Anjo brasileiro

Veio da Espanha para o Brasil em 1911. Como imigrante. Começou trabalhador braçal, deu duro na vida e acabou corretor de terrenos. Vivia estudando religião. Um dia, em 1938, um anjo lhe apareceu e disse:

— Tu vais sofrer um desastre desgraçado, velhinho. Mas te aguenta aí que ainda não será desta vez.

Comunicou à mulher a visão que tinha tido, tranquilizou-a quanto pôde e saiu à rua. Sofreu um desastre de automóvel, ficou catorze dias em estado de coma, mas não morreu, como o anjo dissera.

Outra vez, e isso já em 1956, o anjo tornou a aparecer:

— Como é, meu chapa, te prepara para outra, mas ainda não será desta vez.

— Quando é que será? – perguntou ele, já meio chateado.

— Quando você fizer 66 anos. Até lá pode ficar descansado.

— No dia 25 de março de 1959, então – ele retrucou rapidamente, antes que o anjo desaparecesse: — Posso saber as horas?

— Anjo não usa relógio, o que é que há?

— A hora em que vou morrer – esclareceu ele.

— Se você faz questão: às duas e meia da tarde.

Sofreu um ataque do coração quando vendia um terreno, e não morreu. Mas esteve entre a vida e a morte – tranquilizava a todos que se preocupavam com sua saúde – a mulher, a filha, os vizinhos:

— Não tem perigo: vou morrer no dia 25 de março de 1959, às duas e meia da tarde, o anjo disse.

— Anjo? Que anjo?

A palavra se espalhou pelo bairro que Pérez, o espanhol, tinha visto um anjo. Os curiosos vinham visitá-lo:

— Como é que foi isso, seu Pérez? O anjo não disse nada pra nós?

— Como é que ele era?

— Para vocês não disse nada, mas se quiserem posso apurar, da primeira vez que ele me aparecer de novo.

E deslumbrava a todos, repetindo sempre a sua história, descrevendo as feições do anjo:

— Meio caladão, mas não é mau sujeito.

O tempo foi passando e o espanhol ganhava prestígio nas redondezas. Cada um tinha uma pergunta, uma lembrança, uma encomenda para quando o anjo reaparecesse.

— Deve andar por aí, qualquer hora dessas ele aparece.

No dia marcado, passou a manhã em preparativos. Despediu-se de todos, deixou em ordem seus papéis, dispôs de suas coisas e desde o meio-dia ficou aguardando a visita do anjo.

— Convém você arranjar uma vela para acender na hora – preveniu à filha. Já está tudo arrumado?

Acertou o relógio e deitou-se na cama. Lá fora os vizinhos se agrupavam, esperando o desenlace. A multidão ia aumentando. Vinte minutos depois das duas, o espanhol ajeitou-se na cama para morrer. O quarto foi invadido de gente, repórteres, fotógrafos:

— Caramba! Quanta gente! Assim é capaz até dele se espantar – dizia rindo, e acrescentava que não daria trabalho a ninguém, seu destino estava selado, morreria às gargalhadas para que ninguém ficasse triste. E às duas e meia quedou-se imóvel, aguardando a morte. Lá fora a multidão inquieta, na expectativa:

— Está na hora.

Fez-se silêncio e todos esperavam, contritos, que o espanhol morresse. E ele ali firme, na cama, já em postura de defunto, pernas esticadas e dedos cruzados:

— Minha filha, acende a vela de uma vez.

A filha acendeu a vela e nada. Faltavam vinte para as três e nada de anjo nem de coisa nenhuma.

— Com certeza não pôde entrar com tanta gente aí fora – aventurou alguém.

—Vamos esperar mais quinze minutos. Meia hora de tolerância, afinal de contas já esperei tanto tempo.

Mas o povo não queria saber de esperar e os primeiros sinais de impaciência se manifestavam:

— Como é, morre ou não morre?

— Se não morrer agora ele vai se dar mal.

Alguns, mais afoitos, subiam às janelas e a multidão apupava, ameaçando apedrejar a casa.

— Mais quinze minutos, gente – pedia o espanhol, já aflito. – Tenham um pouco de paciência...

Às quatro horas da tarde ninguém queria mais saber de esperar:

— Se é pra morrer mesmo, a gente apressa o serviço.

Os mais revoltados já se dispunham a invadir a casa para dar cumprimento à previsão do anjo:

— Agora ele tem obrigação de morrer.

— Pra aprender a não fazer a gente de besta.

— Mata! Lincha!

Alguém acabou chamando a polícia. Veio a radiopatrulha. Uma só guarnição não bastou para enfrentar a fúria dos manifestantes, abrir caminho e dar proteção ao homem.

—Já que o senhor não morreu, convém descansar numa casa de saúde – sugeriu diplomaticamente um dos guardas.

Tiveram de levá-lo porque a multidão enfurecida queria acabar logo com sua raça.

— Caramba! – dizia ele, apreensivo: – Assim também não.

Teve de mudar-se para outro bairro, embora a contragosto:

— Contar com anjo brasileiro dá é nisso – resmungava.

Fernando Sabino, *O Homem Nu*. Record, 1975.

A. Complete de acordo com o texto.

1. O espanhol subiu na vida porque _____ _____

2. O anjo fez duas previsões que deram certo: ___ _____

3. De acordo com a terceira previsão do anjo, o espanhol _____

4. A radiopatrulha foi chamada para proteger o espanhol porque _____

5. O espanhol mudou de bairro porque _____ _____

B. Certo ou errado?

	C	E
1. O espanhol era meio místico.	( )	( )
2. O espanhol não revelou à família as primeiras previsões do anjo.	( )	( )
3. O espanhol tinha medo de morrer.	( )	( )
4. O anjo tratava o espanhol informalmente.	( )	( )
5. A família aceitou a previsão da morte do espanhol tranquilamente.	( )	( )
6. O espanhol corrreu risco de vida no dia marcado para sua morte.	( )	( )

	C	**E**
7. A família e o povo ficaram contentes quando perceberam que o espanhol não morreria naquele dia.	( )	( )
8. A notícia da previsão do anjo interessou à imprensa.	( )	( )

C. Escolha a melhor alternativa.

1. O espanhol ganhou prestígio no bairro porque
   a) sabia a data da própria morte.
   b) tinha ligações com um anjo.
   c) tinha a proteção de um anjo.
   d) tinha visto um anjo.

2. O povo se reuniu em frente à casa do espanhol por
   a) pura curiosidade.
   b) pena.
   c) curiosidade mórbida.
   d) amizade ao espanhol e à sua família.

3. O final do texto sugere que é característica dos anjos brasileiros
   a) estarem sempre atrasados.
   b) serem irresponsáveis.
   c) divertirem-se à custa dos outros.
   d) causarem problemas a outras pessoas.

D. Explique.

1. Começou trabalhador braçal e acabou corretor de terrenos.

2. Mas te aguenta aí.

3. O anjo tornou a aparecer.

4. Se você faz questão...

5. Meio caladão, mas não é mau sujeito.

6. Dispôs de suas coisas...

7. ...o espanhol se ajeitou na cama para morrer.

8. E ele ali firme, na cama...

9. A filha acendeu a vela, e nada.

10. Meia hora de tolerância, afinal de contas já esperei tanto tempo.

11. ...sofrer um desastre desgraçado...

E. Dê sinônimos encontrados no texto.

1. trabalhar muito
2. acalmar
3. com fúria
4. aparecer outra vez
5. aborrecido
6. querer realmente
7. preocupado
8. esperar
9. nervoso
10. apressado
11. de pouca conversa
12. ser suficiente
13. obter, conseguir
14. jogar pedras em
15. avisar
16. repousar
17. certamente
18. sem movimento
19. dar proteção
20. contra a própria vontade

F. Trabalhos braçais e outros ofícios. Complete abaixo.

pedra – pedreiro

cano – _____

lavoura – _____

telhados – _____

tecido – _____

jardim – _____

horta – _____

eletricidade – _____

sapato – _____

móveis – _____

portas, janelas, telhados – _____

ferro – _____

pão – _____

carregador de navio – _____

Expressões

Tornar a

Diga de outra forma. Use **tornar a**. Observe o exemplo.

> Ele chegou e **saiu novamente**.
> Ele chegou e **tornou a** sair.

1. Ele foi reprovado no exame, mas **estudou novamente** e aí, na segunda vez, conseguiu passar. Ele me disse que, se necessário, **faria tudo outra vez**.

2. Ele é homem persistente: fez fortuna, perdeu tudo, **trabalhou de novo** e **ficou rico outra vez**.

3. Eu já lhe disse para **não assinar mais** cheques em branco e você **fez isso outra vez**. **Nunca mais faça** essa bobagem.

Fazer questão de

Faça frases. Observe o exemplo.

> (ver a lareira nova) Precisamos ir à casa dele porque ele **faz questão de** que vejamos sua lareira nova.

1. pagar as contas em dia
2. chegar com dia claro
3. passar o Natal em casa
4. tudo sair bem
5. tornar a ver os amigos

Assim é capaz de ele...

Faça frases. Siga o exemplo.

> Não fale tão alto! **Assim é capaz** de o nenê acordar.

1. andar tão depressa
2. comer tanto
3. estudar demais
4. preocupar-se tanto
5. fazer todas as vontades dele
6. trabalhar todo dia até meia-noite
7. falar tão baixo
8. comer tão depressa
9. gastar tanto dinheiro
10. trabalhar assim sem atenção

...e nada. Nada de... nem de coisa nenhuma

Faça frases. Observe o exemplo.

> A filha acendeu a vela e **nada**... **Nada de** anjo **nem de coisa nenhuma**.

1. escrever para ele
2. comprar bilhete de loteria
3. vencer a conta

4. procurar emprego
5. berrar
6. escrever pedindo notícias
7. já ser meio-dia
8. já ser o último dia do mês
9. viajar 300 quilômetros
10. dar mais prazo

Com certeza

Responda, empregando a expressão **com certeza** em sua resposta. Observe o exemplo.

> Ninguém atende o telefone. **Com certeza** já saíram.

1. Por que ele ainda não chegou?
2. Por que o governo não faz novos investimentos?
3. Não escrevi mais para eles. O que você acha disso?
4. Eles acabaram não comprando aquela casa. Por que será?
5. Ele teve um infarto ontem. Por que será que isso aconteceu?
6. Você não acha que eles andam gastando demais?
7. Ele deveria estar aqui agora. Por que será que se atrasou?
8. Ela nunca mais nos escreveu nem nos telefonou. Você sabe por quê?
9. Sobrou toda a macarronada. Por que será que ninguém gostou?
10. Aqui conosco ele é sempre caladão. Por que será?

Afinal de contas

Faça frases. Observe o exemplo.

> Conte-me tudo! **Afinal de contas** sou seu melhor amigo!

1. animar-se
2. despedir o caseiro
3. trabalhar a todo vapor
4. dar uma boa gratificação
5. pedir uma semana de folga
6. espinafrar o meu trabalho
7. parar com a embromação
8. aguentar os trancos
9. dar duro
10. fazer um cruzeiro

Assim também não!... dá nisso!

Faça frases. Observe o exemplo.

> Você dava duro 16 horas por dia e agora está com estafa.
>
> **Assim também não**! Trabalhar demais **dá é nisso**!

90

1. ser folgado
2. contar com os amigos
3. fazer castelos no ar
4. confiar
5. falar pelos cotovelos
6. ser caladão
7. não reclamar

GRAMÁTICA EM REVISÃO

Condições condicionais e concessivas

Os diretores da nossa empresa vivem dizendo que não trabalhamos bem. Concordo, mas não poderia ser de outra forma. Tudo será diferente **caso** nos deem condições para fazermos nosso trabalho. As máquinas funcionarão bem **contanto que** seja feito um bom serviço de manutenção. Os operários serão mais eficientes **se** forem bem pagos. A produtividade aumentará **a não ser que** nossas reinvindicações sejam esquecidas. Tudo dará certo **exceto se** não houver compreensão por parte da direção.

As conjunções abaixo exprimem uma condição ou concessão e são seguidas do verbo no Subjuntivo:

se/caso

desde que

contanto que

a não ser que

salvo se/exceto se

Importante

1. Estas conjunções são seguidas de Presente e Imperfeito do Subjuntivo

Caso
contanto que
desde que
a não ser que =
a menos que

você queira que
ele quisesse

Exemplo: Falarei com ele, caso você queira.
Falaria com ele, caso você quisesse

2. Estas conjunções são seguidas de Imperfeito e Futuro do Subjuntivo

se
salvo se
exceto se

você tivesse
você tiver

Exemplo: Eu irei à festa, salvo se não tiver convite.
Eu iria à festa, salvo se não tivesse convite.

91

A. Complete.

1. (telefonar) Diga-lhe que preciso vê-lo amanhã, **caso** ele lhe _____ .
2. (querer) Vou com você ao cinema, **a não ser que** você não _____ .
3. (vir) Entregue esta encomenda a ele, **caso** ele _____ hoje aqui.
4. (dar) Nós daremos uma contribuição, **contanto que** eles também _____ .
5. (ler) Posso ajudá-lo no trabalho, **desde que** você _____ o livro.

B. Complete.

1. (trazer) Eu faria seu Imposto de Renda **contanto que** você _____ todos os documentos.
2. (ver) Eu falaria com ele **caso** o _____ .
3. (permitir) A faxineira limparia o escritório **desde que** eu _____ .
4. (permitir) Você não entendeu. A faxineira sempre limparia o escritório, **a não ser que** você não _____ .
5. (pôr) **Se** nós _____ a mesa contra a parede, teríamos mais um lugar na sala.

C. Complete.

1. (dizer) Fecharemos o negócio amanhã, **salvo se** ele _____ "não".
2. (achar) Ele desistiria do negócio, **exceto se** _____ um bom sócio.
3. (poder) Vamos partir de férias amanhã, **salvo se** meu marido não _____.
4. (estar) **Se** a situação _____ complicada, não poderemos tirar férias.
5. (saber) Ele não perderia tempo com isso, **se** _____ o que eu sei.
6. (ser) **Se** _____ necessário, ficaremos aqui até mais tarde.
7. (estar) Eu não diria isso, **se** não _____ seguro.
8. (ter) Ele trabalhará conosco, **exceto se** _____ _____ uma oferta melhor.

Observe esta sequência de frases. São orações com "se":

- Amanhã os operários trabalharão à noite se for necessário. (talvez seja)
- Agora trabalhariam à noite se fosse necessário. (mas não é)
- Ontem teriam trabalhado à noite se tivesse sido necessário. (mas não foi)

D. Transforme as frases abaixo. Obedeça à mesma sequência.

1. a) No próximo domingo, nadaremos se fizer sol.
   b) _____
   c) _____
2. a) Eles se alegrarão se souberem da verdade.
   b) _____
   c) _____
3. a) Tudo será mais fácil se ele vier sozinho.
   b) _____
   c) _____
4. a) Se ela disser o que sabe, terá problemas.
   b) _____
   c) _____
5. a) Se você vir o que eu vi, ficará preocupado.
   b) _____
   c) _____

Se você lembrar que um problema existe, provavelmente será encarregado de resolvê-lo.

E. Complete.

1. TER

a) Não poderei trocar de carro,
- se não _____ aumento.
- caso não _____ aumento.

b) Não poderia trocar de carro,
- se não _____ aumento.
- caso não _____ aumento.

c) Não teria podido trocar de carro,
- se não _____ aumento.
- caso não _____ aumento.

2. LER

a) Ficaremos mais informados,
- se _____ os jornais.
- caso _____ os jornais.

b) Ficaríamos mais informados,
- se _____ os jornais.
- caso _____ os jornais.

c) Teríamos ficado mais informados,
- se _____ os jornais.
- caso _____ os jornais.

3. OUVIR

a) Você entenderá o problema,
- se me _____.
- contanto que me _____.

b) Você entenderia o problema,
- se me _____.
- contanto que me _____.

c) Você teria entendido o problema,
- se me _____.
- contanto que me _____.

4. PAGAR

a) Aceitarei o trabalho,
- se eles me _____ bem.
- desde que eles me _____ bem.

b) Aceitaria o trabalho,
- se eles me _____ bem.
- desde que eles me _____ bem.

c) Teria aceitado o trabalho,
- se eles me _____ bem.
- desde que eles me _____ bem.

5. PREFERIR

a) Servirei o café,
- se meus amigos não _____ chá.
- a não ser que meus amigos _____ chá.

b) Serviria o café,
- se meus amigos não _____ chá.
- a não ser que meus amigos _____ chá.

c) Teria servido o café,
- se meus amigos não _____ chá.
- a não ser que meus amigos _____ chá.

F. Complete com as várias conjunções possíveis.

1. Voltarei aqui _____ puder.
_____ puder.
_____ puder.

2. Voltaria aqui _____ quisesse.
_____ quisesse.
_____ quisesse.
_____ quisesse.
_____ não quisesse.

3. Não direi nada _____ você me mate.
_____ você pedir.
_____ eu saiba de tudo.
_____ você não me der autorização.

4. Trarei alguns presentes _____ eu puder.
_____ eu possa.

5. Traria alguns presentes _____ tivesse dinheiro.
_____ eu pudesse.

G. Complete o texto.

1. Matias avisou aos funcionários que fecharia a empresa. Foi um horror! Ninguém teria acreditado se ele próprio não _____ (dizer), e ficaram com pena de Matias porque sabiam que ele não faria isso se _____ (ter) outra saída. Agora estão todos preocupados com o futuro. A situação ficará muito difícil se não _____ (encontrar) logo um outro emprego. Mas estão confiantes. Tudo dará certo contanto que não _____ (desanimar). Logo terão trabalho desde que _____ (ler) todos os anúncios nos jornais e _____ (falar) com os amigos. Daqui a um mês, estará tudo outra vez em ordem a não ser que _____ (haver) outros problemas. Mas não vai haver. Se tudo _____ (dar) certo, eles se reunirão para comemorar. E já está combinado: convidarão, também, o Matias.

H. Complete os diálogos.

1. — Se você perder o ônibus, o que fará?
(tomar um táxi) — Caso eu _____,
_____

— E se você não tiver dinheiro para o táxi?
(ir a pé) — Caso eu _____,
_____.

— Mas é muito longe. E se não chegar?

— Chegarei, chegarei, a não ser que _____
_____.

2. — Se você estivesse sozinho na selva, o que faria?
(acender uma fogueira) — Caso _____,
eu _____.

— E se uma onça aparecesse?
(subir numa árvore) — Caso _____,
eu _____.

— E se os galhos estivessem cobertos de aranhas venenosas?

— _____.

3. — O que teria acontecido se o Brasil tivesse sido descoberto pelos chineses?
(aprender mandarim) — Caso o Brasil _____
_____, nossos índios
_____

— Mas o mandarim é língua muito difícil! O que será que teria acontecido se os índios tivessem se irritado com o professor?

— _____

Observe:

Eu quero saber **se** você vai. **Se** você for, eu irei com você.

Eu quero saber **se**...
Este **se** não é condicional e é sempre seguido dos tempos do Indicativo.

Se você for...
Este **se** é condicional.

I. Complete livremente.

Exemplo:

(ir) Eu quero saber se eles vão.
Se eles forem, eu irei também.

1. (trazer) Ele pergunta se você amanhã _____ _____ . Se você _____.

2. (poder) Veja se você _____. Se você _____.

3. (querer) Diga se você _____. Se você _____.

4. (dizer) Eu não sei se amanhã eles _____. Se eles _____.

Levar e trazer

Levar – alguém, alguma coisa **do ponto** em que está a pessoa que fala.

Trazer – alguém, alguma coisa **para o ponto** onde está a pessoa que fala.

Exemplo: Você está no escritório e diz:

— Eu **trouxe** os documentos aqui para o escritório.

À noite, vou **levá-los** para casa.

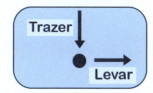

Você está em casa e diz:

— O funcionário do Correio me **trouxe** uma encomenda.

Assinei o recibo e ele vai **levá-lo** para a agência.

Seu amigo está no restaurante e esqueceu a carteira. Ele telefona para a esposa e diz:

— Você poderia **trazer** a carteira com o dinheiro e os cartões de crédito?

A esposa lhe diz:

— Claro, vou _____ para você.

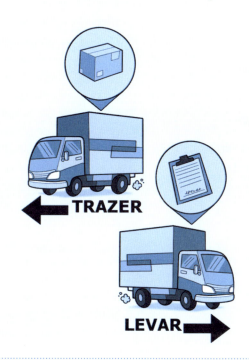

A. A pessoa que está falando encontra-se na casa de uns amigos e diz:

1. Eu trouxe um presente para você.

Eu _____ um amigo comigo.
Eu _____ alguns livros para você ler.
Eu vou _____ -los comigo quando for embora.
Meu amigo _____ uma garrafa de champagne para a nossa reunião. Ele não conhece a cidade, por isso, mais tarde, vou _____ -lo para conhecer o centro histórico.

95

2. Você está no escritório e diz:

Quem _____ este envelope para cá?

Quem _____ o envelope que eu deixei aqui, sobre a mesa?

Quem pode me _____ um cafezinho?

Quem pode _____ o projetor para a sala de conferência?

B. Complete com **levar** ou **trazer**.

1. Quando viajo, só _____ cartões de crédito, não _____ dinheiro.

2. Eu sempre _____ presentes para família quando volto de uma longa viagem.

3. Pedro, você pode _____ os documentos para o advogado?

4. Pedro, você pode _____ o carro para a oficina?

5. Pedro, você pode _____ o carro da oficina?

6. Vamos nos mudar para uma casa menor. Por isso, não podemos _____ todos os nossos móveis para lá.

7. Você chegou, mas não _____ tudo o que lhe pedi pelo telefone.

8. Eu _____ as bebidas para a festa do Tiago, se você me _____ no seu carro, porque o porta-malas é maior que o meu.

9. Vou _____ este livro para a biblioteca, e _____ outro para ler.

10. _____ este cachorro embora! Não _____ mais animais para casa!

11. Não _____ mais cadeiras aqui, para o auditório. Já temos o suficiente.

12. Sinto muito, mas não pude _____ os livros que lhe prometi.

13. Veja! Ele está _____ o carro embora.

Ir e Vir

A. Complete com os verbos **ir** ou **vir**, nos tempos adequados.

1. Ontem nós _____ do cinema muito tarde.

2. Nunca _____ ao Japão. Agora tenho vontade de _____.

3. Ele sempre _____ de ônibus aqui, para o escritório. Amanhã ele _____ de táxi.

4. Não quero que você _____ àquele encontro. É muito perigoso.

5. Não, não _____ a este restaurante aqui, _____ àquele de onde João está _____.

B. Complete. Siga o exemplo.

....

(em casa) Marco, **venha** para casa, assim que terminarem as aulas.

....

1. (no escritório) — Hoje eu _____ ao escritório de metrô. Em geral, _____ de carro.

2. (no restaurante) — Bom dia. O senhor chegou mais cedo, hoje.
— É. Eu _____ mais cedo porque tenho uma reunião à uma e meia.

3. (no aeroporto) — Antônio, que bom que nós _____ de casa para o aeroporto cedo. Veja quanta gente na fila!

4. (na loja) — Eu _____ aqui para trocar os sapatos que comprei ontem. Vou trocá-los por sandálias.

5. (em casa) — Estranho! O Bernardo ainda não chegou para jantar. Geralmente ele _____ da fábrica direto para casa.

6. (no cinema) — Olhe os Batistas. Eles _____ sempre a este cinema.

Pronomes relativos

Invariáveis e Variáveis

A. Complete.

1. O filme _____ vi não é dos melhores.
2. Onde está a pessoa _____ quer falar comigo?
3. Vou apresentar-lhes meu amigo de _____ já lhes falei.
4. Perdi a mala _____ guardei as fotos da família.
5. Não tem chance a empresa _____ diretoria é incompetente e _____ funcionários não recebem estímulo.

B. Substitua que, quem, onde, por o qual, a qual, os quais, as quais.

1. O empreendimento em **que** investimos tanto, vai indo muito bem.
   _____
2. Desisti dos planos de **que** lhe falei.
   _____
3. Reconheci a pessoa para **quem** tinha entregado a encomenda.
   _____
4. Não sei o nome das cidades por **onde** passei.
   _____
5. Mostre-me a gaveta **onde** você guardava a chave.
   _____

C. Responda, como no exemplo.

—Você se interessa pela arte africana?
— Interesso-me, sim. É uma arte pela qual eu me interesso muito.

1. —Você é favorável à ideia de reduzir os impostos?
   —Sou, sim. É o tipo de ideia _____
   _____
2. —Você participa dessa atividade, da formação do coral do colégio?
   — Participo, sim. É o tipo de atividade _____
   _____
3. — Eles assistiram ao festival de verão?
   — _____
   _____
4. —Vocês precisam dos produtos desta fábrica?
   — _____
   _____
5. — Ele gosta de esporte radical?
   — _____
   _____

D. Complete o texto.

1. A viagem _____ nos referimos é a que fizemos no ano passado, à Irlanda. A princípio, pensamos que não haveria nada interessante para ver. Mas logo percebemos que todos os lugares _____ passávamos ofereciam paisagens, _____ detalhes como as colinas, os animais e a cor da terra ainda guardamos na memória. As pessoas _____ nos aproximamos eram gentis e estavam sempre prontas a nos ajudar. Num passeio _____ fizemos a uma pequena aldeia, _____ nome não me lembro bem, infelizmente, vimos casas antigas de pedra, _____ tiramos fotografias fabulosas. Todas as vezes _____ olho as fotos, parece-me sempre a primeira vez que vejo aquela cidadezinha _____ não me esqueço.

97

Palavras indefinidas + Pronome relativo

Palavras indefinidas, mais pronomes relativos, seguidos do Presente ou Imperfeito do Subjuntivo.

Observe as sentenças:

Procuro **o** livro que **contém** o assunto do meu trabalho.

Procuro **um** livro que **contenha** o assunto do meu trabalho.

Ele precisa de **alguém** que o **ajude**.

Não tínhamos **ninguém** que **pudesse** resolver o caso.

Nenhuma palavra **que** você **diga** resolverá o problema.

Qualquer coisa **que** eu **faça** será criticada.

A. Responda. Observe o exemplo.

— Que tipo de amigo você acha ideal?
(saber ouvir) — Um amigo que saiba ouvir meus problemas.

1. Que tipo de casa você está procurando?
(ter piscina) _____

2. Que tipo de carro você queria comprar?
(ser confortável) _____

3. O que pedia o anúncio?
(secretária – trabalhar aos sábados) _____
_____

4. Que tipo de mulher você acha ideal?
(ser inteligente – independente) _____
_____

5. Onde você vai passar as férias?
(sentir-se bem) _____

6. Com quem você estava querendo falar ontem?
(saber dar uma informação) _____
_____

B. Complete os diálogos (atenção aos tempos verbais!)

1. Hoje é domingo

— Preciso comprar um remédio e hoje é domingo. Aonde devo ir?

— Vá a uma farmácia que _____ aberta.

— E como posso saber qual farmácia está aberta?

— Procure um *site* que _____ esse tipo de informação.

— Mais uma informação. Você sabe onde posso trocar moeda estrangeira?

— Geralmente em hotéis onde _____ muitos turistas. Se eu conhecesse alguém que _____ trocar, eu falaria com ele.

2. Tenha calma!

— Estou nessa fila há horas. Agora preciso encontrar uma pessoa que me _____ atenção.

— Tenha calma! No momento não há ninguém que _____ atendê-lo.

— Ontem foi a mesma coisa. Não havia ninguém, ninguém mesmo que _____ me atender.

COTIDIANO BRASILEIRO

Cena do Pantanal Mato-Grossense

A região do Pantanal Mato-Grossense é uma das preciosidades ecológicas de nosso planeta. Espalhada por uma vastíssima área, sua fauna é exuberante: 6 a 10 milhões de jacarés, 44 mil cervos-do-pantanal, 2,5 milhões de capivaras, pássaros e mais pássaros e rios abundantes de peixes.

A bicharada está por toda parte. Na paisagem erma, há pássaros pousados às pencas em árvores. Capivaras, muito mansas, andam sempre em grupos. Jacarés são arredios e, a um movimento mais brusco, fogem e somem na água. Tuiuiús amontoam-se às margens das baías e cobras enroscam-se em árvores de um lado e outro do caminho. É preciso prestar muita atenção para vê-las, embora estejam muito perto. Já para encontrar um macaco-prego, só com muita sorte. Topar com uma onça-pintada, então, é quase impossível.

A onça, no entanto, está por lá. Todos os anos, 15% dos cavalos do Mato Grosso do Sul são atacados por ela. Com 150 quilos e até 2,30 metros de comprimento, ela costuma deslocar-se a uma velocidade de 150 quilômetros por hora e, em questão de minutos, abater a presa, geralmente bem maior do que ela. Sempre ataca do solo, pulando sobre o dorso da vítima. É por isso que os índios lhe deram o nome de jaguaretê, "aquele que mata de um pulo".

Apesar de sua incrível força e agilidade, a onça, segundo um fazendeiro do Pantanal, "tem ares de aristocrata e, como todo fidalgo, é indolente e tranquila. Se alguém a incomoda ou persegue, afasta-se apenas o suficiente para não ter aborrecimentos". Seu comportamento guarda mistérios. Ela, por exemplo, hesita em investir contra uma manada se nela houver um burro ou um jumento. Ninguém sabe por quê.

A. Responda

1. Como você imagina a paisagem do Pantanal Mato-Grossense?
2. Você conhece a região parecida em outra parte do planeta?
3. O comportamento da bicharada no Pantanal é variável. Dê exemplos.
4. Faça a descrição física da onça-pintada.
5. A onça-pintada é muito ágil. Explique como.

99

LINGUAGEM COLOQUIAL

Otílio – um magro abusado

Quando parei o F.600 num pequeno lugarejo perto de Teófilo Otoni, na Rio-Bahia, vi o homem com a marreta na mão. Ele era gigantesco e simplesmente, como se a marreta fosse um espanador, de tão leve, destruía uma carroça a marretadas. Parecia ser uma cena normal por ali, pois ninguém dava a mínima. Meus companheiros de viagem, Otílio e José, desceram e ficaram boquiabertos vendo os pedaços da carroça voando em todas as direções. O gigante nem dava bola. Quer dizer, até Otílio parar perto dele e ficar olhando. Parece que o Golias não gostava de ninguém olhando para seu trabalho. Olhou feio para Otílio, que saiu de fininho pro bar. Só que o gigante saiu atrás rodando a marreta. Encostados no balcão pedimos um refrigerante. O gigante ficou junto e jogou a marreta em cima do balcão. Não tirava os olhos do Otílio, que meio sem jeito procurava olhar para os lados, mas não conseguia, pois o gigante estava grudado nos seus calcanhares. De repente, ele falou, ou melhor, rosnou: — Ei, seu magrelo. Paga uma pinga de garrafa...

Bem. Eu não era muito magro. Nem o José. Porém, o Otílio era.

Fingimos não escutar. Otílio com sua voz esganiçada falou para o garção: — É com você...

O garção, um coroa gordo e barrigudo, riu:

— Eu? O único magrelo aqui é você. É melhor você pagar antes que ele fique aborrecido... Nem quero ver.

Discretamente, Otílio olhou para o gigante. Ele balançou a cabeça e pegou a marreta. Acontece que Otílio era magro, mas não levava desaforo para casa. Ficou vermelho e disse: — Que que há? Não tenho filho desse tamanho...

O silêncio que se fez no bar só foi quebrado pelo zumbido de um mosquito preso dentro de uma vitrina de doces. Meu sangue gelou. Parecia que estava dentro de uma geladeira. José tremeu tanto que os joelhos bateram no balcão em ritmo de samba. Os meus perderam o compasso. E não é que o Otílio nem tava ligando? Pensei: "Que carinha atrevido... em que ele está se fiando"?

Olhei o gigante. Ele foi ficando roxo e de repente, com um erro que fez quebrar a vitrina, alguns copos e o espelho do banheiro, deu uma tremenda marretada no balcão fazendo todos que estavam no bar sair correndo. O gordo garção caiu sentado e foi só o tempo de levantar e sair correndo. Bem que eu tentei correr, mas o José me atrapalhou enrodilhado nas minhas pernas. A marreta na mão do gigante rodava por cima da cabeça de Otílio que continuava não dando a mínima pra fúria do gigante: — Vamos dar no pé...

Gritei e fui saindo. Arrastando o José. Na porta encontrei um sargento a polícia que era o chefe do policiamento: — Graças a Deus. Aquele gigante quer nos matar... faça alguma coisa antes que seja tarde.

O sargento nem pestanejou. Voltou de ré e se mandou gritando: — Cuidado com ele. Não posso fazer nada, pois só tenho seis soldados no destacamento...

100

Enquanto isso o Otílio acabava de beber o refrigerante e parecia calmo. Gritei da porta:
— Otílio, vamos embora. Deixa pra lá...

Acho que tudo terminaria bem se não fosse o sangue quente do magrelo abusado. Não é que ele achou que o gigante estava muito perto dele? Não fez por menos. Deu uma cotovelada no ventre do brutamontes. Pra quê. Com um urro de dor, o cara saiu dando marretadas a torto e a direito. Quebrou tudo. Otílio, muito ágil, pulava mais que pipoca. Parecia a briga do Davi e Golias. Até que o Otílio saiu correndo e pulou o resto da janela quebrada com o gigante atrás dando marretadas no vento. Corremos para o caminhão. Felizmente tínhamos deixado a boleia aberta e entramos aos trambulhões. Eu e o José. Otílio passou correndo para o outro lado. O gigante ainda deu uma marretada que arrancou o estribo do F.600. Saí em louca disparada vendo o baitola pelo retrovisor com a marreta na mão tentando atingir os pneus. Felizmente o F.600 era mais veloz que ele...

Com o coração disparado andamos alguns quilômetros e só então demos por falta do Otílio. Paramos e olhamos para trás. Nada do magrelo. Que teria acontecido? Voltar, não nos atrevíamos. Será que o nosso bom amigo tinha sido marretado pelo gigantão? Nem queria pensar. Coitado. Achamos melhor tocar até a primeira cidade onde tentaríamos arranjar ajuda para voltar. Tristes com o que poderia ter acontecido, fomos tocando o mais rápido possível, quando numa curva vimos o Otílio parado acenando: — Como chegou aqui? – perguntei.

— Eu sou de paz. Corri pra não esganar aquele fraco abusado...

Henrique Leça, Boleia de caminhão, *revista .br*

A. Resuma a história, relatando o modo como se desenrolou o incidente.

B. Indique no texto as passagens que dizem que:

1. Otílio e José ficaram surpresos ao verem a fúria do gigante.
2. Otílio afastou-se quando o gigante olhou para ele com cara de poucos amigos.
3. O gigante mantinha-se muito próximo de Otílio.
4. Otílio reagia se alguém o ofendesse.
5. O sargento rapidamente deu alguns passos para trás e saiu correndo.
6. Na fuga, só depois de alguns quilômetros, os amigos perceberam que Otílio tinha ficado pra trás.

C. Complete a história com estas expressões coloquiais.

não dar a mínima = não dar bola = não ligar

dar no pé = mandar-se

olhar feio

sair de fininho

deixar pra lá

o coroa

sair em disparada

não levar desaforo para casa

ser de paz

101

1. Ontem quisemos ir ao cinema, minha mulher e eu. Saímos logo depois do jantar. Em frente do cinema, aquele monte de gente!
Como _____ (não gostar de brigar), resolvi enfrentar o problema e entrei na fila. Logo depois um _____ (senhor) bem vestido aproximou-se da bilheteria. Queria furar a fila e comprar logo seu ingresso. Olhei _____ (com cara fechada) para ele, mas ele não _____ (não dar atenção). Minha mulher, que detesta discussão, pediu-me que _____ (esquecer o problema). Mas eu _____ (não aceitar ofensa). Com passo firme, dirigi-me ao homem. Ele, percebendo minha intenção, _____ (afastar-se discretamente). Enquanto isso, lá atrás, três trombadinhas cercaram minha mulher. Ela gritou. Os moleques só tiveram tempo para _____ (sair correndo). Desistimos do filme e, desanimados, voltamos ao estacionamento. Não é que o tomador de conta, a quem eu tinha dado a chave do carro, _____ (fugir) com meu Fusca?

GRAMÁTICA NOVA (I)

Verbos compostos de vir

convir (concordar, ser conveniente)
intervir (colocar-se entre, interferir)
provir (originar-se de)
sobrevir (vir depois, vir em consequência)

Observe.
Presente do Indicativo

VIR		CONVIR	
eu	venho	eu	convenho
você	**vem**	você	**convém**
ele	**vem**	ele	**convém**
ela	**vem**	ela	**convém**
nós	vimos	nós	convimos
vocês	vêm	vocês	convêm
eles	vêm	eles	convêm
elas	vêm	elas	convêm

Compare a conjugação do verbo VIR e do seu composto CONVIR.

O que você notou? Isto acontece com todos os verbos compostos de VIR no Presente do Indicativo.

A. Diga de outro modo, usando os verbos ao lado.

1. Você deve concordar comigo que é melhor ganhar pouco que não ganhar nada.
   _____

2. Não é bom que você saia à noite.
   _____

3. É melhor que o governo interfira nesse negócio tão duvidoso.
   _____

4. Ninguém sabe de onde ele se origina. Talvez ele se origine de um país europeu.
   _____

5. Depois da seca, veio a fome.
   _____

B. Complete com os verbos indicados, nos tempos adequados.

1. (convir) Foi melhor que você _____ conosco sobre o negócio da venda da empresa.

2. (intervir) Pedi a ele que não _____ no negócio e ele não gostou.

3. (intervir) É preciso que o governo _____ nas firmas que não estão legalizadas.

4. (provir) Nossos recursos _____ da venda da casa.

5. (sobrevir) Só fecharemos o negócio se não _____ imprevistos.

6. (provir) De onde _____ estes gastos exagerados? Da falta de planejamento, é claro.

7. (provir) Você conseguiu descobrir de onde _____ aquela família?

Verbos compostos de pôr

Macaé, Cidade Pura

Estava de alma pronta (mala ainda não), quando um chamado interurbano cancelou a viagem a Montes Claros. Foi bastante para que o Rio virasse gaiola de luxo, da qual precisava bater asas de qualquer maneira. Telefonei ao Ari, perguntei se ele topava ir a Macaé. Jamais **supus** que a resposta viesse tão rápido! Respondeu que estava fazendo a barba e dentro de uma hora eu podia ir buscá-lo. Que alívio sentir, na era dos esquemas quadriculados, que ainda existem sujeitos assim! Estão tranquilamente em casa e outro **propõe**: Vamos? — Vamos.

Paulo Mendes Campos (adaptação)

pôr	repor	compor
	propor	decompor
	depor	supor
	transpor	pressupor
	impor	expor
	opor	

repor – Ele não tem condições de repor o dinheiro que gastou.

propor – Eu lhe propus trabalharmos juntos.

depor – No processo, ele depôs contra nós.

transpor – Ao transpor a fronteira, os guardas o prenderam.

impor – Não tente impor-me sua vontade.

compor – Ele compõe belos sambas.

decompor – O pescador abandonou na praia os peixes, que se decompuseram sob o sol quente.

supor – Seu chefe jamais poderia supor que ele fosse capaz de dar um desfalque.

pressupor – Colher pressupõe plantar.

expor – Este artista expõe seus quadros anualmente.

A. Complete livremente.

1. (repor) O dono da loja obrigou o cliente a ____ _____

2. (propor) Não posso aceitar que _____ _____

3. (depor) Estamos em apuros porque _____ _____

4. (transpor) O cão o mordeu quando _____ _____

5. (impor) Ninguém o tolera porque _____ _____

6. (compor) Em três minutos ele _____ _____

7. (decompor) Ao ar livre, _____ _____

8. (supor) Quem poderia _____ _____

9. (pressupor) Um curso bem feito _____ _____

10. (opor) Eles aceitaram a ideia, embora _____ _____

11. (expor) Tenho uma boa ideia e _____ _____

12. (expor-se a) A situação é perigosa. Cuidado para _____

B. Complete.

1. (impor) Receio que elas não _____ respeito a seus subordinados.

2. (transpor) Ontem ela _____ a mesma distância em menos tempo.

3. (depor) Seria bom que, no tribunal, ele _____ _____ a meu favor.

4. (repor) E agora, quem _____ o dinheiro perdido?

5. (propor) Nós já _____ a ideia a João quando você falou com ele.

6. (supor) A polícia o interrogou porque _____ _____ que ele soubesse de alguma coisa.

7. (repor) Quando você _____ o dinheiro, poderá fazer novo empréstimo.

8. (opor) Ele se casou com ela embora sua família se _____ ao casamento.

9. (compor) Embora ela _____ músicas lindíssimas, jamais ficou famosa.

10. (decompor) A luz branca se _____ em todas as cores quando atravessa um prisma.

11. (pressupor) Ele levou consigo um advogado porque _____ que teria dificuldades na reunião.

12. (opor) Ela estava cansada, mas não se _____ à ideia de sair depois do jantar.

Adjetivos Eruditos (2)

presente régio = presente de rei

amor filial = amor de filho

Diga o que é.

1. dedicação maternal _____
2. abraço fraternal _____
3. ambição desenfreada _____
4. ave noturna _____
5. luz diurna _____
6. ordem superior _____
7. resistência férrea _____
8. perímetro urbano _____
9. avenida marginal _____
10. região lacustre _____
11. obra magistral _____
12. vida monarcal _____
13. faixa etária _____
14. vegetação insular _____
15. problemas hepáticos _____
16. doença renal _____
17. idade senil _____
18. testemunha ocular _____
19. vogal nasal _____
20. trabalho manual _____

PAUSA

Comportamento brasileiro: o diálogo oculto

Franqueza é qualidade recomendada no dia a dia dos administradores de negócios. Pão, pão, queijo, queijo. Não no Brasil. Franqueza, para muitos brasileiros, é sinônimo de grosseria e pode criar ambiente hostil.

Por ser difícil para os brasileiros dizer "não" ao receber um pedido, um convite, eles acabaram desenvolvendo formas sutis de fazê-lo. Existe entre os brasileiros um diálogo, por assim dizer, oculto, mas perfeitamente inteligível. Quando querem dizer "não", eles falam assim:

- Não sei, vamos ver...
- É difícil, mas talvez...
- Quem sabe na semana que vem?
- Estou com pouco tempo, mas...
- Não tenho certeza, mas acho que não. Em todo caso...
- Vou ver o que posso fazer.
- Vou fazer o possível.
- Não prometo, mas...

Todas essas frases no fundo, no fundo, querem dizer "não".

Muitas vezes o brasileiro diz estar interessado em algo, quando na realidade não está. Faltar a reuniões marcadas, deixar de telefonar depois de ter prometido fazê-lo são sinais claros de desinteresse.

Responda.

1. Em seu país as pessoas são francas umas com as outras? Isso causa problemas?

2. Como você vê o estilo brasileiro de dizer "não"?

GRAMÁTICA NOVA (II)

Verbo fazer – impessoal

O verbo **fazer**, indicando passagem do tempo e fenômenos da natureza, é impessoal e por isso fica sempre na 3ª pessoa do singular. Quando houver um verbo auxiliar que o acompanhe, este também ficará no singular.

Ontem **fez** três semanas que chegamos.

Está **fazendo** 10 °C.

Faz dois meses que ele foi embora.

Na primavera **faz** dias lindos.

Vai **fazer** seis anos que eles se mudaram daqui.

No mês passado, **fez** noites lindas.

— Em janeiro, **faz** frio na Europa, mas no Brasil **faz** um calorão. **Faz** sol todos os dias. Na semana passada, **fez** vários dias de chuva, por isso não viajamos. Hoje **está fazendo** sol.

— O homem do tempo disse que amanhã **fará** muito vento, que **fará** ventos de 100 km por hora.

— **Fez** frio ontem à noite, mas o tempo estava bom. **Fez** até luar.

Complete com o verbo **fazer**, com ou sem auxiliar.

1. Já _____ duas semanas que não o vejo.
2. Já _____ quanto tempo que você não vai à Europa?
3. Daqui a três meses, _____ 5 anos que chegamos ao Brasil.
4. Meus amigos _____ 25 anos de casados.
5. Não consigo correr 2 quilômetros porque já _____ mais de três meses que não faço esporte.
6. Quantos anos _____ amanhã que esta cidade foi fundada?
7. (costuma fazer) Nos estados do Sul, _____ _____ invernos rigorosos.
8. Os alunos deste colégio _____ uma grande festa para comemorar o encerramento do ano letivo.
9. _____ vários verões que não vou à praia.
10. Como _____ quatro anos que ele trabalha aqui se ele chegou ao país só _____ dois anos?

Leia o texto.

Ventos de até 144 km por hora no Sul, e uma morte

Ventos com velocidade de até 144 quilômetros horários atingiram o Rio Grande do Sul, ontem à tarde, provocando quedas de árvores e postes de luz, destelhando casas e prédios públicos e causando a morte de um homem, atingido por um muro que desabou no centro de Porto Alegre.

Em Passo Fundo, a 308 quilômetros da capital, fez muito vento, também, deixando em estado precário uma caixa d'água, além de causar a queda de árvore e postes.

Várias outras cidades foram castigadas pela ventania. Em Tucunduva, foram destruídos 60 mil sacos de soja em um armazém graneleiro. Em Vacaria, 50 famílias ficaram desabrigadas. Nunca se viu nada assim.

À noite, apesar do frio intenso, fez bom tempo. Fez até luar.

A. Complete, empregando o vocabulário do texto.

1. O vento foi a _____ da destruição da fábrica.

2. A casa era muito velha e, por causa da chuva, _____ totalmente.

3. A meteorologia anuncia: neste fim de semana prolongado, _____ frio e muito vento.

4. Só viajaremos se _____ bom tempo.

5. Não sei se nessa região _____ ventos fortes.

B. Complete com o verbo **fazer**. Indique se, na frase, ele é pessoal ou impessoal.

1. Tudo saiu errado, mas pelo menos, nós _____ _____ o possível. Já é um consolo. (pessoal-impessoal).

2. _____ séculos que não nos vemos. Por onde você tem andado? (pessoal-impessoal).

3. Ele não fala comigo _____ três semanas. Não sei por quê. (pessoal-impessoal).

4. Na semana que vem _____ 10 anos que nos casamos. (pessoal-impessoal).

5. _____ dias bonitos na primavera. (pessoal-impessoal).

6. _____ frio e vento no próximo fim de semana. (pessoal-impessoal).

7. Só viajaremos se na praia _____ dias bonitos. Com chuva, nem pensar! (pessoal-impessoal).

8. Quantos anos _____ que ele se mudou? (pessoal-impessoal).

9. Não gosto de morar aqui. Os ventos _____ _____ barulho de noite e durante o dia _____ muita neblina. (pessoal-impessoal).

10. Só _____ 5 minutos que estou esperando, mas parece que se passaram 20. (pessoal-impessoal).

Ações contínuas

Como já foi visto, o Pretérito Perfeito Composto (pág. 67) indica uma ação que começa num passado recente e continua até o presente.

Exemplo: Eu tenho trabalhado muito, ultimamente.

Mas existe outra maneira de indicar esse tipo de ação contínua, repetitiva.

Isso se faz com o emprego de certos verbos auxiliares + gerúndio do verbo principal.

Exemplo: **Venho estudando** ultimamente, mas **venho estudando** como posso.

Ele **anda reclamando** da vida.

Observe:

Não devemos confundir essas modalidades verbais com o presente contínuo, que indica uma ação praticada no momento presente (agora). O verbo auxiliar, nesse caso, é o verbo **estar**.

Exemplo: Estou estudando. (neste momento)

Estou falando. (neste momento)

— Afinal, Dorinha, você vem ou não vem ao cinema conosco?

— Hoje não. **Venho trabalhando** nesse artigo há meses e não posso parar. Tenho que terminá-lo para amanhã. Estou escrevendo, agora, a conclusão.

107

Vir + gerúndio	— <u>Venho trabalhando</u> no artigo – tenho trabalhado continuamente até este momento.
	— <u>Vinha falando</u> com ele – falava continuamente até aquele momento.
	— O problema <u>veio aumentando</u>.
Ir + gerúndio	— <u>Vou trabalhando</u> como posso – tenho trabalhado continuamente.
	— <u>Ia fazendo</u> como me pediam – fazia continuamente até aquele momento.
	— Ele <u>foi falando</u> sem parar.
Andar + gerúndio	— <u>Andei pensando</u> em viajar – tenho pensado continuamente.
	— <u>Andava perdendo</u> cabelo – perdia cabelo sem parar até aquele momento.
	— <u>Andei pensando</u> muito no assunto.
Viver + gerúndio	— Ele <u>vive falando</u> em mudar de casa.
	— Ele <u>vive perdendo</u> a hora.
	— Ele <u>vive esperando</u> a herança que nunca vem.
Mas:	
Estar + gerúndio	— **Estou escrevendo** – escrevo neste momento.
	— **Estava falando** – falava naquele momento.
	— **Estarei falando** com ele às 8 horas – falarei com ele às 8 horas.

Ninguém gosta de ouvir. Principalmente se a culpa não é sua, é do seu carro. Por isso, se ele anda fazendo barbeiragens sozinho, pare de levar a culpa. Leve-o à oficina mecânica, onde você encontra rodas, amortecedores e uma linha completa de pneus. Você também pode fazer balanceamento de rodas e alinhamento de direção, para o seu carro andar sempre na linha. Barbeiro é a vovozinha!

Barbeiro – (gíria) pessoa que dirige muito mal, que não sabe dirigir.

Fazer barbeiragem – (gíria) dirigir mal e provocar pequenas confusões no trânsito.

Barbeiro é a vovozinha! – reação mal-educada a uma ofensa.

A. Responda às questões, expressando ações contínuas, no presente, passado e futuro. Varie os auxiliares.

1. Afinal, Tomás ainda não chegou?
   Calma, ele _____
   _____

2. Por que você está resmungando?
   _____
   _____

3. O que aconteceu com você? Não o vejo há semanas.
   _____
   _____

4. Você pode digitar este *e-mail* para mim?
   Não posso, _____
   _____

5. Por que eles não vieram à festa ontem?
   _____
   _____

6. Você pode passar no banco amanhã às 11 horas?
   Não às 11. _____
   _____

7. Por que você pensa que ele tem muito dinheiro?
   _____
   _____

8. Estes moços têm chance de entrar na faculdade?
   _____
   _____

9. Você parece cansado. Por quê?
   _____
   _____

10. De onde veio aquele barulho ontem?
    _____
    _____

B. Você está fazendo uma longa viagem de trem e tem muitas oportunidades para falar com os outros passageiros ou perguntar algo para os funcionários. Empregue a forma contínua ou o verbo **ter** + particípio.

Exemplo: Ele tem tido problemas em suas viagens. Ele anda falando sobre isso ultimamente. Ela vive falando nisso.

1. No vagão-restaurante você quer saber qual o prato mais pedido.
   _____
   _____

2. Você pergunta ao passageiro à sua frente se ele viaja sempre.
   _____
   _____

3. Você quer saber se o trem é pontual.
   _____
   _____

4. Num determinado momento, você quer saber quais os problemas da região por onde passam.
   _____
   _____

5. Finalmente você quer saber se tantas perguntas incomodam os vizinhos.
   _____
   _____

109

Regência verbal (5)

Verbos e suas preposições

verbo	sem preposição com substantivo	com preposição + substantivo	com preposição + infinitivo
desistir		de	de
discordar		de	de
encarregar-se		de	de
ensinar	•		a
esforçar-se		por	por
esquecer	•		de
esquecer-se		de	de
fugir		de	
gostar		de	de
hesitar		entre	em
insistir		em	em
interessar-se		por	em

A. Complete.

1. Vou desistir _____ tudo. Não me conformo _____ ficar aqui esperando sem saber o que está acontecendo. Não me conformo _____ isso. Discordo _____ (esse) método. Quem concordaria _____ isso? Vamos, diga-me!

2. Não fuja _____ (eu) nem _____ (os) outros!

3. Ele não insistiu _____ (o) plano, porque não se interessou _____ (o) negócio.

4. O professor esforçou-se _____ explicar a regra, mas os alunos não aprenderam _____ usá-la.

5. Não se esqueçam _____ (eu) nem _____ meus amigos. Eu também não vou esquecer vocês. Meus amigos, tenho certeza, também não vão se esquecer _____ vocês.

6. Na preparação do evento, ele se encarregou _____ (o) programa e ela, _____ distribuir os convites.

7. Ele perdeu a chance porque hesitou _____ tomar uma decisão.

8. Quem vai me ensinar _____ fazer isso? Ninguém vai me ajudar _____ fazer esse trabalho.

B. Relacione.

1. esforçar-se   ( ) desse ponto de vista

2. interessar-se   ( ) em entrar no negócio

3. fugir   ( ) pela proposta

4. ensinar   ( ) do perigo

5. discordar   ( ) a manejar a ferramenta

6. hesitar   ( ) por entender

110

PONTO DE VISTA

Telas de idiotices

A tv, assim como outras mídias tão em voga, dentre as quais podemos citar os *sites* de relacionamento, são uma ameaça ao bom gosto e à ética. Eu as proibiria.

Podemos dizer que são inimigas da civilização, por serem, comprovadamente, graves ameaças ao bom gosto, à moral, à decência, às relações pessoais da sociedade. Ninguém pode, em sã consciência, negar que elas corrompem os jovens e incitam as pessoas em geral à perversão, à violência, a atidudes egoístas e individualistas. Eu as proibiria.

Se todas as mídias do mundo desaparecessem súbita e definitivamente, a humanidade como que despertaria de um sonho estranho, induzido por drogas, e cheio de horrores, voltando para o mundo natural, normal. As pessoas, como se tivessem sido exorcizadas, voltariam a viver por si próprias, a exercitar a imaginação, a recuperar as visitas dos amigos, o diálogo com os seus familiares. e o mundo, por que não?, encontraria novamente seu caminho.

A. Responda.

1. Considerando a opinião acima, você é
   - radicalmente contra ela
   - parcialmente contra ela
   - totalmente a favor dela
   - parcialmente a favor dela

B. Justifique sua posição.

C. Redação.

Comente a opinião apresentada no texto e explique seu ponto de vista sobre o assunto.

LINGUAGEM FORMAL

O sertanejo

O sertanejo é, antes de tudo, um forte. Não tem o raquitismo exaustivo dos mestiços neurastênicos do litoral. A sua aparência, entretanto, ao primeiro lance de vista, revela o contrário. Falta-lhe a plástica impecável, o desempenho, a estrutura corretíssima das organizações atléticas.

É desgracioso, desengonçado, torto. Hércules-Quasímodo, reflete no aspecto a fealdade típica dos fracos. O andar sem firmeza, sem aprumo, quase gingante e sinuoso, aparenta a translação de membros desarticulados. Agrava-o a postura normalmente abatida, num manifestar de displicência que lhe dá um caráter de humildade deprimente. A pé, quando parado, recosta-se invariavelmente ao primeiro umbral ou parede que encontra; a cavalo, se sofreia o animal para trocar duas palavras com um conhecido, cai logo sobre um dos estribos, descansando sobre a espenda da sela.

Caminhando, mesmo a passo rápido, não traça trajetória retilínea e firme. Avança celeremente, num bambolear característico de que parecem ser o traço geométrico os meandros das trilhas sertanejas. E se na marcha estaca pelo motivo mais vulgar, para enrolar um cigarro, bater o isqueiro, ou travar ligeira conversa com um amigo, cai logo – cai é o termo – de cócoras, atravessando largo tempo numa posição de equilíbrio instável, em que todo o seu corpo fica suspenso pelos dedos grandes dos pés, sentando sobre os calcanhares, com uma simplicidade a um tempo ridícula e adorável.

É o homem permanentemente fatigado.

Reflete a preguiça invencível, a atonia muscular perene, em tudo: na palavra remorada, no gesto contrafeito, no andar desaprumado, na cadência langorosa das modinhas, na tendência constante à imobilidade e à quietude.

Entretanto, toda esta aparência de cansaço ilude.

Euclides da Cunha (1866-1909)
– *Os Sertões*

Lido o texto com atenção, responda.

1. De quem fala o autor? Identifique o sertanejo.

2. O sertanejo não tem postura elegante. Por quê?

3. Como anda o sertanejo?

4. O sertanejo parece sempre cansado. É essa a impressão que temos quando o observamos:
   a) parado, em pé
   b) parado, a cavalo
   c) parado, de cócoras

5. O autor, no entanto, afirma que "toda esta aparência de cansaço ilude". Explique.

UNIDADE

6

Texto Inicial	A Resposta – Luís Fernando Veríssimo	**114**
Gramática em Revisão	Tempos Compostos do Subjuntivo	**118**
	Perfeito do Subjuntivo	**118**
	Mais-que-Perfeito do Subjuntivo	**118**
	Futuro Composto do Subjuntivo	**119**
	Verbos Irregulares de 3a conjugação	**119**
	Modelo: dormir	**119**
	Modelo: subir	**120**
	Modelo: preferir	**120**
	Expressões de tempo	**121**
	há – daqui a	**121**
	Perguntas de tempo	**122**
	Advérbios e locuções adverbiais de tempo	**123**
Cotidiano Brasileiro	Cena amazonense	**123**
Linguagem Coloquial	Expressões familiares	**124**
Gramática Nova (I)	Verbos Irregulares de 3ª conjugação	**125**
	Modelo: progredir	**125**
Pausa	Miami, Caribe, Nordeste...	**126**
Gramática Nova (II)	Advérbios e locuções adverbiais de modo, de lugar, de afirmação, de negação	**127**
	Regência verbal (6)	**128**
Ponto de Vista	A revolução que liquidou o emprego	**130**
Linguagem Formal	O cortiço – Aluísio Azevedo	**131**

TEXTO INICIAL

A Resposta

Vez por outra, o homem se faz a grande pergunta. Qual é, afinal, o sentido de tudo isso? Qual é a moral da história? Estamos no mundo para desempenhar nosso papel em alguma trama preordenada da qual não sabemos o fim, ou não existe papel, nem trama, nem fim? Há quem diga que toda a evolução humana desde o primeiro macaco foi um processo de tentativa e erro da espécie para produzir o Victor Mature. Assim o sentido da vida seria o Victor Mature e todos os homens nascidos antes e depois – incluindo você, eu, o Einstein e o nenê da Doca – seriam as tentativas frustradas. O lixo do processo. O Victor Mature já veio e, se não me engano, já foi, a evolução já cumpriu o seu papel, não temos mais nada a fazer no planeta. É a vez das abelhas.

Outra teoria é a do grande computador. Há milhões de anos uma raça de superseres extraterrenos teria visitado a Terra e deixado aqui um grande computador programado para registrar todos os acontecimentos deste lado da galáxia. A Terra era árida e sem vida. O grande computador foi acionado, seus sistemas ativados e os seres extraterrenos partiram. Dali a milhões de anos voltariam para saber o que fora registrado. Aconteceu que, atingido por um meteorito, o grande computador explodiu. Sobrou só o núcleo, justamente onde ficava o *chip* do amor-próprio. O grande computador precisava reconstruir-se depressa, antes que voltassem os seres. Não havia um milênio a perder. Mas como? Era preciso criar coisas que se movessem, para catar os pedaços do grande computador espalhados pela explosão por toda a Terra, ou encontrar materiais e meios para reconstruí-lo na sua forma original. Começou, assim, a vida sobre a Terra.

Primeiro uma ameba marinha. Depois outra. Mais outra. Um molusco. Um peixe. Um peixe com perninha. Um lagarto. Um lagartão. Na

sua pressa, o grande computador cometeu vários enganos. Criou animais disformes. Exagerou na cauda e esqueceu do cérebro. Criou, com grande estardalhaço, o dinossauro, pensando que ele teria força suficiente para transportar todos os componentes de um novo computador e inteligência para juntá-los. Um fracasso. Criou as formigas. Promissoras. Grandes trabalhadoras. Mas muito pequenas. Num período especialmente confuso, criou o hipopótamo e o rinoceronte e depois, num delírio, a girafa. Redimiu-se com o elefante, um sucesso de crítica – a tromba, para transporte, foi considerada um toque de gênio – mas com evidentes defeitos. Como esperar que o elefante fizesse todas as sofisticadas conexões elétricas do grande computador com aquelas grossas patas?

Criou a preguiça e logo se arrependeu. Criou o tigre depois de fazer vários esboços, que acabaram sendo os gatos. Criou o jacaré num momento de desespero. Era preciso andar depressa. Faltavam só alguns milhões de anos para a volta dos seres. Criou o macaco. Epa! A ideia era boa, mas precisava ser trabalhada. Aperfeiçoou o macaco. Sim, sim tinha encontrado o caminho. Surgiu o homem. Deu-lhe um dedão opositor e esperou para ver o que acontecia. O homem inventou a ferramenta. A roda. A fundição. A matemática. A máquina calculadora. Estava chegando perto. O homem construiu o primeiro cérebro eletrônico. Ainda rudimentar, mas um grande passo. O homem começou a construir computadores cada vez mais completos e complexos. Até que – vitória! – um dia, que não está longe, o homem construirá o grande computador, exatamente como era antes da explosão.

O grande computador, então, dispensará o homem que se destruirá em poucas gerações, junto com toda vida vegetal e animal da Terra.

E quando os seres voltarem à Terra e perguntarem ao grande computador – que se erguerá, em meio à mesma paisagem árida e sem vida que encontraram da primeira vez – se aconteceu alguma coisa na Terra na ausência deles, o grande computador, simulando um certo enfaro, responderá:

— Não, não. Tudo na mesma.

Luís Fernando Veríssimo, *Veja*.

A. Compreensão do texto.

Responda.

1. Quantas teorias o autor apresenta para explicar o aparecimento do homem no mundo? Quais são elas?

2. De acordo com a primeira teoria, todos os homens, com exceção de um, seriam o quê?

3. Qual a função de Einstein, nessa teoria?

4. Segundo a teoria do grande computador, com que objetivo foi criada a vida na Terra?

5. O grande computador cometeu vários enganos ao criar animais. Diga quais são os aspectos positivos e negativos dos seguintes:
   o dinossauro –
   as formigas –
   o elefante –

6. Como apareceram o hipopótamo, o rinoceronte e a girafa?

7. Como nasceram os gatos?

8. Uma vez criado o homem, sua vida será infinita?

9. Por que o homem pode inventar tantos instrumentos?

10. Na sua opinião, qual a moral da história?

115

B. Estabeleça a relação.

1. vez ou outra — aparentar
2. trama — desproporcional
3. árido — barulho
4. disforme — sem mudança
5. estardalhaço — seco
6. simular — história
7. tudo na mesma — ocasionalmente

C. Explique, de acordo com o texto.

1. Criou vários esboços que **acabaram sendo** gatos.
2. Era preciso criar coisas para **catar** os pedaços do grande computador.
3. **Redimiu-se** com o elefante. **Um sucesso de crítica.**
4. Ainda rudimentar. Mas um **grande passo.**
5. Ele se erguerá sozinho, **em meio** à mesma paisagem árida e sem vida.
6. Todos os homens nascidos depois seriam o **lixo do processo.**
7. Estamos no mundo para desempenhar **nosso papel.**
8. **É a vez das abelhas.**

D. Complete as frases abaixo iniciadas com as expressões: **Há quem... /Havia quem... / Houve quem... /Haverá quem...**

Exemplo: Há quem não goste dele.

1. Há quem (esperar) _____
2. Há quem (destruir) _____
3. Há quem (fazer) _____
4. Havia quem (ver) _____
5. Havia quem (dizer) _____
6. Houve quem (trazer) _____
7. Houve quem (estar) _____
8. Houve quem (pôr) _____
9. Haverá quem (ter) _____
10. Haverá quem (tentar) _____

E. Transforme as orações conforme o modelo.

O grande computador precisava reconstruir-se antes **que voltassem** os seres.

O grande... **antes da volta dos** seres.

1. O quadro precisava estar pronto antes que abrisse a exposição.
   _____
2. Todos queriam falar antes que terminasse o prazo estipulado.
   _____
3. Era necessário entregar o relatório antes que ele saísse.
   _____
4. Tinham que distribuir os programas antes que se iniciasse a sessão.
   _____
5. Mandamos o dinheiro urgente antes que nos enviassem a conta.
   _____
6. Tínhamos que tirar os papéis do cofre antes que conhecessem o segredo.
   _____
7. Construíram a casa o mais depressa possível antes que perdessem todo o dinheiro.
   _____
8. Os discursos deveriam ser feitos antes que se entregassem os prêmios.
   _____
9. Todos os atores tinham que estar no palco antes que abrissem as cortinas.
   _____
10. Ele tinha de estar no banco antes que fechassem os caixas.
    _____

F. Leia esta frase do texto.

Estamos no mundo para desempenhar nosso papel em alguma trama preordenada **da qual não sabemos o fim.**

116

Agora complete as frases convenientemente.

1. Ele ouviu todas as perguntas atentamente _____ _____ não tinha respostas.

2. O candidato ao governo fez muitas promessas _____ ele mesmo não acreditava.

3. Depois que se aposentou nunca mais viu os amigos _____ sempre escrevia e _____ sempre falava.

4. Deixou toda a fortuna para os sobrinhos _____ _____ sempre gostou.

5. Finalmente conseguiu impor a ideia _____ sempre lutou.

6. O buraco na parede _____ eles entraram ainda não foi consertado.

7. Tinha que conseguir aquela peça _____ o computador não funcionava.

8. Todos procuraram o orador, _____ a sessão não podia começar.

G. Leia a frase: **Como esperar que o elefante refizesse todas as sofisticadas conexões elétricas?** Complete as frases abaixo, livremente.

1. Ele é muito ignorante. Como esperar que ele _____ corretamente a perguntas tão difíceis?

2. Nós não somos ricos. Como esperar que nós _____ uma casa tão cara?

3. A situação é caótica. Como esperar que as medidas _____ um resultado preciso?

4. Ninguém o conhecia. Como esperar que alguém o _____

5. Ela nunca foi secretária. Como _____ _____?

6. Ele não gosta de nossos amigos. Como _____ _____?

7. Este é o carro mais premiado do ano. Como _____?

8. Ele não entende nada de matemática. _____ _____?

H. Refaça o trecho de: **"Aconteceu que, atingido por um meteorito..."** até **"Começou assim a vida sobre a Terra".**

Comece assim:

Se acontecesse _____ _____ _____ .

117

GRAMÁTICA EM REVISÃO

Tempos Compostos do Subjuntivo

Quem usou meu carro? Quem foi? Foi você que usou meu carro?

Não, não fui eu. Talvez **tenha sido** Dora. Se eu **tivesse usado** seu carro, eu teria dito para você. Eu não escondo nada de você, você sabe.

Perfeito do Subjuntivo

O que foi que você disse?

Eu? Eu não disse nada. Talvez Sônia **tenha dito**.

A polícia está interrogando você. Responda às perguntas.

Polícia: — O senhor era vizinho da Dona Isaura. O que o senhor viu de estranho ontem na casa dela?

— Eu? Eu não vi nada. Talvez minha mulher ___ _____

— A porta da frente da casa de Dona Isaura estava trancada. Como o senhor acha que o assassino entrou?
— Duvido que ele _____ pela porta da frente. Talvez _____ pela porta de trás. Ou por uma janela.
— O senhor ouviu gritos?
— Não. Não acho que Dona Isaura _____ _____.
— Pistas, estou procurando pistas. O senhor acha que o assassino deixou alguma pista?
— Deus queira que _____ _____. O assassino precisa ser encontrado.

Mais-que-Perfeito do Subjuntivo

A discussão foi muito violenta. Lamentei isso.

Lamentei que a discussão tivesse sido violenta.

Diga de outro modo.

1. Disseram que a verba tinha acabado, mas duvidei disso.
   _____

2. Avisaram-nos que ele tinha morrido num acidente. Isso foi muito triste.
   _____

3. Ele teve sucesso. Isso foi bom.
   _____

4. Tudo deu certo. Fiquei contente com isso.
   _____

5. Ele disse a verdade, mas ninguém acreditou.
   _____

118

Futuro Composto do Subjuntivo

Ele ainda não recebeu seu salário; por isso, não pode pagar suas contas.

Ele só pagará suas contas quando tiver recebido seu salário.

Diga de outro modo.

1. A febre não baixou; por isso, ele ainda corre perigo.
   _____
2. Ela não respondeu à sua última carta; por isso, ele não lhe escreveu.
   _____
3. Ela vai ter uma promoção. Logo depois a vida vai mudar.
   _____
4. Eles vão ouvir a notícia. Logo depois vão ligar para cá.
   _____
5. Ele a verá no domingo e depois pensará nela durante toda a segunda-feira.
   _____

Verbos Irregulares de 3ª Conjugação

Modelo: dormir

Como dormir: tossir, engolir, cobrir, descobrir, encobrir

A. Faça frases com o Presente do Indicativo.

Observe o exemplo:

Dormir a noite toda (eu – você).

Eu durmo a noite toda. E você? Você dorme?

1. tossir por causa dessa poluição (eu – eles)
2. engolir o almoço em 5 minutos (eu – ele)
3. cobrir grandes distâncias no fim de semana (eu – seus amigos)
4. encobrir meus erros (eu – você)

B. Complete as frases com os verbos no tempo adequado.

1. (tossir) Madalena, pare de _____!
2. (tossir) Não _____ enquanto ele está cantando, Madalena!
3. (engolir) Eu sempre _____ sapos no trabalho.
4. (cobrir – tossir) Cláudia, _____ o nenê para que ele não _____ a noite toda!
5. (descobrir) Eu não direi nada para que ele não _____ o que aconteceu. Se ele _____, paciência.
6. (encobrir – descobrir) Embora ela _____ o crime, o detetive acabou _____ a verdade.
7. (engolir) Duvido que meu chefe _____ _____ essa desculpa.

119

8. (engolir – tossir) Ontem, depois que eu _____ _____ aquele café tão quente, comecei a _____. Se eu _____ mais um pouco, perderia o fôlego.

9. (tossir – cobrir) Daqui para frente, meu filho, quando você _____, _____ a boca com a mão.

10. (engolir) Eu não _____ desaforos; por isso, me afastei dele.

Modelo: subir

Como subir: fugir, sacudir, cuspir, sumir, consumir, acudir, entupir, escapulir

A. Faça as frases com o Presente do Indicativo.

Observe o exemplo:

Fugir da responsabilidade (João – Luís)

João foge de suas responsabilidades, mas talvez Luís não fuja.

1. sumir na hora H (você – seu irmão)
2. sacudir muito (o jipe – o trem)
3. consumir muito combustível (caminhão – seu jipe)
4. subir até o último andar (as crianças – os pais)
5. entupir facilmente (encanamento de casas antigas – encanamento de edifícios modernos)

B. Complete.

1. (sacudir) Em estradas esburacadas, os carros ____ _____ muito.
2. (cuspir) O dentista para o cliente: Por favor, _____ agora!
3. (cuspir) É um horror! Ele _____ o tempo todo!
4. (acudir) Quando ouço gritos, eu _____ logo. E você? Você _____?

5. (sumir) Quando se fala em trabalhar, vocês _____ _____. Mas desta vez, eu lhes peço: não _____.

6. (subir, sacudir, consumir) Quero vender meu carro porque, quando _____ uma ladeira, ele _____ muito e _____ muita gasolina.

7. (sacudir – consumir) Talvez um carro novo não _____ tanto e _____ menos combustível.

Modelo: preferir

Como preferir: vestir, sentir, seguir, ferir, mentir, despir, consentir, conseguir, referir, desmentir investir, pressentir, perseguir, conferir, servir, revestir, prosseguir, deferir, repetir, refletir, advertir

A. Desenvolva as frases no Presente do Indicativo. Observe o exemplo.

Mentir muito (ele – eu)

Ele mente muito. Eu minto muito também.

1. Vestir-se depressa (elas – eu)
2. Sentir-se mal no calor (ele – eu)
3. Não servir para guardar segredo (ela – eu)
4. Seguir em frente (você – eu)
5. Investir muito dinheiro no negócio (eles – eu)
6. Refletir muito antes de decidir (ela – eu)
7. Prosseguir com o trabalho (vocês – eu)
8. Preferir – sair (o senhor – eu)
9. Consentir em trabalhar mais (eles – eu)
10. Ferir-se sempre com esta ferramenta (ele – eu)

120

B. Faça frases. Observe o exemplo.

Conseguir desconto (ela – eu)

Ela sempre consegue bom desconto.

Quem sabe eu consiga também.

1. Repetir o exercício (ele – eu)

2. Advertir os alunos (o professor – o diretor)

3. Pressentir o perigo (o cachorro – o gato)

4. Desmentir as notícias (a televisão – o jornal)

5. Investir dinheiro em pequenos negócios (nossos colegas – nós)

6. Refletir minha imagem (espelho – vidraça)

7. Prosseguir viagem (meu amigo – eu)

8. Ferir meus ouvidos (esta música – a voz do cantor)

9. Repetir as instruções (o médico – a enfermeira)

10. Conferir os resultados (o professor – os alunos)

C. Complete os textos.

1. Com os verbos **vestir**, **despir**, **sentir**, **consentir**, **conseguir**, **perseguir**, **ferir**:

Antigamente, era diferente. As pessoas _____ roupas compridas, que lhes cobriam os pés. Os rapazes não davam sossego às moças e era uma vitória para eles _____ ver o tornozelo delas. Hoje em dia, a coisa mudou; tudo é mais liberal. A sociedade _____ que as mulheres _____-se na praia. Se você _____ calor, _____-se! A polícia não _____ você por isso. A nudez não _____ mais os olhos de ninguém.

2. Com os verbos **mentir**, **pressentir**, **desmentir**, **prosseguir**, **preferir**, **repetir**:

Eu quis _____ minha viagem, mas desisti. Eu _____ que havia perigo na estrada. Alguma coisa estranha estava acontecendo. O motorista _____ muitas vezes que estava tudo bem, mas suas mãos nervosas _____ suas palavras. Eu tinha certeza que ele estava _____. Ele sabia de alguma coisa que nós não sabíamos ainda, mas ele _____ não falar. Ou talvez não pudesse falar...

3. Com os verbos: **refletir**, **advertir**, **investir**, **sentir**:

Todos nós queremos vencer na vida. E queremos, também, que nossos filhos vençam a qualquer preço. Agindo assim, muitas vezes nós os transformamos em crianças tristes e insatisfeitas. É necessário que nós _____ sobre o significado do sucesso. É importante que nós _____ os professores em geral sobre o significado de seu trabalho. É melhor que todos nós, pais, _____ mais tempo nosso e mais esforço para que as crianças de hoje se _____ felizes no mundo de amanhã.

Expressões de Tempo
Há – daqui a

— Eu **estive** aqui **há muitos anos**, quando era criança. (ação no passado – verbo no passado)

— Eu **estou** em pé **há duas horas**, porque todas as cadeiras estão ocupadas. (ação iniciada no passado prolonga-se até o presente – verbo no presente)

— **Daqui a pouco vou sair**. (ação no futuro)

Complete com o verbo no tempo adequado.

1. (conhecer – estar – ficar) Há muitos anos eu o _____ Manaus. Desde então somos bons amigos. Agora ele está em nossa cidade: ele _____ aqui há dois meses para desenvolver um projeto. É um trabalho complicado que só _____ pronto daqui a 3 anos.

2. (abrir – estar – sair) Não sei o que houve. Marta está aqui na minha frente. Há duas horas não _____ a boca nem para reclamar, nem para responder às minhas perguntas. Aparentemente, ela _____ bem, sorrindo. O que aconteceu? Daqui a pouco eu _____ e ela vai ficar aí, sozinha, olhando para o ar.

3. (ver) Não _____ Neusa há anos. A última vez que eu a _____ foi há um tempão, num baile de carnaval.

Há – a – à – daqui a

Já trabalho aqui **há** muito tempo. **Daqui a** duas semanas vou me mudar. Vou morar **a** cerca de dois quilômetros de meu escritório. Poderei começar meu trabalho **às** 8 horas todos os dias. Vai ser mais prático. Solicitei **à** secretária de meu chefe que organize minha transferência.

A. Complete com **há – a – à – daqui a**.

1. Ele parou _____ menos de um metro do poste.

2. Vou embora _____ meia hora.

3. Ele trabalha conosco _____ um ano.

4. Ele chegou aqui _____ um tempão.

5. Cheguei _____ tempo de despedir-me deles.

6. _____ tempo para tudo. Caaaalma!!

7. Houve uma explosão _____ cerca de 3 quarteirões daqui, mas ninguém sabe nada acerca disso.

8. Ele mora lá _____ cerca de 5 anos.

9. Ele chegou _____ menos de uma hora e já está saindo! Ele vai _____ reunião da diretoria e está atrasado.

10. A eleição foi realizada _____ duas semanas, mas até agora ninguém recebeu informações acerca do resultado.

11. Na festa, sentei-me _____ dois metros dele. Fiquei contente porque _____ muito queria conhecê-lo.

12. Ele chegou _____ tempo de assistir ao jogo.

Perguntas de tempo

Há quanto tempo não nos vemos? Há cinco anos pelo menos.

Quanto tempo faz que não nos falamos?

Há quanto tempo ele veio morar neste bairro? Há dez anos ou mais.

Durante quanto tempo ele resistiu antes de desistir?

Daqui a quanto tempo você vai voltar?

Quanto tempo faz que ele chegou? Faz um tempão.

Quanto tempo falta para acabar a aula? Faltam dez minutos.

Quanto tempo leva para chegar lá? Leva duas horas.

Quanto tempo temos para fazer a apresentação?

O tempo perguntou pro tempo
Quanto tempo o tempo tem
O tempo respondeu pro tempo
Que o tempo tem tanto tempo
Quanto tempo o tempo tem.

Advérbios e locuções adverbiais de tempo

No presente – atualmente, hoje em dia, presentemente, nos dias de hoje, em meados deste mês, por enquanto, por ora.

No passado – nos anos 60, na década de 60, em meados do ano passado, outrora, há tempos, naquela época.

No futuro – em breve, brevemente, em seguida, futuramente, dentro de duas semanas, em meados do ano que vem.

Frequência – de vez em quando, de quando em quando, às vezes, por vezes, uma vez ou outra, de dois em dois dias, dia a dia, esporadicamente, ocasionalmente.

Outras locuções de tempo – a tempo, nunca mais, de um dia para o outro, de uma hora para outra, da noite para o dia, dia e noite, num piscar de olhos, por fim.

A. Escolha algumas expressões dentre as acima e faça frases.

B. Relacione.

1. de quando em quando ( ) logo depois
2. de uma hora para outra ( ) de chofre
3. atualmente ( ) antigamente
4. outrora ( ) na hora H
5. em seguida ( ) às vezes
6. uma vez ou outra ( ) hoje em dia
7. a tempo ( ) esporadicamente

COTIDIANO BRASILEIRO

Cena Amazonense

Muitos vão até Manaus à procura do exótico, mas apenas visitam os pontos interessantes da cidade e fazem tímidas excursões pela beira da floresta imensa. Esses são os turistas tradicionais.

Há, no entanto, turistas mais ousados que se dispõem a trocar o hotel cinco estrelas por um barco de madeira. Com ele, navegarão horas a fio pelos rios Negro e Solimões, em busca da praia de seus sonhos, desconhecida, escondida no meio da floresta. O perigo é encontrá-la... Descoberto o paraíso, o sonhador corre o risco de apaixonar-se por ela e de não resistir à tentação de descer do barco e nela instalar-se, formando um pequeno sítio para seus fins de semana. Viver no paraíso e deixar o mundo

rodar... Isso sempre acontece com os recém-chegados que não conhecem as peculiaridades da região. O problema é que, para formar um sítio nas

123

vizinhanças de Manaus, é necessário derrubar um pedaço da floresta. Com a derrubada das árvores, surge, inevitavelmente, um mosquito terrível, cuja picada causa ferimento dolorido e repugnante, que leva meses a cicatrizar. E o sonho inicial, o do paraíso, acaba por virar pesadelo. Paraíso perdido...

Mas há uma forma diferente de passar os fins de semana às margens dos rios de Manaus. Ei-lo! Prepare seu próprio barco! Compre o casco de algum pequeno construtor de barcos (e os há às pencas na região) e um marceneiro lhe fará a parte superior: sala, quartos, cozinha e banheiro. Equipe seu barco com holofotes. À noite, eles lhe desvendarão a floresta espessa e iluminarão praias selvagens. Escolha uma delas e não derrube árvore alguma. Apenas desembarque e explore-a. Mas não se esqueça da churrasqueira. Haverá algo melhor do que saborear um churrasco caprichado numa praia deserta, tendo à frente um imenso rio e, às costas, a floresta amazônica?

Responda.

1. O texto apresenta três formas de lazer ligadas aos rios de Manaus. Quais são elas?

2. Se pudesse escolher, por qual dessas formas você optaria?

3. Navegar pelos rios da bacia amazônica será realmente tão simples quanto o texto diz? Discuta.

LINGUAGEM COLOQUIAL

Expressões familiares

A. Explique o que quer dizer cada uma das expressões.

B. Agora redija o texto por extenso, em linguagem formal.

Quem não gosta de 🍍, **não quer** 🥖 **e usa o** 🥥 **aplica na** 🧺

Cesta de Poupança Itaú.
O lucro é 🥥 **.**

GRAMÁTICA NOVA (I)

Verbos Irregulares da 3ª Conjugação

Modelo: **progredir**

eu progrido
você, ele, ela progride

nós progredimos
vocês, eles, elas progridem

Como progredir: regredir, prevenir, agredir, transgredir

A. Faça frases com o Presente do Indicativo.

Observe o exemplo:

– agredir sem motivo (ele – nós)

Ele sempre **nos agride sem motivo**; mas nós não o **agredimos**.

1. transgredir as ordens do chefe (a secretária – nós)
2. progredir firmemente (nossos amigos – nós)
3. prevenir seus vizinhos a tempo (ele – nós)

B. Complete com a forma verbal adequada.

1. Alguém _____ sem trabalhar? (progredir)
2. Nós _____ com grande esforço, mas ela, sem esforço, _____ mais do que nós. (progredir)
3. Nessa situação, duvido que o país _____. (progredir)
4. Meu amigo, antes de tudo, _____ em seu trabalho. Depois veremos. (progredir)
5. Todos estavam preocupados. Embora a empresa _____, os funcionários continuavam na mesma: não _____. (progredir)
6. Nossa empresa _____ no ano passado. Faremos todo o possível para que ela não _____ mais. (regredir)
7. O médico fez tudo para que a doença _____. (regredir)
8. Desde que você chegou, você está me _____ com palavras. Pare com isso! Não me _____ mais! (agredir)
9. A poluição _____ o meio ambiente. O álcool e o cigarro _____ o indivíduo. (agredir)
10. _____ seu amigo que só entrarão no edifício pessoas com crachá. (prevenir)
11. Elas sempre os _____ sobre os perigos de seu trabalho. Eu também os _____. (prevenir)
12. Quem _____ a lei pode ter problemas; por isso, nós não a _____. (transgredir)

PAUSA

Miami, Caribe, Nordeste. A bordo de um navio.

Fazer um cruzeiro pelo Caribe e Nordeste brasileiro é um privilégio do qual você não pode abrir mão.

Imagine duas semanas a bordo de um navio altamente sofisticado, equipado com toda infraestrutura necessária para seu conforto e comodidade.

Você sai por via aérea no dia 5 de julho, fica 4 dias em Miami, hospedado em hotéis de primeira, e depois pega o navio para a viagem dos seus sonhos. Miami, Freeport (Bahamas), Puerto Plata (Rep. Dominicana), San Juan (Porto Rico), St. Thomas (Ilhas Virgens), Fort-de-France (Martinica), Pointe-à-Pitre (Guadalupe), Bridgetown (Barbados), Fortaleza, Recife, Maceió, Salvador e Rio de Janeiro.

Ou então você faz tudo ao contrário. Embarca dia 25/7 no Rio de Janeiro e volta de avião. Aproveite esta chance para fazer um cruzeiro pelo Caribe e Nordeste brasileiro.

Uma coisa é ver os navios do porto. Outra é ver os portos do navio.

Não fique a ver navios! Decida-se logo!

A. Explique.

1. tirar você do lugar-comum (ou sair do lugar-comum)
2. abrir mão de alguma coisa
3. fazer ao contrário
4. ver os navios do porto
5. ficar a ver navios

B. Reformule as ideias, empregando expressões do texto.

1. Posso dispensar muitas coisas, mas nunca minhas 8 horas diárias de sono.
2. Esta fábrica não quer atender nossos pedidos.
3. Deixo sempre minhas ordens bem claras; mas ele não obedece.
4. Não demore para tomar a decisão senão você não participará do negócio.
5. Ela espera sempre que algum acontecimento venha quebrar a rotina de sua vida.
6. O novo diretor é intransigente: não cede nunca em suas decisões.

GRAMÁTICA NOVA (II)

Advérbios e locuções adverbiais

De modo, de lugar, de afirmação e de negação

modo	lugar	afirmação	negação
às claras	de longe	sem sombra de dúvida	de modo algum
às escuras	de perto	por certo	de jeito nenhum
às cegas	por perto	de fato	em hipótese alguma
aos pontapés	por trás	com certeza	que nada!
aos trancos e barrancos	pela frente	claro que sim	não mesmo!
ao vivo	por dentro		nem pensar!
em vão	por fora		claro que não!
à toa	de lado		
de ponta-cabeça	pelo lado de fora		
de cabeça para baixo	de lado a lado		
de costas, de joelhos, de pé			
de propósito			
de vermelho, de relógio			
de paletó e gravata			
de mal a pior			
sem mais nem menos			

Relacione.

1. às escuras
2. às moscas
3. de ponta a ponta
4. de cor
5. de antemão
6. de sobra

( ) completamente, do começo ao fim
( ) com antecedência
( ) sem iluminação
( ) com fartura
( ) sem ninguém
( ) de memória

B. Escolha da lista acima algumas locuções adverbiais e faça frases.

C. Classifique as locuções adverbiais.

1. tempo   2. modo   3. lugar
4. afirmação   5. negação

( ) aos poucos
( ) de baixo
( ) de duas em duas semanas
( ) por acaso
( ) de lado a lado
( ) aos beijos
( ) de fome

127

( ) por dia

( ) fora de cogitação

( ) certamente

( ) de trás para frente

( ) fora de hora

( ) de cócoras

( ) de cor, de memória

D. Complete com o advérbio adequado. Consulte o quadro da página 123.

1. Não gosto dele; por isso, não farei o negócio _____ _____.

2. Não posso viajar _____ no trem porque fico com o estômago embrulhado.

3. Entrou na sala _____, sem bater, sem se fazer anunciar.

4. Ele fala mal das pessoas _____, mas, quando está _____ com elas, é todo sorrisos.

5. Antigamente, tudo era mais fácil. _____ a vida é uma complicação só.

6. O médico tentou, _____, dissuadi-lo de fumar. Nem com a saúde ameaçada ele desistiu.

7. É incrível! Ele não trabalha nem estuda. Vive por aí _____.

8. A notícia foi dada pelo diretor _____.

9. Saiu tarde de casa, custou a pegar um táxi. Mas, mesmo assim, chegou _____ ao aeroporto.

E. Enriqueça o texto abaixo com locuções adverbiais. Empregue ao menos 6 locuções.

A casa parece sombria; mas pode-se notar que seus cômodos são confortáveis e espaçosos. O terreno é cheio de flores, plantas e árvores.

Ele vai partir para a cidade. Mas voltará para passar aqui as férias.

É a casa paterna e ninguém pensa em vendê-la.

F. Associe os elementos da coluna da esquerda com os da direita de modo a obter frases corretas.

1. Ela emagrecia

2. As pessoas na foto devem ser identificadas

3. Não consigo tirar a moeda nem virando a garrafa

4. Nesta região, o temporal chega sempre

5. Elas sempre entendem tudo

6. O livro era tão bom que ele o leu

7. Não era muito meu amigo, mas eu o via

8. Era uma pessoa desagradável, pois ofendia o outro

9. No trem, não viajo nunca

( ) de propósito.

( ) a olhos vistos.

( ) de cabeça para baixo.

( ) de repente.

( ) da esquerda para a direita.

( ) de costas.

( ) de cabo a rabo.

( ) às avessas.

( ) de quando em quando.

Regência Verbal (6)

Verbos e suas preposições

Observe os exemplos:

Eu não lembro do nome dela.

Lembre-se de falar com ele antes de sair!

verbo	sem preposição com substantivos	com preposição + substantivo	com preposição + infinitivo
lembrar	•		de
lembrar-se		de	de
lutar		com, contra, por	para
morrer		de	de
mudar		de	
necessitar		de	
obrigar			a
orgulhar-se		de	de
parar	•		de
parecer-se		com	
participar	•	de, em	

A. Complete com uma preposição se necessário.

1. Ninguém se lembra _____ (o) que aconteceu. Ninguém lembra _____ nada.
2. Ele se orgulha _____ (o) trabalho que faz e _____ não precisar _____ (a) ajuda de ninguém para realizá-lo.
3. Ele morreu _____ rir quando acabou _____ ouvir a história.
4. Ele não obedece em _____ (os) regulamentos nem _____ ninguém. Ele se acostumou _____ fazer o que lhe vem à cabeça.
5. Ele não vai desistir _____ (o) plano. Ele vai insistir _____ (ele). Ele vai lutar _____ todo mundo _____ ele. Ele não vai mudar _____ ideia.
6. Pare _____ se aborrecer _____ problemas sem importância e participe mais _____ (a) vida de seus amigos.
7. Vou lhe dizer uma coisa: não me obrigue _____ dizer o que penso.

B. Relacione.

1. lembrar   ( ) de rir
2. parar   ( ) o dia
3. obedecer   ( ) de casa
4. lembrar-se   ( ) comigo
5. parecer-se   ( ) da senha
6. mudar   ( ) às leis

PONTO DE VISTA

A revolução que liquidou o emprego

No passado até que era fácil. O cidadão com seu canudo universitário embaixo do braço conseguia emprego em qualquer firma, ajeitava-se na escrivaninha e esperava pela promoção por tempo de serviço. Trabalhar na firma não era complicado. Pensar era tarefa do chefe. As decisões fundamentais vinham dele e toda a tribo apenas obedecia. As exigências eram poucas. Esperava-se do funcionário que se vestisse adequadamente, que fosse assíduo, pontual e cordato. No Brasil, se ele falasse inglês, era ilustre erudito.

Esqueça esse tipo de firma em preto e branco porque ela acabou.

De repente, as empresas passaram a fazer parte de um mundo cujas fronteiras desabaram. Nesse mundo transnacional, de economia globalizada, intensificou-se a competição. Ela é agora acirrada e a meta é o aumento da produtividade. É óbvio que os empregados estão obrigatoriamente envolvidos nesse processo. A economia, as empresas e os trabalhadores são esferas da mesma

engrenagem. As empresas querem gente que se arrisque, saiba trabalhar em equipe, questione ordens, apresente ideias, administre o seu tempo de trabalho e estude continuamente. A competição é diária, permanente e só termina na aposentadoria.

Muitos trabalhadores atingidos pelo furacão desconfiam que o objetivo disso tudo, no fundo, no fundo, é demitir o máximo possível e sobrecarregar de trabalho os que ficam. Estão eles de todo enganados?

A. Responda.

1. Como você se sente em relação às exigências das empresas modernas?
   - incentivado
   - explorado
   - ameaçado

B. Redação.

Justifique sua resposta à pergunta anterior.

LINGUAGEM FORMAL

O cortiço

Eram cinco horas da manhã e o cortiço acordava, abrindo, não os olhos, mas a sua infinidade de portas e janelas alinhadas.

Um acordar alegre e farto de quem dormiu de uma assentada sete horas de chumbo.

(...) das portas surgiam cabeças congestionadas de sono; ouviam-se amplos bocejos, fortes como o marulhar das ondas; pigarreava-se grosso por toda a parte; começavam as xícaras a tilintar; o cheiro quente do café aquecia, suplantando todos os outros; trocavam-se de janela para janela as primeiras palavras, os bons-dias; reatavam-se conversas interrompidas à noite; a pequenada cá fora traquinava já, e lá dentro das casas vinham choros abafados de crianças que ainda não andam. No confuso rumor que se formava, destacavam-se risos, sons de vozes que altercavam, sem saber onde, grasnar de marrecos, cantar de galos, cacarejar de galinhas. De alguns quartos saíam mulheres que vinham pendurar cá fora, na parede, a gaiola do papagaio, e os louros, à semelhança dos donos, cumprimentavam-se ruidosamente, espanejando-se à luz nova do dia.

(...) Daí a pouco, em volta das bicas era um zumzum crescente; uma aglomeração tumultuosa de machos e fêmeas.

(...) O rumor crescia, condensando-se; o zunzum de todos os dias acentuava-se; já se não destacavam vozes dispersas, mas um só ruído compacto que enchia todo o cortiço.

Aluísio Azevedo (1857 – 1913) – *O cortiço*

A. "Um acordar alegre"

Por que o começo do dia no cortiço era alegre?

B. Complete.

as xícaras tilintam
os marrecos _____
os galos _____
as galinhas _____

C. No texto, os moradores do cortiço produzem vários tipos de barulho. Indique quais.

D. O barulho, após algumas horas, torna-se diferente do barulho que se ouvia logo cedo. Explique.

UNIDADE 7

Texto Inicial	O banheiro – Millôr Fernandes	**134**
Gramática em Revisão	Discurso indireto	**138**
	Crase	**141**
Cotidiano Brasileiro	Cena mineira	**142**
Linguagem Coloquial	O que é, o que é?	**144**
	Ser bombeiro é fogo	**145**
Gramática Nova (I)	Compostos de dizer e de pedir	**146**
Pausa	A pintura brasileira	**147**
Gramática Nova (II)	Verbos pronominais	**152**
	Debater/debater-se	**153**
	Admirar/admirar-se de	**153**
	Ideias reflexivas	**154**
	Regência verbal (7)	**155**
Ponto de Vista	Ócio e negócio	**156**
Linguagem Formal	A lição de violão – Lima Barreto	**157**

TEXTO INICIAL

O banheiro

Não é o lar o último recesso do homem civilizado, sua última fuga, o derradeiro recanto em que pode esconder suas mágoas e dores. Não é o lar o castelo do homem. O castelo do homem é seu banheiro. Num mundo atribulado, numa época confusa, numa sociedade desgovernada, numa família dissolvida ou dissoluta, só o banheiro é o recanto livre, só essa dependência da casa e do mundo dá ao homem um hausto de tranquilidade. É ali que ele sonha suas derradeiras filosofias e seus moribundos cálculos de paz e sossego. Outrora, em outras eras do mundo, havia jardins livres, particulares e públicos, onde o homem podia se entregar à sua meditação e à sua prece. Desapareceram os jardins particulares pois o homem passou a viver montado em lajes, tendo como ilusão de floresta duas ou três plantas enlatadas que não são bastante grandes para ocultar seu corpo da fúria destrutiva da proximidade forçada de outros homens. Não encontrando mais as imensidões das praças romanas que lhe davam um sentido de solidão, não tendo mais os desertos, hoje saneados, irrigados e povoados, faltando-lhe as grutas dos companheiros de Chico de Assis, onde era possível refletir e ponderar, concluir e amadurecer, o homem foi recuando, desesperou e só obteve um instante de calma no dia em que de novo descobriu seu santuário dentro de sua própria casa – o banheiro. Se não lhe batem à porta outros homens (pois um lar por definição é composto de mulher, marido, filho, filha e um ou outro parente, próximo ou remoto, todos com suas necessidades físicas e morais), ele, ali e só ali, por alguns instantes, se oculta, se introspecciona, se reflete, se calcula e julga. Está só consigo mesmo, tudo é segredo, ninguém o interroga, pressiona, compele, tenta, sugere, assalta. Aqui é que o chefe da casa, à altura dos quarenta anos, olha os cabelos já grisalhos, os claros da fronte, e reflete, sem testemunhas nem cúmplices, sobre os objetivos negativos da existência que o estão conduzindo – embora altamente bem-sucedido na vida prática – a essa lenta degradação física. Examina com calma sua fisionomia, põe-se de perfil, verifica o grau de sua obesidade, reflete sobre vãs glórias passadas e decide encerrar definitivamente suas pretensões sentimentais, ânsia cada vez maior e mais constante num mundo encharcado de instabilidade. É nesse mesmo banheiro que o filho de vinte anos examina a vaidade de seus músculos, vê que deve trabalhar um pouco mais seu peitoral, ensaia seu sorriso de canto de boca, fica com um olhar sério e profundo que pretende usar mais tarde naquela senhora bem mais velha do que ele, mas ainda cheia de encantos e promessas. É aqui que a filha de 17 anos vem ler a carta secreta que recebeu do primo, cujos sentimentos são insuspeitados pelo resto da família. Já leu a carta antes, em vários lugares, mas aqui tem o tempo e a solidão necessários para degustá-la e suspirá-la. É aqui também

que ela vem verificar certo detalhe físico que foi comentado na rua, quando passava por um grupo de operários de obras, comentário que na hora ela ouviu com um misto de horror e desprezo. É aqui que a dona de casa, a mãe de família, um tanto consumida pelos anos, vem chorar silenciosamente, no dia em que descobre ou suspeita de uma infidelidade, erro ou intenção insensata da parte do marido, filho, filha, irmãos. Aqui ninguém a surpreenderá, pode amargurar-se até aos soluços e sair, depois de alguns momentos pronta e tranquila, com a alma lavada e o rosto idem, para enfrentar sorridente os outros misteriosos e distantes seres que vivem no mesmo lar.

Não há, em suma, quem não tenha jamais feito uma careta equívoca no espelho do banheiro, nem existe ninguém que nunca tenha tido um pensamento genial ao sentir sobre seu corpo o primeiro jato de água fria. Aqui temos a paz para a autocrítica, a nudez necessária para o frustrado sentimento de que nossos corpos não foram feitos para a ambição de nossas almas, aqui entramos sujos e saímos limpos, aqui nos melhoramos o pouco que nos é dado melhorar, saímos mais frescos, mais puros, mais bem-dispostos. O banheiro é o que resta de indevassável para a alma e o corpo do homem moderno, e queira Deus que Le Corbusier ou Niemeyer não pense em fazê-lo também de vidro, numa adaptação total ao espírito de uma humanidade cada vez mais gregária, sem o necessário e apaixonante sentimento da solidão ocasional. Aqui, nesse palco em que somos os únicos atores e espectadores, nesse templo que serve ao mesmo tempo ao deus do narcisismo e ao da humanidade, é que a civilização hodierna encontrará sua máxima expressão, seu último espelho – que é o propriamente dito.

— Xantipa, que diabo, me joga essa toalha!

Millôr Fernandes – O Banheiro
De *Lições de um Ignorante*

A. Responda de acordo com o texto.

Certo ou errado?

	C	E
1. O lar não é, para o tipo de família descrito no texto, sinônimo de tranquilidade.	( )	( )
2. O homem sente falta da floresta.	( )	( )
3. Atualmente, o homem só consegue ficar sozinho no deserto.	( )	( )
4. O homem consegue defender sua privacidade, colocando vasos nas janelas de seu apartamento.	( )	( )
5. O lar atual tem um sentido de solidão.	( )	( )
6. No banheiro, a pessoa está só consigo mesma.	( )	( )
7. Em nenhum outro lugar, o homem é mais autêntico do que em seu próprio lar.	( )	( )
8. A pessoa sempre sai mais sábia do banheiro.	( )	( )

B. Escolha a melhor alternativa de acordo com o texto.

1. Antigamente, os grandes jardins, as praças imensas, os desertos e as grutas eram agradáveis porque
   a) eram lugares públicos.
   b) garantiam o anonimato necessário para ser feliz.
   c) permitiam ao homem ficar só.
   d) estavam sempre desertos.

2. O banheiro é um santuário moderno porque
   a) dele o homem sai purificado.
   b) proporciona condições para meditação.
   c) nele o homem consegue pensar sem ser perturbado.
   d) nele se reza.

C. Responda de acordo com o texto.

1. O que os homens mais antigos faziam quando em solidão? E os homens mais atuais, o que fazem em seus banheiros?

2. Por que o espelho do banheiro é importante para o homem de meia-idade?

3. Por que a estada no banheiro sempre melhora as pessoas?

4. No texto, o banheiro é comparado a um palco e a um templo. Explique.

5. Comente: o último espelho de civilização moderna, sua expressão máxima, é o espelho do banheiro.

6. Comente: a mãe de família sai do banheiro "pronta e tranquila... para enfrentar sorridente outros misteriosos e distantes seres que vivem no mesmo lar".

7. Por que, para o autor, existe humildade no banheiro?

8. Explique: "nossos corpos não foram feitos para a ambição de nossas almas".

D. Identifique, no texto, a passagem que diz que:

1. a presença constante de outras pessoas perto de nós pode destruir-nos.

2. as forças que conduzem o homem em direção ao sucesso podem apressar seu envelhecimento.

3. banhos frios podem estimular a criatividade.

4. o homem tem possibilidades muito limitadas de aperfeiçoamento pessoal.

5. a cada dia que passa os homens vivem mais juntos.

E. Dê sinônimos encontrados no texto.

ocultar _____

sem direção _____

desfeito _____

antigamente _____

andar para trás _____

fazer perguntas_____

ter intenção de_____

em resumo_____

fazer cara feia _____

F. Indique as palavras que encerram ideia de isolamento, afastamento.

recesso

recanto

castelo

fuga

povoar

solidão

meditar

santuário

remoto

ocultar-se

indevassável

laje

hausto

convulso

G. Coloque as palavras abaixo em sequência de intensidade.

confuso

hesitante

desgovernado

aflito

H. Qual é a ideia comum às palavras de cada um dos grupos abaixo?

1. prece
   santuário
   meditação
   templo _____

2. alma lavada
   soluçar
   irrigar
   jato
   encharcar
   chorar _____

3. derradeiro
   moribundo
   concluir
   encerrar
   em suma
   consumir _____

I. Sublinhe os verbos de movimento.

recuar

faltar

refletir

desgovernar

meditar

J. Que palavras dão ideia de segredo?

suspirar

misterioso

esconder

suspeitar

cúmplice

recanto

ocultar

indevassável

dissoluto

L. Organize duas colunas. Na primeira, coloque as palavras que têm sentido positivo (alegria, calma...); na segunda, as de sentido negativo (tristeza etc.).

sorriso

desprezo

soluço

amargura

solidão

encanto

sossego

degradação

mágoa

frustrado

melhorar

apaixonado

M. Considere as palavras em seu sentido próprio. Agrupe as que exprimem ideia física. Agrupe depois as que exprimem ideia moral.

a mágoa

saneado

o desprezo

degustar

a dor

desesperar

a insensatez

a laje

dissolvido

o perfil

o soluço

enlatado

dissoluto

a careta

sorridente

a humanidade

o hausto

encharcado

amargura

a alma

a prece

a vaidade

a nudez

N. O que lhe sugerem as palavras abaixo? Ligue as palavras do primeiro bloco com outras do segundo.

1. o perfil   ( ) sala

2. a gruta   ( ) cemitério

3. o castelo   ( ) verde

4. moribundo   ( ) senhor

5. outrora   ( ) esconderijo

6. irrigar   ( ) damas antigas

7. dependência   ( ) nariz

8. compelir   ( ) autoritário

GRAMÁTICA EM REVISÃO

Discurso indireto

O discurso indireto transmite o que foi dito por outra pessoa.
A frase é introduzida por verbos do tipo: dizer, afirmar, ponderar, confessar, responder etc.

Situação 1 – **Reprodução imediata**. Sem alteração de tempo, somente de pessoa.

— Não vejo nada aqui.
— O que Cecília está dizendo?
— Ela está dizendo que não vê nada ali.

Situação 2 – **Reprodução posterior:**

Declaração – Interrogação

1. Presente do Indicativo ou Subjuntivo ⟶ Imperfeito do Indicativo ou Subjuntivo

2. Perfeito ⟶ Mais-que-Perfeito

3. Futuro do Presente ⟶ Futuro do Pretérito

4. Futuro do Subjuntivo ⟶ Imperfeito do Subjuntivo

Ordens

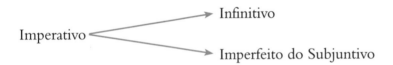

Exemplos:

1. — Eu **trabalho** nessa empresa há cinco anos.
   — O que ele disse?
   — Ele disse que **trabalhava** naquela empresa há cinco anos.

2. — **Consegui** uma passagem para Paris por um bom preço.
   — O que ele afirmou?
   — Ele afirmou que **tinha conseguido** uma passagem para Paris por um bom preço.

3. — Falarei com Marina quando ela **quiser**.
   — O que ele afirmou?
   — Ele afirmou que **falaria** com Marina quando ela **quisesse**.

4. — Você **ficou** contente?
   — O que ele perguntou?
   — Ele perguntou se eu **tinha ficado** contente.

5. — **Ponha** esses documentos na mesa do escritório.
   — O que ele pediu?
   — Ele me pediu para **pôr** aqueles documentos na mesa do escritório.
   — Ele pediu que eu **pusesse** aqueles documentos na mesa do escritório.

A. Passe para o discurso indireto. Observe o exemplo.

Tomás para Júlio:
— Júlio, eu lhe **mostrei** o que **é** preciso fazer.
— O que Tomás disse para Júlio?
— Ele lhe disse que lhe **tinha mostrado** o que **era** preciso fazer.

Vicente para Isabel:

1. — Eu lhe **prometi** uma recompensa.
— O que Vicente disse para Isabel?
— _____

2. — Já **achei** uma solução para nossos problemas.
— O que Vicente disse para Isabel?
— _____

3. — Não **poderei** ajudá-la porque não **estarei** na cidade neste fim de semana.
— O que Vicente disse para Isabel?
— _____

4. — **Vá** ver este filme. Eu já o **vi**, **é** ótimo.
— O que Vicente disse para Isabel?
— _____

5. — **Traga** os documentos amanhã, sobre a venda do prédio, porque assim **ganharemos** tempo.
— O que Vicente pediu para Isabel?
— _____

6. — Você **viu** o Pedro ontem?
— O que Vicente perguntou para Isabel?
— _____

B. Passe para o discurso indireto. Observe o exemplo.

Fabiana para César:
— **É** possível que elas **venham** para minha festa?
— O que Fabiana disse a César?
— Ela lhe disse que **era** possível que elas **viessem** à sua festa.

1. — **Estou** contente que todos **tenham vindo** à festa.
— O que Fabiana disse a César?
— _____

2. — Não **acredito** que **possa** atender novos clientes porque **estarei** muito ocupada amanhã.
— O que Fabiana disse a César?
_____

3. — Vocês **vão aceitar** o presente?
— O que Fabiana perguntou a César?
— _____

4. — **Divirta-se** porque **é** por pouco tempo.
— O que Fabiana disse a César?
— _____

5. — **Vou** falar com Pedro assim que ele **vier**.
— O que Fabiana disse a César?
— _____

C. Passe para o discurso indireto. Observe o exemplo.

Carla para Roberto:
— Nossas contas **foram pagas** ontem por mim.
— O que Carla disse a Roberto?
— Ela lhe disse que as contas **tinham sido pagas** na véspera por ela.

1. — Meu carro **está** sempre limpo. Ele **é lavado** todo sábado pelo garagista do prédio.
— O que Carla disse para Roberto?
— _____

2. — Não **faça** nada que o **comprometa**. Seus passos **estão sendo** vigiados.
— O que Carla disse para Roberto?
— _____

3. — Só **viajaremos** quando você **for promovido**.
— O que Carla disse para Roberto?
— _____

4. — Você **duvida** que o contrato **tenha sido assinado**?
— O que Carla perguntou para Roberto?
— _____

139

Lembre-se!

Discurso direto	Discurso indireto
hoje	naquele dia
ontem	na véspera, no dia anterior
amanhã	no dia seguinte
anteontem	dois dias antes
depois de amanhã	dois dias depois
	no (domingo) anterior
na próxima semana/ na semana que vem	uma semana depois/ na semana seguinte
no próximo domingo/ no domingo que vem	no domingo seguinte
uma semana antes	na semana anterior

D. Complete o diálogo. Observe o exemplo.

— Antônio está hesitante em vender seu carro.

— Como assim? Ele me disse que o venderia de qualquer modo.

1. — Você acha que Carlos irá à reunião?

— Acho. Ao menos ele disse que _____ _____.

2. — O diretor vai participar da reunião?

— Penso que sim. Pelo menos ele disse que _____ _____.

3. — Paulo tem intenção de tirar férias em julho?

— Ele me disse que _____.

4. — Os vizinhos vão mudar de apartamento?

— Eles disseram que _____ na semana que vem.

5. — Ele vai mesmo mudar de emprego?

— Ele disse que _____ assim que pudesse.

E. Passe o diálogo para discurso indireto. Dê a seu texto uma forma agradável.

O garçom chegou:

— O senhor escolheu o que vai pedir?

— Não, ainda não. A escolha não é fácil. Vocês têm sopa de salsão? Minha mãe fazia uma sopa de salsão maravilhosa. Nunca mais comi igual!

— Sopa de salsão? Não, não temos. Tudo o que temos está no cardápio.

— É, mas eu duvido que, com boa vontade, o cozinheiro não me possa atender. É uma questão de boa vontade...

— Mas...

— Deixe-me falar com o cozinheiro.

— Sinto muito, senhor, mas ele está muito ocupado agora e não poderá atendê-lo. O senhor não está vendo que o restaurante está cheio? E, de mais a mais, ele não atende pedidos fora do cardápio. Não mesmo. De jeito nenhum. O senhor, com certeza, concordará comigo: é impossível.

— Claro, claro! Concordo, lógico. Mas faça-me um favor: chame o cozinheiro.

F. Leia o texto e passe-o para o discurso direto, de modo a recuperar o diálogo original.

Mariana estava ali, triste, parada, olhando para a multidão. Aproximei-me dela e quis saber se podia ajudá-la. Percebendo minha presença, ela sorriu. E, então, explicou-me que estava à espera de Arnaldo, mas iria embora caso ele não chegasse no ônibus das 8.

Perguntei-lhe por que não esperava até as 9. Com certeza ele viria no ônibus das 9. Ela se irritou e, meio que resmungando, disse que, logo que pudesse, iria embora de nossa cidade. Não valia a pena ficar. Eram só problemas, um atrás do outro. A vida dela estava ficando cada vez mais complicada, embora ela se esforçasse o tempo todo para viver com tranquilidade. Interrompia e indaguei-lhe se era tudo culpa do Arnaldo. Ela confessou que era, mas pediu-me que não comentasse nada com ninguém, muito menos com ele. Ela estava decidida: iria embora e, se um dia sentisse saudade, voltaria para visitar-nos, que ela gostava muito de mim e de minha família.

140

Crase

Voltei **ao** escritório.
(voltar **a** + **o** escritório)
Voltei **à** oficina.
(voltar **a** + **a** oficina)

Refiro-me **ao** rapaz de azul.
(referir-se **a** + **o** rapaz de azul)
Refiro-me **à** moça de azul.
(referir-se **a** + **a** moça de azul)

Esta é a moça **à** qual dei a informação.
(dar a informação **a** + **a** qual)
Essas são as pessoas **às** quais pertence **a** casa.
(pertencer **a** + **as** quais)

Pedi ajuda àquele guarda.
(pedir ajuda **a** + **a**quele guarda)
Dedico-me **a** você.
(dedicar-se **a** + você)

> **IMPORTANTE!**
>
> Toda vez que a preposição **a** se encontra com o artigo **a(s)**, ou com as palavras **aqueles(s)**, **aquela(s)**, ocorre a crase.
>
> Exemplos: Eu vou à festa de Susana.
> (eu vou **a** + **a** festa)
>
> Eu vou a todas as festas.
> Eu vou àquela festa. (**a** + **a**quela)

A. Craseie se necessário.

1. Enviei tudo (enviar **a**)
   a todo mundo.
   a você.
   a diretora da empresa.
   a secretária.
   as secretárias mais antigas.
   as amigas mais chegadas.
   a boas amigas.
   a quem precisasse de ajuda.
   a alguém.
   a Marina.
   a minha prima.
   aqueles colegas.
   aquele endereço.
   aquelas pessoas.

B. Faça o mesmo.

1. Esses livros pertencem aquela biblioteca e aquele museu.

2. Lentamente, ele se encostou a parede para não cair.

3. Não sei se devemos ir aquele restaurante ou aquela cantina.

4. Afinal terminou a pesquisa a qual dedicou grande parte de sua vida.

5. Não podia referir-se a vizinha e a mim sem ficar irritado.

6. A cidade a qual chegamos ficava próxima do mar.

7. Esta decisão, embora favorável a vocês, é prejudicial a população.

8. Sinto muito, mas não tenho nada a dizer.

9. Prefiro a morte aquilo!

E mais:

Com ideia de tempo	Com ideia de modo	Com ideia de lugar
às vezes	às cegas	à mesa
à noite	às escuras	à porta
à tarde	às claras	à janela
à 1 hora	às escondidas	à beira do rio

Atenção! Com ideia de instrumento:
sem crase!
Ele foi morto a bala. (a tiro)
Escreveu a tinta. (a lápis, a máquina, a mão)

Craseie se for o caso.

A tarde, bem no fim da tarde, ficávamos todos sentados a porta de casa: meu pai, minha mãe, meus irmãos, os vizinhos, o farmacêutico. Boa vida a nossa, naquela cidadezinha perdida as margens de um rio perdido no interior! Minha mãe, muito sossegada, ia catando o feijão do dia seguinte enquanto os homens se esqueciam da vida contando seus "causos" sem fim. A criançada, a solta, brincando com seus brinquedos toscos feitos a mão. A casa quase as escuras e, por perto, meu irmão, as escondidas, namorando a Conceição.

COTIDIANO BRASILEIRO

Cena Mineira: as riquezas do Brasil mineiro – das montanhas rumo ao mar

Fazendo-se o trajeto entre Ouro Preto, em Minas Gerais e Parati, no litoral fluminense, tem-se uma visão surpreendente da paisagem e da unidade arquitetônica das casas e das igrejas da região que por mais tempo marcou a história do Brasil.

Durante quase 200 anos, pelas cidades de Vila Rica (hoje Ouro Preto), Mariana, Congonhas do Campo, Tiradentes e São João del Rei, passaram as principais riquezas do Brasil Colonial – ouro, prata e pedras preciosas – a caminho de Portugal, através do porto de Parati.

O ouro das Minas Gerais não só enriqueceu o reino português como também ajudou a construir quase todas as igrejas que se espalharam pelo litoral do país, do Rio de Janeiro até o Rio Grande do Norte.

A rota do ouro começa justamente em Ouro Preto. A cidade, com suas ladeiras íngremes cobertas por pedras centenárias, foi tombada pela Unesco como patrimônio cultural da humanidade. Com o tombamento, as igrejas, o casario e os monumentos vêm sendo recuperados.

Na praça Tiradentes, centro da cidade, ficam a igreja Nossa Senhora do Carmo, de 1776, os museus do Oratório, da Inconfidência e de Ciência e Tecnologia.

Igreja, aliás, é o que não falta nas cidades históricas de Minas Gerais, quase todas com obras do Aleijadinho. Só em Ouro Preto são 18, das quais a do Pilar é considerada a mais rica do Brasil, com 450 quilos de ouro espalhados por esculturas e altares. Quanto às pedras preciosas, uma cena continua comum nos dias de hoje, no Largo de Coimbra: uma feira permanente para a venda de topázios, esmeraldas e águas-marinhas.

Mas como Ouro Preto tornou-se também uma cidade universitária, podemos presenciar outra cena, moderna agora, inimaginável na época colonial: a concentração de estudantes nos barzinhos e restaurantes da Rua Direita, congestionando-a em julho, nas férias de inverno, tornando-a intransitável por causa da agitação.

Depois de Ouro Preto, descendo a serra, há mais cidades históricas: Mariana e sua igreja da Sé com 365 quilos de ouro no altar; Congonhas do Campo com o adro da Basílica do Senhor Bom Jesus de Matosinhos e seus 12 profetas em pedra-sabão, esculpidos pelo Aleijadinho.

Nesta região histórica, o passado convive com o presente. Existem estradas novas, asfaltadas ao lado da rota antiga, esta sinuosa, estreita, perigosa, feita de pedra. Ao segui-la, não se pode deixar de indagar como conseguiram os portugueses atravessá-la em lombo de burros carregados de ouro. A viagem de 700 quilômetros levava, na época, de 60 a 90 dias. Os contrabandistas, fugindo da fiscalização da Coroa, descobriam sempre novos caminhos para o porto, mais perigosos ainda.

As cenas mineiras continuam a nos surpreender depois de Tiradentes e São João del Rei.

O cenário muda quando, descendo mais a serra de Mantiqueira, vai-se em direção a Caxambu e São Lourenço, cidades termais. Do prazer estético ao prazer corporal.

Rota de ouro e rota das águas. Minas se encontra no centro das duas.

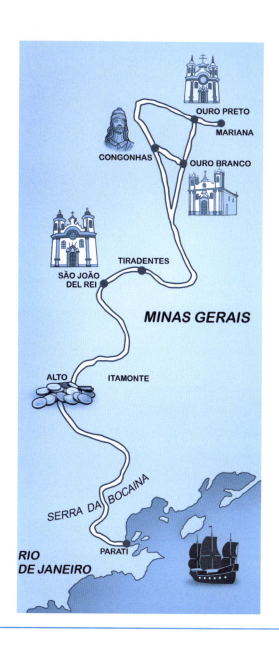

Responda:

1. A que fatores se deve a unidade arquitetônica da região que vai de Minas ao porto de Parati?
2. Quais são as principais construções que garantem essa unidade arquitetônica?
3. Quais fatores dificultavam o transporte do ouro?
4. Por que, ainda hoje, Minas atrai os viajantes?
5. O que você conhece do Brasil colonial?

143

LINGUAGEM COLOQUIAL

O que é, o que é?

mão-aberta

mãos de fada

mão de mestre

mão de vaca

mão de ferro

mão-boba

mão na roda

Relacione.

1. Ele é um grande pão-duro, um verdadeiro... [____] mão de ferro
2. As mulheres fogem dele por causa de sua... [____] mão de vaca
3. Todos o respeitam. Ele dirige a firma com... [____] mão-aberta
4. Veja que blusa bonita! Ela mesma a fez. Ela tem... [____] mão na roda
5. Ele faz tudo com perfeição. Ele faz tudo com... [____] mãos de fada
6. Sem você nós não teríamos terminado o trabalho. Sua ajuda foi mesmo uma... [____] mão-boba
7. Ele nunca tem dinheiro porque vive socorrendo os amigos. Ele é um... [____] mão de mestre

O que é, o que é?

Pé-de-boi   Pé-de-galinha   Pé-de-anjo

Pé-de-chumbo   Pé-frio   Pé-rapado

A. Relacione.

1. Quem é pé-frio
2. Quem tem pé de anjo
3. Quem é pé-rapado
4. Mulher que tem pé de galinha
5. Quem é pé de boi
6. Quem é pé de chumbo

( ) usa sapatos enormes
( ) sempre trabalha muito
( ) sempre traz azar
( ) dirige em alta velocidade
( ) é um joão-ninguém
( ) não é muito jovem

B. Faça frases com as expressões acima.

Ser bombeiro é fogo

O Carteiro que o diga

É fogo, sim. Mas não para quem adora a profissão.

Como Ludovindo José de Castro, o popular Carteiro. Um bombeiro que combateu o fogo durante 25 anos e que há 18 está na reserva.

No incêndio do Andraus, esqueceu a aposentadoria e foi lá. Deu a mão aos companheiros e até doou sangue.

É fogo. Não é, Carteiro? Ter que apagar a imprudência e tudo que gera insegurança numa metrópole.

Mas nenhuma queixa, ficou o sorriso. E a medalha de honra ao mérito pela disciplina e prontidão.

Que a nossa mensagem de gratidão e respeito, através do Carteiro, chegue ao coração dos quase nove mil bombeiros de São Paulo, que não têm hora para nada. Só para servir.

A forma de expressão usada no texto é bem coloquial.

Por exemplo:

é fogo = é difícil, é uma situação difícil, delicada, que exige coragem, prudência, ...

Meu chefe **é fogo** = difícil, exigente, voluntarioso etc.

Minha mulher **é fogo**.

Ser pai de adolescente **é fogo**.

Foi lá = participou, ajudou a...

A. Explique, em outras palavras, as frases do texto.

1. No incêndio do Andraus, esqueceu a aposentadoria e foi lá.
2. Deu a mão aos companheiros.
3. Ter que apagar a imprudência e tudo que gera insegurança.
4. Que não têm hora para nada.

B. Quem é o Carteiro?

145

GRAMÁTICA NOVA (I)

Verbos compostos de dizer e de pedir

dizer	pedir
contradizer	impedir
predizer	desimpedir
bendizer	despedir
maldizer	despedir-se
desdizer	expedir

A. Complete.

1. (contradizer) Não gosto que me _____ _____.

2. (dizer/desdizer) Não é possível saber o que ele pensa realmente. Ele _____ e _____ sua opinião todo o tempo.

3. (predizer) Queríamos que a cartomante _____ _____ nosso futuro.

4. (predizer) Assim que ela _____ nosso futuro, fecharemos o negócio.

5. (maldizer) Por favor, não _____ a empresa que os recebeu tão bem.

6. (bendizer) Eu _____ o momento em que o conheci.

B. Complete.

1. (impedir) Vou para onde quero. Não há nada que me _____.

2. (impedir) Eles queriam que a polícia _____ _____ a entrada de menores no baile.

3. (despedir) Não _____ este funcionário. Você fará um grave erro se o _____.

4. (despedir-se) Nosso grupo teve momentos muito agradáveis. Mas, amanhã teremos de _____ _____, pois a viagem terminará.

5. (expedir) O cliente espera que a firma _____ _____ a encomenda ainda esta semana.

6. (expedir) Pedi aos fornecedores que _____ os pacotes por avião.

PAUSA

A Pintura Brasileira

Aqui estão várias obras de arte brasileiras. A partir delas, faça uma escolha: pesquise um tema, um artista, uma época.

Trenzinho de Parati
J. Araújo

Sem título 1966
Xilogravura, 33 x 48 cm
Raimundo de Oliveira

Retirantes
Xilogravura, H. C.
Renina Katz

Colhendo Batata
Candido Portinari

Cinco Moças de Guaratinguetá
Tela 92 x 70 cm
E. Di Cavalcanti

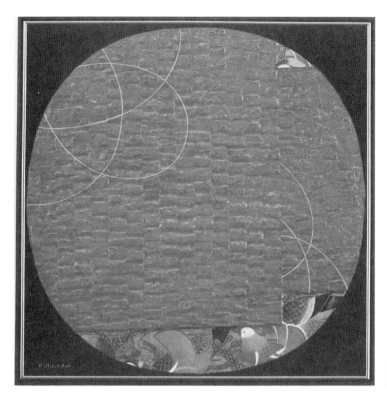

Pássaros
Kazuo Wakabayashi

Arrebentação
Óleo sobre tela, 100 x 40 cm
Tikashi Fukushima

Operários, 1933
Óleo sobre tela, 150 x 205 cm
Tarsila do Amaral

A feira I, 1924
Óleo sobre tela
Tarsila do Amaral

Homenagem a Manuel Bandeira
Cerâmica vitrificada queimada em alta
temperatura (1.460 °C)
Altura 5,35 m
Francisco Brennand – 2002

Monumento às Bandeiras, escultura em granito de Victor Brecheret, inaugurada em 1953. (São Paulo, SP, 19.02.1994. Foto de Luiz Carlos Murauskas/ Folha Imagem)

Candangos
Bronze patinado
Bruno Giorgi
Monumento aos Candangos.
Brasília (DF) – foto: Folha Imagem

GRAMÁTICA NOVA (II)

Verbos pronominais

Eu **levantei-me** e dei alguns passos pela sala, antes de **me virar** e olhá-lo fixamente.

Os verbos que se conjugam com dois pronomes da mesma pessoa são chamados de verbos pronominais.

Eu levantei-me.   – levantar-se
(Eu) Me virei.   – virar-se

Os verbos pronominais podem ser

reflexivos – o sujeito executa a ação sobre si mesmo.

Exemplo: Eu **me lavo** sempre com água fria.

recíprocos – a ação, executada por dois ou mais sujeitos, recai sobre eles.

Aqui, o pronome reflexivo equivale a: **um ao outro, uns aos outros**.

Exemplo: Todos se **cumprimentaram** com entusiasmo.

essencialmente pronominais – são usados **sempre** com pronome reflexivo

arrepender-se

queixar-se de

atrever-se a

ajoelhar-se

zangar-se com

dignar-se a

A. Leia o texto.

Levanto-me, procuro uma vela, que a luz vai apagar-se. Não tenho sono. Deitar-me, rolar no colchão até a madrugada, é uma tortura. Prefiro ficar sentado, concluindo isto. Amanhã não terei com que me entreter.

Ponho uma vela no castiçal, risco um fósforo e acendo-a. Sinto um arrepio. A lembrança de Madalena persegue-me. Diligencio afastá-la e caminho em redor da mesa. Aperto as mãos de tal forma que me firo com as unhas, e quando caio em mim estou mordendo os beiços a ponto de tirar sangue.

De longe em longe sinto-me fatigado e escrevo uma linha. Digo em voz baixa:

— Estraguei a minha vida, estraguei-a estupidamente.

A agitação diminui.

— Estraguei a minha vida estupidamente.

Penso em Madalena com insistência. Se fosse possível recomeçarmos... Para que enganar-me?

Se fosse possível recomeçarmos aconteceria o que exatamente aconteceu. Não consigo modificar-me, é o que mais me aflige.

Graciliano Ramos, São Bernardo

B. Retorne ao texto e faça o que se pede.

1. Destaque os verbos pronominais e dê os respectivos infinitivos.
levanto-me – levantar-se

2. Destaque os verbos empregados com pronomes, mas que não são pronominais. Dê os respectivos infinitivos. Para cada pronome, dê a palavra que ele substitui.

C. Ponha as frases na 1ª e na 3ª pessoas do plural.

1. Tenho que me apressar para não chegar atrasado.
   (nós) _____
   (eles) _____

2. Vou me comunicar com ele por *e-mail*. É mais seguro.
   (nós) _____
   (eles) _____

3. Desde quando tenho que me identificar para entrar aqui?
   (nós) _____
   (eles) _____

Certos verbos, assumindo a forma pronominal, mudam de sentido.

1. debater (discutir uma ideia)
   debater-se (agitar-se)

2. enganar (alguém)
   enganar-se com (com alguém ou alguma coisa)

3. fazer (alguma coisa)
   fazer-se de (simular)

4. dedicar (alguma coisa a alguém)
   dedicar-se a (a alguma coisa ou a alguém)

5. cansar (alguém)
   cansar-se de (de alguém, de alguma coisa)

6. despedir (alguém)
   despedir-se de (de alguém)

Certos verbos, assumindo a forma pronominal, mudam de sentido e de regência.

Admirar o talento de alguém.	(= apreciar)
Admirar-se do talento de alguém.	(= surpreender-se)
Aproveitar as circunstâncias.	(= usar a oportunidade)
Aproveitar-se das circunstâncias.	(= tirar proveito)
Lembrar o nome. Lembrar-se do nome.	(= o mesmo sentido = recordar)
Esquecer o fato. Esquecer-se do fato.	(= o mesmo sentido = não lembrar.)
Defender alguém.	(= tomar partido)
Defender-se contra alguém, contra alguma coisa.	(= proteger-se de ataque ou perigo)
Assustar alguém.	(= causar pânico)
Assustar-se com alguém/com alguma coisa.	(= ficar assustado, em pânico)
Surpreender alguém.	(= causar surpresa)
Surpreender-se com alguém/com alguma coisa.	(= ficar surpreso com alguém/com alguma coisa)
Convencer.	(= persuadir alguém)
Convencer-se de alguma coisa.	(= ter certeza de, persuadir-se)
Dirigir a firma.	(= gerenciar, administrar)
Dirigir-se a/para.	(= ir a/para)

A. Complete as frases com uma preposição, se necessário.

1. Nunca admirei ____ o talento de Mário para negócios, por isso admirei-me ____ (o) fato de ter ficado rico no comércio.

2. Esses políticos aproveitaram-se ____ (a) situação confusa do país para se elegerem. Os eleitores esqueceram-se rapidamente ____ sua incapacidade.

3. Ontem me lembrei ____ lhe telefonar, mas não lembrava ____ o número do seu telefone novo. Lembrava só ____ os dois primeiros números.

4. Vou aproveitar ____ os feriados para descansar. Vou me aproveitar ____ (o) silêncio da cidade para dormir melhor e ir a restaurantes mais tranquilos.

5. Em geral, nada assusta ____ este menino. Mas ontem, ele assustou-se ____ o barulho do acidente com dois carros, na esquina.

153

6. Não gosto desta brincadeira de jogar água nos outros no carnaval. Ela sempre assusta ____ as pessoas desprevenidas.

7. Os resultados não surpreendam ____ José. Ele se surpreendeu ____ o número das inscrições.

8. Ele dirige ____ o orçamento da casa como dirige ____ o da firma.

9. Não quis falar com nenhum gerente. Dirigi-me ____ (o) diretor, diretamente.

10. Nós nos preocupamos ____ vocês. A saúde dos filhos preocupa ____ os pais.

11. Eu não convenci ____ ninguém. Eu me surpreendi ____ sua resistência.

B. Complete as frases. Atenção ao emprego de preposições!

1. Admiramo-nos ____ sua coragem em enfrentar o chefe.

2. Este pianista dedica-se _____.

3. Não se aproveite _____.

4. Não há quem não admire _____.

5. Este trabalho cansa _____.

6. Cansei-me _____.

Ideias reflexivas

Se – si – consigo

Quando partiu, levou **consigo** toda sua roupa e objetos pessoais.

Eles só falam de **si**. É intolerável. Além do mais, **queixam**-se de tudo.

Os pronomes reflexivos **se**, **si**, **consigo** aplicam-se somente às 3as pessoas, do singular ou do plural.

O pronome **si** vem sempre precedido de preposição.

O pronome **consigo** é o resultado da contração com a preposição **com** (**comigo**, **conosco**).

No Brasil, não se pode dizer:

(Eu) vou sair consigo.
mas
Eu vou sair **com você**.

(Eu) Quero falar consigo.
mas
Quero falar **com você**.

Consigo:

com ele(s) mesmo(s), com ela(s) mesma(s)

com você (s) mesmo (a)/(os)/(as)

Ele levou tudo **consigo**.

A. Complete.

1. Desde quando você _____ medica a _____ mesma?

2. Pedro, assim que eu terminar o serviço saio _____.

3. A jovem pensava _____ mesma: Não posso deixar de lhe dar o recado hoje mesmo.

4. O aluno pensava _____ em todos os problemas que teria que resolver na prova.

5. Todos _____ calaram para ouvir o que dizia o porta-voz do presidente.

6. Mas o homem parecia que falava para _____ _____ mesmo.

B. Complete com o pronome, precedido de preposição.

1. Ela não tem ninguém para ajudá-la. Ela só conta _____ mesma.

2. Ele sempre dizia _____ que haveria de vencer na vida.

3. Meus vizinhos foram embora e levaram tudo _____, até as plantas do jardim.

4. Quando está preocupada, ela fala _____ mesma.

5. Ele venceu na vida contando só _____.

C. Complete o texto com o pronome, precedido ou não de preposição.

Chegando à nova cidade, ele dizia de _____ _____ para _____ que não iria gostar dali. Não fez o menor esforço para trazer _____ seus livros e objetos pessoais, pois sabia que não iria _____ estabelecer ali por muito tempo. Estava errado. Não só gostou da cidade como comprou _____ uma casa antiga, no bairro mais tradicional.

Regência verbal (7)

Verbos e suas preposições

Exemplo: Eu pedi permissão para falar. Ele pediu para falar.

verbo	sem preposição com substantivos	com preposição + substantivos	com preposição + infinitivos
pedir	•		para
pensar		em/sobre	em/sobre
pertencer		a	
precisar		de	
preocupar-se		com	em
preparar-se		para	para
queixar-se		de/por	de/por
reclamar		de/por	de/por
referir-se		a	
renunciar		a	a

A. Complete.

1. Não me peça _____ ajudar você _____ terminar seu trabalho.

2. Eu nunca reclamo _____ nada, mas não posso concordar _____ o que está acontecendo.

3. Ela se referiu _____ (a) casa que tinha pertencido _____ seu pai.

4. Não quero renunciar _____ (os) poucos privilégios que consegui. Vou me preparar _____ defender meus interesses.

5. Ele se preocupava _____ a situação e queixava-se _____ tudo.

6. Pense _____ nós quando precisar _____ ajuda.

B. Relacione.

1. pedir   ( ) ao que aconteceu
2. queixar-se   ( ) nas consequências
3. pensar   ( ) ao acervo
4. preocupar-se   ( ) em chegar na hora
5. pertencer   ( ) a tudo
6. renunciar   ( ) para sair
7. referir-se   ( ) do calor

PONTO DE VISTA

Leia esta passagem.

Ócio e negócio

O sociólogo italiano Domenico De Masi trabalha nove meses por ano e descansa três. Um arranjo perfeito? Ainda não, segundo De Masi. O perfeito seria fazer o contrário: gastar nove meses lendo, ouvindo música, conversando – e trabalhar só nos três meses restantes. De Masi acredita que, se houver mais racionalidade no ambiente profissional, vamos ter mais ócio e menos trabalho. O problema, diz ele, é que não sabemos usar direito nosso tempo livre. "Nenhum executivo moderno precisaria trabalhar mais do que 5 ou 6 horas por dia. Só fica no escritório porque não sabe o que fazer fora dele."

A. Responda.

1. O sociólogo italiano afirma que os executivos não sabem como ocupar seu tempo livre, por isso evitam racionalizar seu trabalho no escritório. Você concorda com ele? Justifique seu ponto de vista.

2. Se dependesse exclusivamente de você, como dividiria o tempo dedicado a sua vida pessoal e a sua vida profissional?

3. Pessoas que escolhessem trabalhar apenas 3 meses por ano poderiam exercer seu trabalho numa grande empresa? Discuta.

B. Redação.

Escolha uma das sugestões e redija um texto de cerca de 20 linhas.

    Trabalho e ócio: a dose ideal
    Quando o trabalho não é condição de sobrevivência, por que trabalhar?
    Ócio a vida toda – é possível?

LINGUAGEM FORMAL

A lição de violão

Como de hábito, Policarpo Quaresma, mais conhecido por Major Quaresma, bateu em casa às quatro e quinze da tarde. Havia mais de vinte anos que isso acontecia. Saindo do arsenal de guerra, onde era subsecretário, bongava pelas confeitarias algumas frutas, comprava um queijo, às vezes, e sempre o pão da padaria francesa. Não gastava nesses passos nem mesmo uma hora, de forma que, às três e quarenta, por aí assim, tomava o bonde, sem erro de minuto, ia pisar a soleira da porta de sua casa, numa rua afastada de São Januário, bem exatamente às quatro e quinze, como se fosse a aparição de um astro, um eclipse, enfim um fenômeno matematicamente determinado, previsto e predito.

A vizinhança já lhe conhecia os hábitos de tanto que, na casa do capitão Cláudio, onde era costume jantar-se aí pelas quatro e meia, logo que o viam passar, a dona gritava à criada: "Alice, olha que são horas; o Major Quaresma já passou."

E era assim todos os dias, há quase trinta anos, vivendo em casa própria e tendo outros rendimentos além do seu ordenado, o Major Quaresma podia levar um trem de vida superior aos seus recursos burocráticos, gozando, por parte da vizinhança, da consideração e respeito de homem abastado.

Não recebia ninguém, vivia num isolamento monacal, embora fosse cortês com os vizinhos que o julgavam esquisito e misantropo. Se não tinha amigos na redondeza não tinha inimigos, e a única desafeição que merecera fora a do doutor Segadas, um clínico afamado no lugar, que não podia admitir que Quaresma tivesse livros: "Se não era formado, para quê? Pedantismo!"

O subsecretário não mostrava os livros a ninguém, mas acontecia que, quando se abriam as janelas da sala de sua livraria, da rua poder-se-iam ver as estantes pejadas de cima a baixo.

Eram esses os seus hábitos; ultimamente, porém, mudara um pouco; e isso provocava comentários no bairro. Além do compadre e da filha, as únicas pessoas que o visitavam até então, nos últimos dias, era visto entrar em sua casa, três vezes por semana e em dias certos, um senhor baixo, magro, pálido, com um violão agasalhado numa bolsa de camurça. Logo pela primeira vez o caso intrigou a vizinhança. Um violão em casa tão respeitável! Que seria?

E, na mesma tarde, uma das mais lindas vizinhas do major convidou uma amiga, e ambas levaram um tempo perdido, de cá para lá, a palmilhar o passeio, esticando a cabeça, quando passavam diante da janela aberta do esquisito subsecretário.

Não foi inútil a espionagem. Sentado no sofá, tendo ao lado o tal sujeito, empunhando o "pinho", na posição de tocar, o major, atentamente, ouvia: "Olhe, major, assim." E as cordas vibravam vagarosamente a nota ferida; em seguida, o mestre aduzia. "É 'ré', aprendeu?"

Mas não foi preciso pôr na carta; a vizinhança concluiu logo que o major aprendia a tocar violão. Mas que cousa! Um homem tão sério metido nessas malandragens!

Lima Barreto (1881 – 1922)
Triste fim de Policarpo Quaresma

Para compreender o texto: bater em casa = chegar em casa; bongar = procurar; desafeição = inimizade; pejado = repleto, cheio; violão agasalhado numa bolsa = violão guardado num estojo

157

A. Explique, de acordo com o texto.

Alice, olha que são horas...

...tendo outros rendimentos

...levar um trem de vida

...homem abastado

...esquisito e misantropo

...levaram um tempo perdido

Um homem tão sério metido nessas malandragens.

B. Responda.

1. Policarpo Quaresma era um homem de hábitos muito regulares. Que passagem o demonstra?

2. Como a vizinhança via esses hábitos?

3. Quaresma era um homem instruído?

4. Houve alguma mudança nos hábitos de Quaresma? Qual?

5. Que tipo de pessoa tocava violão na época de Policarpo Quaresma?

C. Certo ou errado?

	C	E
1. Policarpo sempre comprava frutas e queijo antes de ir para casa.	( )	( )
2. A filha e o compadre eram as únicas pessoas que o visitavam.	( )	( )
3. Em certos dias da semana, um senhor baixo, magro e pálido vinha igualmente visitá-lo.	( )	( )
4. Policarpo podia manter um bom nível de vida porque tinha bons rendimentos e morava em casa própria,	( )	( )
5. Policarpo Quaresma era um homem estranho que não gostava de seus vizinhos.	( )	( )

D. Através das informações dadas pelo texto, descreva:

A casa de Policarpo Quaresma.

O bairro e o tipo de pessoas que formavam a vizinhança de Policarpo Quaresma.

E. Observe a frase. Faça outras semelhantes.

Não recebia ninguém, vivia num isolamento monacal, embora fosse cortês com os vizinhos.

1. viver numa casa modesta – não gastar dinheiro – embora...

2. não dizer palavras gentis à mulher – não sair à noite – embora...

3. não ler o jornal – não ouvir rádio – embora...

4. não levantar a voz – não mostrar insatisfação – embora...

UNIDADE 8

Texto Inicial	O rei dos caminhos – Rachel de Queiroz	**160**
Gramática em Revisão	Verbos em – ear – uir – iar	**164**
	Verbos em – ear	**164**
	Verbos em – uir	**165**
	Verbos em – iar	**165**
	Mudanças ortográficas	**166**
	Infinitivo pessoal	**166**
Cotidiano Brasileiro	Cena catarinense	**167**
Linguagem Coloquial	Da linguagem coloquial para a linguagem formal	**169**
Gramática Nova (I)	Verbo haver	**170**
	Diminutivos e aumentativos	**171**
Pausa	Arte de caminhão	**172**
Gramática Nova (II)	Tu e você	**174**
	Pronomes pessoais com preposição	**175**
	Regência verbal (8)	**176**
Ponto de Vista	Anúncio de jornal	**177**
Linguagem Formal	A abertura de Dom Casmurro – Machado de Assis	**178**

TEXTO INICIAL

O rei dos caminhos

Fosse eu homem e andasse em começo de vida, não queria saber de estudo, de farda, nem de profissão liberal: tirava a minha carta de chofer interestadual, vendia o que tivesse de meu para apurar algum dinheiro e comprar o carro: ou, dinheiro não tendo, arranjava quem me fiasse o caminhão e, com ele, ia ganhar a vida pelo sertão do Nordeste.

Quem vê assim falar em caminhão, pensa logo em coisa bruta, profissão de pegar no pesado, mas qual o quê! O motorista sendo o dono, não passa da direção, no seu bom assento da boleia, almofada de couro. Às suas ordens está o batalhão dos ajudantes e aprendizes de motorista e de mecânico que fazem o serviço sujo, se metem por baixo do motor, trocam pneu, botam manchão e remendam câmara-de-ar. Se é na hora de carregar ou descarregar, para isso tem a capatazia. O motorista está sempre de longe, olhando, dando opinião, achando ruim, e pode andar no seu macacão branco de brim engomado, que não pega uma mancha de óleo – nem poeira, que o para-brisa e os passageiros do lado o defendem.

É o caminhão a moderna diligência sertaneja; vai onde nem sonha ir o trem, onde automóvel jamais passou, ou mesmo vai em lugar onde até avião não se atreve...

É com o caminhão e não com o trem que contam os beneficiadores de algodão para lhes levar ao porto os seus fardos de pluma; para isso lhe abrem estradas, arranjam carros a crédito, botam fornecimento de gasolina nos lugarejos mais esquecidos, onde nem bodega existe. Porque é o caminhão que descongestiona os centros de produção e que abastece as povoações isoladas. Que seria de Goiás sem caminhão?

Contudo, não é do meio de transporte, do instrumento civilizador, que desejo falar; quero é cantar as excelências da vida de chofer de caminhão nas estradas sertanejas – uma das poucas existências de homem independente e feliz, fazendo contraste com o mundo sem liberdade e sem ventura, onde todos penamos hoje em dia.

Não tem patrão nem horário. O carro é seu, nele mora e nele trabalha, e em geral nele mesmo dorme. Anda quando quer; faz o seu domingo e feriado no dia que entende, pois não conhece quem o obrigue. Não tem quem lhe ordene a hora da chegada ou da saída. E significando isso mesmo foi que certo motorista meu conhecido batizou o seu carro com este nome: "Meu Relógio é o Coração."

Chega quando Deus é servido, dorme onde bem lhe apraz. Dorme até no meio do caminho se lhe dá na veneta; se por acaso o frio da noite lhe entorpece as mãos na roda do guidom ou a vista se embacia com a ressaca da festa da véspera, é só encostar o carro na beira da estrada e deitar em cima da carga, sob o toldo do oleado.

Não tem garagem, nem tabela de preço, nem lotação máxima, não paga multa, não depende de ninguém.

Nem sequer é obrigado a dirigir todo tempo. Pois sempre traz consigo algum aprendiz adiantado, ansioso para pegar na direção toda vez que o timoneiro titular necessita dum cochilo.

É o ai-jesus das morenas – não inveja nenhum marinheiro dos sete mares com a clássica namorada em cada porto. Ele tem uma namorada em cada povoado, faz recadinhos das moças, traz-lhes encomendas da cidade, corte de seda, figurino e vidro de cheiro – e não será uma vez nem duas que terá carregado moça escondida para si ou para servir um amigo.

Cada carro tem a sua buzina especial que é como um grito de guerra para ser conhecido de longe, com duas gaitas, três gaitas e até seis gaitas;

e quando, a quilômetros de distância, ouve-se a música sair de dentro de uma nuvem de poeira, já se sabe quem vem, já se bota a água no fogo para o café ou se mata a galinha para a canja, se é lugar de parada.

Se há festa em qualquer lugar o caminhoneiro abandona os carregamentos, se lava, se embandeira e vai conduzir romeiro ou turista; e faz isso sem prejuízo – pelo contrário, ganhando mais do que na carga comum, porque festeiro o que quer é ir, paga preço que se cobrar. E então quando a influência é de santo ou de milagres, padre de Rio Casca, aí para o chofer é o mesmo que tirar sorte grande. Peça até loucura, cobre o preço de deboche, que o pessoal paga. E se sujeitam a ir de qualquer maneira, iriam agarrados nas rodas, se ele mandasse.

Conhece o sertão inteiro como a palma da mão: o São Francisco e o Parnaíba são os córregos do seu terreiro. Dá notícias de desastres de avião, sabe de ciência própria quem foi que mandou matar o delegado, em que dia chega o ministro itinerante ou o americano que vem comprar oiticica. Sabe hoje de uma novidade em Juazeiro da Bahia, e com poucos dias já está transmitindo a notícia nos confins de Inhamuns, quase mais ligeiro do que o telégrafo; e com uma vantagem: o telégrafo não conversa com ninguém, só dá notícia para terra onde tem jornal, e o chofer de caminhão é o jornal falado, pode ser comparado até com rádio – sendo que vai onde rádio nunca foi, porque não precisa de eletricidade e, por onde vai passando, vai dizendo o que sabe.

Além de notícia carrega socorro: é o soro para o menino de crupe, a injeção para mordida de cobra, a vacina do tifo; até carrega doente, bem protegido debaixo do toldo, de rede armada ou deitado nuns sacos de carga macia, como se fosse ambulância. E quando se presta a fazer enterro, carrega tudo de uma vez – defunto e convidados, e família do defunto, e até mesmo o padre para encomendação.

Às vezes, verdade se diga, acontece um desastre. Em geral escapa tudo. Se acaso há morte, sempre quem morre primeiro é o chofer, com o peito esmagado na direção. Mas é morte limpa e rápida; e fica para sempre na memória do povo, como morte de herói. Anos e anos depois do caso sucedido, ainda tem quem o recorde e, passando pelo lugar do desastre, repete o nome do finado motorista e conta as suas façanhas. E quisera muitos de nós depois de morto deixar o nome da lembrança do povo, na saudade das mulheres, e na boca dos cantadores, que hoje em dia cantam os feitos dos motoristas valentes como cantavam, os dos tempos de dantes, as histórias de Antônio Silvino e de Lampião.

Só há uma mancha no brasão dos motoristas de caminhão neste Brasil afora: é o tráfico dos paus-de-arara, que os torna um pouco parecidos com os piratas negreiros de duzentos anos atrás. Mas mesmo nesse carregar sem-fim dos sertanejos para as cidades, onde eles vêm passar fome pelo asfalto inimigo e povoar as favelas, – mesmo assim a culpa não cabe ao caminhão – cabe à cidade, sereia comedora de gente, cabe também a este nosso inquieto temperamento de índio nômade, que, como diz o outro, gosta de morar "em riba da minha apragata e embaixo do meu chapéu...".

Rachel de Queiroz – *100 crônicas escolhidas*
(adaptação)

A. Responda de acordo com o texto.

1. Para a autora, o que significa ser chofer de caminhão?

2. Em que condições a autora seria chofer de caminhão?

3. Enumere cinco vantagens proporcionadas ao chofer de caminhão por sua atividade.

4. Viajando por todo o sertão, qual a utilidade do caminhão, além de transporte de carga?

5. Qual a vantagem que tem o chofer de caminhão cujo veículo é facilmente reconhecido? De que forma o caminhão se faz notar?

6. Em dia de festa, por que é fácil ao caminhoneiro ganhar dinheiro?

7. Em desastre em que haja morte, a tragédia tem um aspecto positivo. Qual é ele?

8. No final da crônica, a autora explica, de modo muito poético, o tráfico em paus-de-arara, de pessoas muito pobres para as grandes cidades, principalmente as do Sul. Qual é seu ponto de vista a respeito?

B. Certo ou errado?

De acordo com o texto,

	C	E
1. a lembrança de um caminhoneiro morto é comparada à dos antigos heróis do Nordeste.	( )	( )
2. num desastre de caminhão sempre morre o chofer.	( )	( )
3. o chofer não tem domingo nem feriado.	( )	( )
4. o chofer, proprietário do caminhão, não faz trabalho sujo ou pesado.	( )	( )
5. sempre que o chofer quiser dormir um pouco, há um ajudante para substituí-lo na direção.	( )	( )
6. o que atrai a autora na profissão de caminhoneiro é o prestígio e o heroísmo.	( )	( )

	C	E
7. toda notícia de rádio é ouvida pelo chofer e depois transmitida por ele a todo sertão.	( )	( )
8. as notícias chegam mais rápido aos confins do sertão quando transmitidas pelos caminhoneiros.	( )	( )
9. para a autora, possuir caminhão e dirigi-lo é mais vantajoso que possuir uma profissão liberal.	( )	( )
10. ser chofer de caminhão significa ter liberdade e autonomia.	( )	( )

C. Explique.

1. Fosse eu homem novo.

2. Não queria saber de farda, de profissão liberal.

3. Não tendo dinheiro, arranjava quem me fiasse caminhão.

4. (...) para isso tem a capatazia.

5. (...) achando ruim.

6. (...) não pega uma mancha de óleo nem poeira.

7. Que o para-brisa e os passageiros do lado o defendem.

8. É o ai-jesus das morenas.

9. (...) se lava, se embandeira e vai conduzir romeiro e turista.

10. O São Francisco e o Parnaíba são os córregos de seu terreiro.

11. (...) como cantavam os dos tempos de dantes.

12. (...) cidade, sereia comedora de gente.

D. Observe.

Fosse eu homem e **andasse** em começo de vida, não **queria** (...) **tirava** a minha carta de chofer, (...) **vendia** o que tivesse (...) e (...) **ia**...

Se eu fosse homem e se andasse em começo de vida, não **quereria** (...), **tiraria** minha carta de chofer, (...) **venderia** o que tivesse ...

Faça o mesmo com as orações abaixo.

1. Fossem eles meus amigos, fazia o possível e o impossível para ajudá-los.

2. Tivesse eu coragem, falava toda a verdade.

3. Soubessem vocês do caso e fossem atingidos diretamente como eu, não vinham mais aqui.

4. Ouvissem vocês o que ouvi, iam correndo embora.

5. Houvesse lugar para mim e fosse bem recebido, trazia minha bagagem toda.

6. (Rever) eles os planos e (fazer) os cálculos, viam todas as falhas.

7. (Caber) tudo no carro, não punha objeção à mudança.

8. (Estar) eles do meu lado, eu não estava despedido.

9. (Pôr) nós um alarme no carro, os ladrões não tinham chance.

10. (Trazer) eles o dinheiro que pedi e o (pôr) eu na poupança, eu vivia descansado por muito tempo.

E. "...uma das poucas existências, de um homem independente e feliz, fazendo contraste com o mundo sem liberdade e sem ventura, onde todos penamos hoje em dia".

– onde todos (nós) **penamos** = concordância com o sujeito oculto

Faça a concordância com o sujeito adequado. Atenção às formas dos verbos.

1. (ir) Depois do trabalho, _____ todos tomar um aperitivo, como sempre fazemos.

2. (fazer) Visitando a velha escola, nosso grupo ficou emocionado, porque foi lá que todos _____ _____ o nosso curso primário.

3. (querer) Caso todos _____ ir, podem alugar um ônibus pequeno. Sai mais barato.

4. (ter – propor) Todos _____ direito ao aumento. Afinal, se todos nos _____ a fazer o trabalho.

5. (cooperar) Se todos _____, tudo daria certo.

F. ...almofada de couro.

almofada – almofadado – um assento almofadado

Faça o mesmo com as palavras:

estrela

monte

colcha

veludo

corrente

medo

tarefa

costume

pavor

ruína

Veja outra forma de derivar palavras.

sol – ensolarado – um dia ensolarado

lama

névoa

poeira

sangue

pacote

ferrugem

bálsamo

beleza

goma

feitiço

G. Escolha três palavras de cada uma das listas e faça frases com elas.

163

H. Expressões enfáticas.

Quero é cantar as excelências da vida de chofer de caminhão.

= Quero **mesmo** é cantar...
= **O que** quero é cantar...

Faça o mesmo.

1. Quero é viajar pelo mundo afora.
2. Espero é ganhar na loteria e nunca mais me preocupar com dinheiro.
3. Desejo é saber...
4. Procuro é...
5. Tenciono é...

I. Nem sequer é obrigado a dirigir o tempo todo.

Nem mesmo é obrigado a dirigir o tempo todo.
Não é nem mesmo obrigado...
Nem ao menos é obrigado...

Faça o mesmo.

1. Nem sequer olhou para mim.
2. Não é meu amigo, nem sequer é meu conhecido.
3. É melhor não deixar mexer no encanamento. Ele nem sequer é encanador.
4. Como poderia ajudar os outros? Nem sequer é capaz de dirigir sua própria vida.
5. Não choveu. Nem sequer garoou.

GRAMÁTICA EM REVISÃO

Verbos em -ear -uir -iar

Verbos em -ear

Modelo: **passear**

> Como passear: nomear, semear, pentear, recear, bloquear, frear, estrear

A. Conjugue o verbo **passear** no Presente e Perfeito no Indicativo.

B. Conjugue o verbo **bloquear** no Presente e Imperfeito do Subjuntivo.

C. Responda afirmativamente. Dê respostas curtas. Observe o exemplo.

— Você passeia na praia?
— Passeio.

1. — Vocês freiam no sinal vermelho?
   — _____.
   — E ele? Ele também freia?
   — _____.

2. — Ontem, você freou?
   — _____.
   — E eles? Eles também frearam?
   — _____.

3. — Antigamente, todo mundo freava?
   — _____.
   — E agora? Todo mundo freia?
   — _____.

164

D. Una as orações.

1. A polícia bloqueia a avenida no carnaval. Isso é necessário.
É necessário que _____.

2. Nós receamos trabalhar na usina. O diretor lamenta isso.

_____.

3. Os artistas estreiam no Teatro Municipal. É provável isso.

_____.

Verbos em -uir

Modelo: **substituir**

Como substituir:

distribuir, retribuir, influir, atribuir, poluir etc.

A. Conjugue **substituir** no Presente e no Perfeito do Indicativo.

B. Complete com os verbos acima, no tempo adequado.

Exemplo: Suas críticas não **influem** em meu comportamento.

1. Os carros _____ o ambiente e os ônibus _____ também.

2. Antigamente, nada _____ o ambiente.

3. Ele não admite que a família _____ em suas decisões.

4. Ontem, ele _____ o jantar que os amigos lhe ofereceram, convidando-os para almoçar. Ele sempre _____ gentilezas.

5. Antigamente, a gente _____ todas as visitas que recebia.

6. Ele quer que nós _____ todos estes folhetos até o final do dia.

C. **Construir** e **destruir**.

1. Complete com o verbo **destruir**.
   a) Muita chuva _____ as plantações.
   Pragas também _____.

b) Eu não _____ os documentos porque podem ser importantes, mas ela _____.

c) Ontem um raio _____ uma ponte e as chuvas _____ as plantações.

2. Complete com o verbo **construir**.
A prefeitura não permite
   a) que eu _____ aqui.
   b) que ela _____ aqui.
   c) que nós _____ aqui.
   d) que eles _____ aqui.

3. **destruir – construir**
   a) O homem _____ o que a natureza _____ pacientemente.

4. **destruir – construir**
   a) (vocês) Não _____ o que nós _____ com tanto esforço!

Verbos em -iar

São regulares: **pronunciar**
                        copiar
                        presenciar
                        denunciar etc.

Marque a sílaba tônica das palavras destacadas.

1. A **pronúncia** dele é muito boa. Ele **pronuncia** bem todas as palavras.

2. **Denúncia** é coisa séria. Quem **denuncia** pode cometer um erro.

3. Todos pedem sua **renúncia**, mas ele não **renuncia** de jeito nenhum.

4. Suas **cópias** estão perfeitas. Ele **copia** muito bem.

Odiar

A. Conjugue **odiar** no Presente do Indicativo e do Subjuntivo.

B. Complete com **odiar** no tempo adequado.

1. Antigamente, eu _____ viajar no inverno. Hoje em dia, eu não _____ mais.

165

2. Eu duvidava que ele me _____, mas hoje tenho certeza.

3. Você me _____, se eu lhe contasse o que eu sei.

4. Eu _____ o filme ontem. Oscar também _____. Perda de tempo!

5. Não queremos que vocês nos _____, mas...

Mudanças ortográficas

Reaja, rapaz! É hora de reagir!

Complete com o verbo no tempo adequado.

Nosso estado está disposto a aumentar seu parque industrial e um dia talvez até (chegar) _____ a ser o estado mais industrializado do país. Grandes vantagens são oferecidas a empresas multinacionais para fazer com que elas (dirigir) _____ sua atenção para a nossa região, para que (ficar) _____ entusiasmadas e (começar) _____ a instalar suas fábricas aqui. É necessário que elas (agir) _____ rápido a fim de que (conseguir) _____ aproveitar o momento.

Infinitivo Pessoal

— Por que eles ainda estão aqui?
— Porque André pediu para **eles ficarem**.

A. Complete a ideia. Observe o exemplo.

Ele está de olho em mim. **É bom eu tomar cuidado.**

1. Ele está de olho em vocês. É bom vocês _____ _____.

2. Ele está de olho na gente. É melhor a gente _____.

3. Ele está de olho nela. Seria uma boa ideia ela _____.

4. Ele está de olho em nós. Que tal nós _____ _____?

5. Ele está de olho no pessoal do escritório. É melhor eles _____.

Emprego do Infinitivo Pessoal

Emprega-se obrigatoriamente o Infinitivo Pessoal quando:

(1) os sujeitos das duas orações são diferentes:
Ele abriu a porta para **entrarmos**.

(2) o sujeito do Infinitivo está expresso, sendo ou não o mesmo da oração principal:
Por **nós** não **termos** convite, não nos deixaram entrar.

Nota: **se o sujeito do Infinitivo não é expresso, o uso do modo é facultativo**.
Por não **ter/termos** convite, não nos deixaram entrar.

Observação: Em início de frase é preferível empregar o Infinitivo Pessoal para maior clareza.

Exemplo: Por não saberem o horário, chegaram atrasados.

B. Complete as frases. Indique se o uso do Infinitivo Pessoal é (1) obrigatório ou (2) facultativo.

1. (esperar) Ele disse para nós _____ aqui fora. **(1)**

2. (hospedar) Eles cobraram caro para nos _____.

3. (estar) Por _____ sem programa, acabamos ficando em casa.

4. (insistir) É melhor eles _____ no assunto.

5. (ter) Saímos do cinema sem _____ visto o final do filme.

6. (ir) É bom vocês _____ embora.

7. (subir) O ônibus parou para as crianças _____.

8. (ver) Eles se alegraram ao _____ os amigos.

9. (ter) Sem _____ noção do problema, eles deram palpite na reunião.

10. (entregar) Pediram para nós _____ o documento em duas vias.

COTIDIANO BRASILEIRO

Cena catarinense – O caminho dos tropeiros

No começo do século 18, o tropeiro Francisco de Souza Ferreira recebeu do governo a incumbência de abrir caminhos dos campos do Viamão, no Rio Grande do Sul, até Sorocaba, no Estado de São Paulo. A ideia era viabilizar não só o escoamento da riqueza representada pelo gado de corte e de leite, mas também a movimentação das tropas de cavalos. Começava assim a façanha dos tropeiros gaúchos, que foram abrindo caminhos e topando com belezas naturais, fundando povoados e fazendas, especialmente na Serra Catarinense.

Nesses locais, pernoitavam e, em outros, aproveitavam as pastagens, muitas vezes enfrentando o frio da invernada, que, naquela época, essas viagens podiam levar dez meses e o gado tinha de ir recuperando peso pelo caminho.

Escravos ergueram, ao longo do histórico Caminho dos Tropeiros, as famosas taipas – muros de pedra, pedra sobre pedra, formando corredores, que impediam o gado de perder-se ou de fugir. Calcula-se que, naqueles tempos, seguiam por esses caminhos, anualmente, 300 mil cabeças de gado.

Hoje já não circulam mais rebanhos pelos caminhos das taipas, a não ser em alguns trechos, mas os povoados viraram cidades e as fazendas seculares, resistindo ao tempo, transformaram-se em pousadas acolhedoras. Nessas bandas, já não há mais tropeiros, no sentido antigo da palavra. Há hoje turistas, que veem preservadas, em Santa Catarina, as tradições gaúchas dos tropeiros: o fogo-de-chão, para o aconchego e bate-papo sem hora para terminar, para o cigarro de palha, para o chimarrão, o churrasco e o arroz tropeiro. Por todo o lado, a natureza selvagem, com a surpresa dos *canyons*, as trilhas, as cachoeiras e as cascatas, os rios e barrancos íngremes, as araucárias imponentes, o contorno da serra.

167

Há, sem dúvida, muito encanto em passar horas perdidas ao pé do fogo, ouvindo histórias sobre as estâncias de criadores de gado, sobre os curtidos tropeiros, suas prendas, seus cuscos e os piás. E, no inverno rigoroso, há igualmente encanto em trilhas, caminhos sob o gelo, enquanto se contempla a serra, agora diferente, coberta de geada e, em alguns dias, de neve também. Mas também é bom desafiar a natureza, praticando esportes radicais. Você se sentirá um guri, chê, fazendo *trekking*, rapel e canoagem!

Vocabulário gaúcho

prenda – moça
cusco – cachorro
piá – moleque de fazenda
guri – menino

A. Responda.

1. Por que o gado era transportado do Rio Grande do Sul para outras terras?

2. Com os dados do texto, descreva a viagem dos tropeiros. Considere as taipas, a invernada.

3. Quais as consequências da passagem dos tropeiros gaúchos por Santa Catarina?

4. O que a região catarinense do Caminho dos Tropeiros oferece aos turistas de hoje?

B. Relacione.

1. erguer ( ) caminho
2. receber ( ) 5 horas
3. topar ( ) uma incumbência
4. abrir ( ) numa pousada
5. levar ( ) com alguém
6. pernoitar ( ) produtos
7. recuperar ( ) o tempo perdido
8. escoar ( ) uma muralha

C. Faça o mesmo.

1. seguir ( ) um problema
2. resistir ( ) à chuva
3. bater papo ( ) o perigo
4. virar ( ) de sair
5 desafiar ( ) pela estrada
6. transformar-se ( ) a execução da tarefa
7. impedir ( ) em problema
8. viabilizar ( ) ao pé do fogo

LINGUAGEM COLOQUIAL

Da linguagem coloquial para a linguagem formal

Linguagem coloquial

Afonso
Até que enfim você apareceu! O pessoal aqui de casa estava preocupado. Você sabe, a gente sempre quer saber de você. Eu, de minha parte, já estava chateado. Telefonei para você umas dez vezes, deixei recado com sua secretária, meu nome, meu telefone, meu celular, o diabo-a-quatro. Mas você não deu sinal de vida. Deixa pra lá... O importante é que você apareceu e com bom astral.

Felipe

Linguagem formal

Afonso
Finalmente você apareceu. Minha família já estava preocupada. Você sabe que queremos sempre notícias suas. De minha parte, eu já estava aborrecido, porque lhe havia telefonado (telefonara) cerca de dez vezes, havia deixado (deixara) tudo: recados, meu nome, o número de meu telefone, o número de meu celular, mas você não havia retornado (retornara) minhas ligações. Esqueçamos isso. O importante é que você apareceu e está bem.

Felipe

A. Leia os textos e passe-os da linguagem coloquial para a linguagem formal.

1. Teresa
Adorei receber notícias suas. Sabe, Teresa, a gente vive aqui nesta cidade imensa, trabalhando até mais não poder e nunca tem tempo para procurar os amigos e botar o papo em dia, às vezes até para contar suas mágoas e desabafar. É só trabalho, trabalho. Não tem saída. Por aqui a gente vai indo, sem grandes problemas, além dessa falta de tempo, que não tem jeito.
   Vamos ver se agora a gente se encontra. Estou morrendo de saudade. Me telefone.
   Um abraço
   da Tina

2. Ademir
Estou escrevendo para você para me despedir. Deram-me o bilhete azul. Não se preocupe, gostei. Eu já andava chateado com a empresa (que não me dava nenhuma colher de chá) e com meu chefe (com quem não me afino). Agora acabou! É um alívio!
   Já tenho algumas coisas engatilhadas. Logo vou mandar notícias para você. Notícias boas, com certeza. Precisando, me telefone.
   Um abraço
   Luciano

GRAMÁTICA NOVA (I)

Verbo haver

Como verbo impessoal, é usado sempre na 3ª pessoa do singular.

Há gente que não me entende.
Houve dias em que não saí de casa.
Não **deve haver** tantas oportunidades como essa.

Como verbo pessoal, é conjugado em todas as pessoas.

Indicativo

Presente	Pretérito Perfeito	Pretérito Imperfeito
hei	houve	havia
há	houve	havia
havemos	houvemos	havíamos
hão	houveram	haviam

Pode substituir o verbo auxiliar **ter**.
Ninguém me havia visto. (tinha visto)
Indica firme intenção no futuro.
Eu hei de vencer!
Vocês hão de me entender!

Complete as frases com **haver** na forma adequada.

1. Elas usaram as roupas que nós lhes _____ comprado.
2. Talvez eles _____ encontrado uma saída melhor.
3. Se ele não _____ comprado aquela casa, teria agora dinheiro para este investimento.
4. Lamento que você _____ feito essa confusão.
5. Você poderá ir embora quando _____ terminado seu trabalho.
6. Ele estava hospitalizado porque sua doença _____ se agravado.
7. Ele duvida que os jornais _____ publicado a notícia.
8. A situação é crítica, mas eu _____ de achar uma solução!
9. Um dia você _____ de conhecer a China!
10. Sei que vocês não concordam comigo, mas um dia vocês _____ de apoiar minhas ideias!

Diminutivos e Aumentativos

Ele vinha distraído por uma **ruela**,
quando ouviu um **barulhão**.

A. Explique o que é.

um vilarejo
um lugarejo
uma viela
uma ruela
um filete de água
uma historieta
uma banqueta
uma muralha
uma fornalha
um balaço mortal
um ricaço feliz
uma mulherona
um casarão
um blusão

B. Complete.

1. À noite, é perigoso passar por _____ escuras.

2. Todos os meus documentos estão nessa _____ preta.

3. Ele é muito pequeno ainda e precisa pôr uma almofada na _____ do piano para ficar mais alto.

4. Em casa, ela gosta de conforto. Ela sempre usa calças jeans com _____ coloridos.

5. _____ do campo fazem um buquê encantador.

C. Leia as frases e indique o sentido das palavras destacadas. Explique o sentido dado à palavra (afeto, desprezo, ironia ou ênfase).

1. Que **sujeitinho** chato!

2. Ele é um **beberrão**.

3. Vim passar umas **horinhas** com você.

4. Por que você se envolveu com essa **gentinha**?

5. É apenas um **rapazola** inexperiente.

6. Que **rapagão**! **Igualzinho** ao irmão!

7. Ela é uma **mulherzinha** intragável, mas ele é um **velhinho** legal.

8. Ele fala muito, um **montão** de bobagens.

D. Dê o diminutivo. Não use **-inho**, **-zinho**, **-zito**.

lugar _____
febre _____
gota _____
casa _____
chuva _____
saia _____
ilha _____
rio _____
mala _____
vila _____

E. Diga o que é.

um corpanzil _____
homenzarrão _____
um narigão _____
vozeirão _____
um pezão _____

Atenção:

- **Cartão** não é uma carta grande!
- **Cordão** é uma corda fininha.
- **Portão** é a porta do jardim que dá para a rua.
- **Colchão** é necessário para dormir.

Plural dos diminutivos

casas – casinhas	jardins – jardinzinhos
olhos – olhinhos	mulheres – mulherzinhas

Atenção:

No caso das palavras terminadas em **–ão** e **-l** no singular, para fazer-se o plural, acrescenta-se o sufixo de diminutivo ao plural da palavra em seu grau normal.

(coração)	corações	coraçõezinhos
(pão)	pães	pãezinhos
(mão)	mãos	mãozinhas
(papel)	papéis	papeizinhos
(jornal)	jornais	jornaizinhos

F. Responda, usando diminutivos.

Exemplo: — Que cartões são esses?
— São cartõezinhos sem importância.

1. — Que pães você vai comprar?
2. — Que animais você viu na estrada?
3. — Em que hotéis vamos nos hospedar?
4. — Os olhos dela são mesmo azuis?
5. — Em que estações nosso trem vai parar?
6. — Que colheres você quer?
7. — Eles são bons jogadores?
8. — Vamos ter problemas?

PAUSA

A arte de caminhão

No Brasil, o caminhão reina absoluto pelas estradas. Faça sol ou chuva, lá vai ele, pelo país inteiro, atravessando cidades, furando túneis, florestas, subindo montanhas, encalhando, comendo asfalto, poeira...

Brasil afora, o caminhoneiro viaja semanas a fio, ele e seu caminhão, ao qual cria afeto. Como se fosse sua casa, ele enfeita-lhe a cabina com imagens de santos, fotos de artistas, flores de plástico, almofadas, espelhos, franjas, tudo muito *kitsch*. Por fora, ao longo de toda a carroceria, arabescos desenhados a pincel. Nas borrachas que protegem o veículo contra a lama, como numa tela, casinhas com chaminés, um caminho de flores, o riacho, uma ponte, nuvens, a serra...

Mas o surpreendente mesmo são as frases em seus para-choques. Nelas, o caminhoneiro se revela – flertador, realista, irônico, lírico, machista, romântico, religioso, amargo, arrogante... Pura filosofia popular.

A. Leia estas frases tiradas de para-choques de caminhões.

Viva a sua vida e deixe a dos outros.

No baralho da vida, perdi por uma dama.

Não há domingo sem missa,
nem segunda sem preguiça.

Quando pobre enfia a mão no bolso,
só tira 5 dedos.

Existo porque insisto.

Não sou pipoca,
mas dou meus pulinhos.

Quando disserem que te esqueci, reza porque morri.

Não tenho tudo que amo,
mas amo tudo o que tenho.

O amor é um negócio
que não permite sócios.

Se pinga fosse fortificante,
brasileiro era gigante.

Ando vazio, mas não carrego de graça.

Deus te dê em dobro
o mal que me desejas.

Não sou rei, mas gosto de coroa.

A preguiça anda tão
devagar que a miséria alcança.

20 ver! 100 você não dá!
Vê 70 me entender.

Não há felicidade, há dias felizes.

O homem nasce, cresce fica bobo e casa.

Não mando minha sogra pro inferno porque tenho pena do diabo.

Não beije no portão: o amor é cego, o vizinho não.

Na subida,
paciência,
mas na descida,
dá licença.

Te quero mais
do que ontem e
menos do que amanhã.

O rico falece,
o pobre desaparece.

Pobre quando come frango,
um dos dois tá doente.

Vida de casado:
fim de criancice,
começo de criançada.

Atenção, mulherada!
Chegou o melhor
partido da estrada!

B. As frases dadas revelam diversas atitudes dos caminhoneiros diante da realidade, muitas vezes impregnadas de preconceito. Assinale as que destilam:

1. ironia
2. machismo
3. otimismo
4. pessimismo
5. realismo
6. romantismo

GRAMÁTICA NOVA (II)

Tu e você

	Objeto Direto	Objeto Indireto	Reflexivo	Possessivo
Tu	te Eu **te** amo.	te/ti/contigo Eu **te** dei notícias. Eu dei notícias para **ti**. Quero falar **contigo**.	te Não **te** mexas!	teu(s), tua(s) Vi **teu** pai e **tuas** irmãs.
Você	o, a Joana, eu **a** amo!	lhe Eu **lhe** dei notícias. Eu dei notícias **para você**.	se Não **se** mexa!	seu(s), sua(s) Vi **seu** pai e **suas** irmãs.

Tu

Querida Maria

Esta lembrança é **para ti**, para que **te** lembres **de mim**.

Gostaria que **entre ti** e **mim** sempre houvesse amor, carinho e compreensão. Mando-**te** este presente hoje. Sei que amanhã vou continuar a **te** amar como **te** amo hoje.

Você

Querida Maria

Esta lembrança é **para você**, para que **se** lembre de mim.

Gostaria que **entre você** e **mim** sempre houvesse amor, carinho e compreensão. Mando-**lhe** este presente hoje. Sei que amanhã vou continuar a amá-**la** como **a** amo hoje.

Na linguagem formal, as formas pronominais não se misturam.

Na linguagem coloquial, as formas pronominais se misturam.

A. Leia o quadro à esquerda. Altere o texto, substituindo **tu** por **você**.

Se **tu** continuas a brigar com **teus** filhos, sabes o que **te** espera na velhice? Vais ficar sozinho, pois não virão **te** ver, nem **te** convidarão para ires à sua casa.

Se **você** continua _____
_____
_____
_____

O que há **contigo**? Tu não tens do que reclamar.

Todo mundo **te** respeita e **te** dá atenção. Todos os **teus** desejos são atendidos. Não **te** queixes tanto.

O que há com **você**? _____
_____
_____
_____

174

B. Leia o texto. Nele, as formas pronominais se misturam por tratar-se de texto em linguagem coloquial.

Caro amigo,

Não sei bem o que te escrever. Quero apenas que você saiba que não te esqueci. Sei de tua vida, de teus altos e baixos, de teus sucessos. No fundo, no fundo, é como se você continuasse aqui do meu lado. Sei tudo de ti. Você perdeu-me de vista, eu sei. Não acredito, porém, que tenha me esquecido. Afinal, fomos todos tão bons amigos – você e eu, teus pais, meus pais. Seria bom ver você de novo, te contar como vivemos todos esses anos. Águas passadas? Nada disso! Reencontrar-te será voltar à adolescência, voltar a mim mesmo. Com você será o mesmo, tenho certeza. Escreve. Ou telefona. Aí vai meu endereço. E a amizade de sempre.

Um abraço...

C. Leia o texto novamente, uniformizando o uso das formas pronominais. Use **você**.

D. Complete este texto. Mantenha a linguagem coloquial.

Pronomes pessoais com preposição

de, por, para, sem, entre	mim, ti vocês(s), ele(s), ela(s), nós
com	comigo, contigo, conosco você(s), ele(s), ela(s)

A. Complete com pronomes.
1. Ele se sacrificou por _____.
2. Não gosto dele. Ele sempre está contra _____ _____ nas reuniões.
3. Pense em _____ quando estiver viajando. Eu sempre penso em _____.
4. Desde quando você chega antes de _____ _____? Você é sempre o último a chegar e eu sou sempre o primeiro.
5. Jamais discuti com _____ ou com _____. Gosto dos dois igualmente.
6. Afinal, _____ vens ou não vens? Sem _____ não vou a lugar algum. Só sairei se for (com) _____.

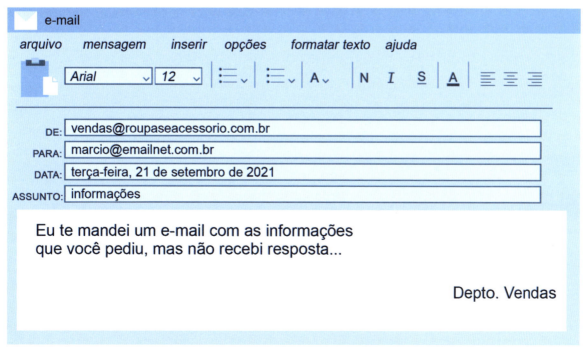

175

7. Por que você _____ contou isso? Não gosto de saber os segredos dos outros.

8. _____ não o conheces direito. _____ enganas a respeito dele.

9. Para não haver briga entre mim e você, o chefe não deu o aumento nem para _____ nem para _____. Isso é justo? Por que ele fez isso (com) _____?

10. Acontece que ela nunca foi ao cinema sem _____.

> ## Atenção!
>
> **Para mim** – Isto é **para mim**.
> **Para eu** – Isto é **para eu** consertar.

B. Complete com mim ou eu.

1. As críticas são todas para _____. Mas sempre dão trabalho para _____ fazer.

2. Este recado é para _____. Ele telefonou para _____ e pediu para _____ resolver o problema.

3. Não é possível! Ele trouxe a carta para _____ _____ assinar?

4. Ele faz isso diante de _____, só para _____ ficar zangado.

5. Dê uma explicação bem clara para _____ entender.

6. Alguém ligou para _____? Alguém pediu para _____ ligar?

7. O prêmio é para _____? É para _____ receber o prêmio? Não acredito!

Regência verbal (8)

Verbos e suas preposições

> **Exemplos:**
>
> Ele resistiu a tudo, contra a vontade da maioria.
>
> Ele resistiu a falar o que queria.

verbo	sem preposição com substantivos	com preposição + substantivos	com preposição + infinitivos
resistir		a, contra	a
rir		de	
sonhar		com	em
telefonar		a, para	
terminar	•	com, em	de, por
tocar	•	em	
tratar	•	de	de
trocar	•	de, por	
viver		de	
zangar-se		com	por

A. Complete com a preposição adequada.

1. Não se zangue _____ (eu), mas não pude resistir _____ (a) tentação de comprar esse carro.

2. Assim que ele termina _____ jantar, senta-se diante de televisão e trata _____ encontrar um bom filme para assistir.

3. O que você está pensando? Você acha que eu vivo _____ brisa?

4. Ele se ri _____ (mim) porque vivo sonhando _____ viajar para um lugar exótico. E você? _____ que você sonha?

5. Alguém telefonou _____ você, mas não deixou o nome. Eu insisti _____ saber, mas ele não quis dizer.

B. Relacione.

1. zangar-se   ( ) em viajar
2. sonhar   ( ) de achar um emprego
3. tratar   ( ) de brisa
4. viver   ( ) com as crianças
5. terminar   ( ) de roupa
6. trocar   ( ) com as formigas

PONTO DE VISTA

Na seção de classificados do jornal o *Estado de S. Paulo*, publicou-se o seguinte anúncio:

Anúncio
TROCA-SE
Sepultura no cemitério do Morumbi X Auto
Tratar com Nunes
4859-6337
Horário comercial

A. Reflita e discuta.

1. O que teria levado o anunciante a colocar tal anúncio no jornal?

2. Que tipo de pessoa você imagina ser o anunciante?

3. A seu ver, o que vale mais: um túmulo ou um carro? Um seguro de vida ou um título de clube de campo?

B. Redação.

Escolha uma destas sugestões e redija um texto com cerca de 20 linhas.

1. Preparar-se para o futuro ou aproveitar a mocidade?

2. Vale a pena assumir grandes responsabilidades?

3. A responsabilidade pessoal no mundo de hoje.

LINGUAGEM FORMAL

A abertura de **Dom Casmurro**, de Machado de Assis.

Capítulo I – Do título

Uma noite destas, vindo da cidade para o Engenho Novo, encontrei no trem da Central um rapaz aqui do bairro, que eu conheço de vista e de chapéu. Cumprimentou-me, sentou-se ao pé de mim, falou da lua e dos ministros, e acabou recitando-me versos. A viagem era curta, e os versos pode ser que não fossem inteiramente maus. Sucedeu, porém, que como eu estava cansado, fechei os olhos três ou quatro vezes; tanto bastou para que ele interrompesse a leitura e metesse os versos no bolso.

— Continue, disse eu acordando.

— Já acabei, murmurou ele.

— São muito bonitos.

Vi-lhe fazer um gesto para tirá-los outra vez do bolso, mas não passou do gesto; estava amuado. No dia seguinte entrou a dizer de mim nomes feios, e acabou alcunhando-me Dom Casmurro. Os vizinhos, que não gostam dos meus hábitos reclusos e calados, deram curso à alcunha, que afinal pegou. Nem por isso me zanguei. Contei a anedota aos amigos da cidade, e eles, por graça, chamam-me assim, alguns em bilhetes: "Dom Casmurro, domingo vou jantar com você."

"— Vou para Petrópolis, Dom Casmurro; a casa é a mesma da Renânia; vê se deixas essa caverna do Engenho Novo, e vai lá passar uns quinze dias comigo." "— Meu caro Dom Casmurro, não cuide que o dispenso do teatro amanhã. Venha e dormirá aqui na cidade; dou-lhe camarote, dou-lhe chá, dou-lhe cama; só não lhe dou moça."

Não consultes dicionários. Casmurro não está aqui no sentido que eles lhe dão, mas no que lhe pôs o vulgo de homem calado e metido consigo. Dom veio por ironia, para atribuir-me fumos de fidalgo. Tudo por estar cochilando! Também não achei melhor título para a minha narração; se não tiver outro daqui até o fim do livro, vai este mesmo. O meu poeta do trem ficará sabendo que não lhe guardo rancor. E com pequeno esforço, sendo o título seu, poderá cuidar que a obra é sua. Há livros que apenas terão isso dos seus autores; alguns, nem tanto.

Machado de Assis (1839 – 1908)
Dom Casmurro

A. Responda.

1. O rapaz que quer ler seus versos ao narrador fica magoado com ele. Seu ressentimento, leve a princípio, torna-se intenso depois. Explique.

2. No texto há algumas alusões à personalidade introvertida do narrador. Aponte-as.

3. O texto nos diz que, apesar de sua sisudez, o narrador tem bom gênio. Aponte as passagens.

4. Na parte final do capítulo, Machado de Assis ironiza o trabalho de certo tipo de escritor. O que diz ele?

B. Aponte no texto a passagem que afirma que:

1. o narrador cumprimenta o rapaz sempre que o encontra.

2. o rapaz, ofendido, pensou uma segunda vez em ler seus versos, mas não o fez.

3. o rapaz inventou o apelido e a vizinhança divulgou-o.

4. o apelido popularizou-se.

C. Trabalhe com expressões.

Tanto basta que

Fechei os olhos três ou quatro vezes; **tanto bastou para que** ele interrompesse a leitura e metesse os versos no bolso.

Complete a ideia.

1. Um caminhão quebrou em plena Avenida Paulista; tanto _____.

2. De vez em quando a secretária dele falta ao serviço; _____.

Nem tanto

Foi difícil conseguir ingressos?

Nem tanto. Quando cheguei, a fila ainda estava pequena.

1. — O negócio que vocês fizeram deu muito lucro?
   — Nem tanto _____.

2. — Este é o hotel mais caro da cidade. Deve ser muito bom.
   — Nem tanto _____.

UNIDADE

9

Texto Inicial	Provérbios	182
Gramática em Revisão	Orações reduzidas	186
	Voz passiva	187
	Voz passiva com verbos abundantes	188
	Voz passiva com se	189
	Preposições para e por	189
Cotidiano Brasileiro	Cena Carioca	190
Linguagem Coloquial	Como reduzir seu estresse	191
Gramática Nova (I)	Dificuldades especiais da língua portuguesa (1)	192
	meio – metade	192
	tornar – tornar-se	193
	já	193
	mesmo	194
Pausa	Trabalhando com palavras	195
Gramática Nova (II)	Tu Regência Nominal (1)	196
Ponto de Vista	Novo Manual do Bom Tom	197
Linguagem Formal	Morte e Vida Severina – João Cabral de Melo Neto	198

TEXTO INICIAL

Provérbios

Mais vale quem Deus ajuda do que quem cedo madruga.

Desgraça pouca é bobagem.

Quem avisa amigo é.

Deus ajuda quem cedo madruga.

Depois da tempestade vem a bonança.

A cavalo dado não se olham os dentes.

A união faz a força.

Casa de ferreiro, espeto de pau.

Filho criado, trabalho dobrado.

Pimenta nos olhos dos outros é refresco.

Entre homem e mulher não se mete a colher.

Saco vazio não para em pé.

Quem nunca comeu melado quando come se lambuza.

Mais vale um pássaro na mão do que dois voando.

Cão que ladra não morde.

Escreveu não leu, pau comeu.

Cada macaco em seu galho.

Muito riso, pouco siso.

Devagar se vai longe.

Promessa é dívida.

Quem tem telhado de vidro não deve atirar pedra no do vizinho.

Gato escaldado tem medo de água fria.

Macaco velho não mete a mão em cumbuca.

Por fora, bela viola; por dentro, pão bolorento.

Devagar com o andor que o santo é de barro.

Quem com ferro fere com ferro será ferido.

Em terra de cego, quem tem um olho é rei.

Alegria de palhaço é ver o circo pegar fogo.

Quando a esmola é grande, o santo desconfia.

A galinha do vizinho é sempre mais gorda.

Tamanho não é documento.
A pressa é inimiga da perfeição.
Dos males, o menor.
Quem conta um conto aumenta um ponto.
Longe dos olhos, longe do coração.
Onde há fumaça há fogo.
Quem vê cara não vê coração.
A ocasião faz o ladrão.
Os cães latem e a caravana passa.
É de pequenino que se torce o pepino.
Chega-te aos bons e serás um deles.
Filho de peixe é peixinho.
Quem cala consente.
Tal pai, tal filho.
É melhor prevenir do que remediar.
Nem tudo o que reluz é ouro.
Deus dá nozes a quem não tem dentes.
**Mais vale um gosto
do que quatro vinténs no bolso.**
O hábito não faz o monge.
Quem dá o que tem a pedir vem.
Quem não deve não teme.

Mentira tem perna curta.
Quem sai na chuva é para se molhar.
**Quem tem rabo de palha
não chega perto do fogo.**
Tristezas não pagam dívidas.
Roupa suja lava-se em casa.
Quem tudo quer tudo perde.
Santo de casa não faz milagre.
Há males que vêm para bem.
Querer é poder.
Economia é a base da porcaria.
**A casamento e batizado,
não vás sem ser convidado.**
A corda arrebenta sempre
do lado mais fraco.
De pensar, morreu um burro.
Cada qual sabe onde lhe aperta o sapato.
O olho do dono é que engorda o cavalo.
Homem calado, muito cuidado.
Nem só de pão vive o homem.
Antes tarde do que nunca.
**Faça o que eu digo,
mas não faça o que eu faço.**

**De médico e de louco,
cada um tem um pouco.**

**Quem não tem cão
caça com gato.**

**Deus escreve certo por
linhas tortas.**

O diabo não é tão feio como o pintam.

Macaco, olha teu rabo!

Interpretação

A. Relacione as duas colunas.

1. Amor com amor se paga.
2. Quem não tem cão caça com gato.
3. A galinha do vizinho é sempre mais gorda.
4. Mais vale um pássaro na mão do que dois voando.
5. Devagar se vai longe.
6. Os cães latem e a caravana passa.
7. Quem tudo quer tudo perde.
8. Desgraça pouca é bobagem.

( ) segurança
( ) ganância
( ) altivez, indiferença
( ) retribuição
( ) persistência
( ) fatalismo
( ) inveja
( ) criatividade

B. Faça o mesmo.

1. Macaco velho não mete a mão em cumbuca.
2. Quem dá o que tem a pedir vem.
3. Querer é poder.
4. Quem não deve não teme.
5. Alegria de palhaço é ver o circo pegar fogo.

( ) imprudência
( ) honestidade
( ) experiência de vida
( ) desforra, vingança
( ) determinação

C. Relacione os provérbios que têm a mesma ideia.

1. Quem tem telhado de vidro não atira pedras no do vizinho.
2. Deus escreve certo por linhas tortas.
3. Dize-me com quem andas e eu te direi quem és.
4. Quem com ferro fere com ferro será ferido.
5. Santo de casa não faz milagre.

( ) Amor com amor se paga.
( ) Chega-te aos bons e serás um deles.
( ) Macaco, olha o teu rabo.
( ) Ninguém é profeta em sua terra.
( ) Há males que vêm para bem.

D. Escolha a melhor explicação.

1. Quando a esmola é grande, o santo desconfia porque
   a) não é costume dar-se esmola grande.
   b) santos preferem não receber esmola grande.
   c) santos não aceitam suborno.
   d) pessoa que dá esmola grande tem um peso na consciência.

2. Tamanho não é documento porque
   a) as pessoas pequenas não têm documentos.
   b) documentos não dependem do tamanho.
   c) não se deve avaliar a pessoa por seu tamanho.
   d) documentos têm tamanhos diferentes.

E. Assinale o provérbio que tem o mesmo sentido de

Quem tem rabo de palha não chega perto do fogo.

a) Cada macaco no seu galho.
b) Quem avisa amigo é.
c) Onde há fumaça há fogo.
d) Quem tem telhado de vidro não atira pedra no do vizinho.

F. Assinale os provérbios que têm o mesmo sentido de

As aparências enganam.

a) Quem vê cara não vê coração.
b) Longe dos olhos, longe do coração.
c) Nem tudo que reluz é ouro.
d) Por fora, bela viola; por dentro, pão bolorento.
e) O olho do dono é que engorda o cavalo.

G. Quais destes provérbios apresentam ideias opostas?

a) Deus ajuda quem cedo madruga.
b) Nada mais certo do que um dia depois do outro.
c) Mais vale quem Deus ajuda do que quem cedo madruga.
d) Águas passadas não movem moinhos.

H. Quais destes provérbios apresentam a mesma ideia?

a) Quem dá aos pobres empresta a Deus.

b) Quem dá o que tem a pedir vem.

c) Água mole em pedra dura tanto bate até que fura.

d) Devagar se vai ao longe.

I. Explique os seguintes provérbios.

1. Escreveu não leu, pau comeu.

2. Quem avisa amigo é.

3. Casa de ferreiro, espeto de pau.

4. Pimenta nos olhos dos outros é refresco.

5. Promessa é dívida.

6. Seguro morreu de velho.

7. Tristezas não pagam dívidas.

8. Dos males, o menor.

9. A ocasião faz o ladrão.

10. É de pequenino que se torce o pepino.

11. Quem sai na chuva é para se molhar.

12. Muito riso, pouco siso.

Forma

A. Indique, entre os provérbios abaixo, os que apresentam rima.

1. A união faz a força.

2. Quem cala consente.

3. Onde há fumaça há fogo.

4. A ocasião faz o ladrão.

5. O hábito não faz o monge.

6. Quem dá o que tem a pedir vem.

7. Economia é a base da porcaria.

8. Homem calado, muito cuidado!

9. Antes tarde do que nunca.

B. Coloque em ordem direta.

Exemplo: A casamento e batizado, não vás sem ser convidado.

Não vás a casamento e batizado sem ser convidado.

1. De pensar, morreu um burro.

2. Quem avisa amigo é.

3. Nem só de pão vive o homem.

4. De médico e de louco, cada um tem um pouco.

5. Desgraça pouca é bobagem.

6. Quem dá o que tem a pedir vem.

C. Faça frases completas.

Exemplo: Longe dos olhos, longe do coração.

Quem está longe dos olhos de alguém, também está longe do seu coração.

1. Dos males o menor.

2. Casa de ferreiro, espeto de pau.

3. Homem calado, muito cuidado!

4. Antes tarde do que nunca.

5. Muito riso, pouco siso.

6. Filho criado, trabalho dobrado.

Vocabulário

atirar – escaldar – prevenir – remediar – arrebentar – apertar – engordar – calar – madrugar – caçar – avisar – espetar – criar – lambuzar – ladrar (latir)

D. Complete com palavras do quadro.

1. _____ a boca.
2. _____ alguém do perigo.
3. _____ pedra no animal.
4. _____-se todo de geleia.
5. _____ o dedo com uma agulha.
6. _____ filhos.
7. _____ a situação.
8. Comer muito e _____.
9. Puxar a corda até _____.
10. _____ onças e jacarés.
11. Deitar cedo para poder _____.
12. _____ a mão de alguém.

GRAMÁTICA EM REVISÃO

Orações reduzidas

Caros Leitores!

Votem em mim! **Para merecer** seu **voto**, prometo-lhes um futuro brilhante.

Sendo seu presidente, terei condições de garantir-lhes uma vida digna, com altos níveis de emprego, educação, saúde e lazer.

Terminado meu governo, o país será diferente, rico e justo, e seu povo, feliz.

Observe.

Oração reduzida de infinito: **Para merecer seu voto**, prometo-lhes um futuro brilhante.

Oração desenvolvida: **Para que eu mereça seu voto**, prometo-lhes um futuro brilhante.

Oração reduzida de gerúndio: **Sendo seu presidente**, poderei garantir-lhes uma vida digna.

Oração desenvolvida: **Se eu for seu presidente (quando eu for seu presidente)**, poderei garantir-lhes uma vida digna.

Oração reduzida de particípio: **Terminado meu governo**, o país será diferente.

Oração desenvolvida: **Quando meu governo terminar... (Depois que terminar meu governo...)**

A. Desenvolva as orações sublinhadas.

1. Eu não vou fazer o negócio **por não ter tempo** para pensar nele.
2. **Só depois de serem treinados**, os novos funcionários atenderam o público.
3. O rapaz apareceu na festa sem ter sido **convidado**.
4. **Entrando na sala**, ela começou a chorar.
5. **Passando pela sala de Geraldo**, entregue-lhe este relatório.
6. **Tendo tempo**, pense no assunto.
7. **Reforçadas as pontes**, a prefeitura asfaltará a estrada.
8. **Passado o susto**, todo mundo começou a rir.
9. **Pagas as contas**, pouco dinheiro nos sobrará.
10. **Depois de assinado o contrato**, aprovado o projeto e dando tudo certo, ficaremos ricos.

B. Reduza as orações destacadas.

1. Ele não virá **porque não tem companhia**.
2. **Embora soubesse de tudo**, ele não nos avisou.
3. Ela disse **que estava triste, triste**.
4. **Quando vi meus velhos amigos**, alegrei-me.
5. **Se você tentar outra vez**, terá sucesso.
6. O importante é **que ele vá agora**.

7. É melhor **que você vá ao médico**.

8. **Mesmo que vocês tenham outros planos**, falem com ele.

9. Ele assinou o contrato **sem que o tivesse lido**.

10. **Depois que tiver fechado as janelas**, tranque as portas.

11. Ele confessou **que tinha falsificado a assinatura**.

12. Hoje cedo, **quando fui ao quintal**, percebi **que tinha chovido** à noite.

C. Leia o texto. Em seguida, releia-o, reduzindo as orações sempre que for possível.

> O rapaz disse-me ontem que está insatisfeito com sua situação dentro da empresa. Disse-me que ganha pouco, que não se sente bem no ambiente de trabalho, que não se dá bem com o chefe e que não vê grandes possibilidades de progresso para si mesmo. Embora se esforce, ninguém valoriza seu trabalho. Ele reconhece que a companhia é boa e que as pessoas que nela trabalham são, de certo modo, privilegiadas. O problema é que ele simplesmente não se ajusta a ela. E resolveu: pedirá demissão depois que tiver achado outro emprego. Se agir assim e tiver sorte, tudo se resolverá.

D. Complete o diálogo. Observe o exemplo.

— Por que você está preocupado?
— Porque preciso de dinheiro. Não tenho **com que pagar** minhas dívidas.

(conversar)
— Com quem você conversa à noite?
— Moro sozinho. À noite, não tenho com quem _____.

(ir)
— Você sai à noite?
— Saio pouco. Não tenho aonde _____.

(telefonar)
— Você telefona para seus amigos?
— Não tenho telefone. Não tenho como _____.

(dar para)
— Você dá presentes no fim do ano?
— Não, nenhum. Não tenho ___ _____.

(pensar em)
— Você pensa em outras pessoas?
— Eu não. Eu não tenho _____ _____.

(ocupar-se com)
— Você se ocupa com alguma coisa?
— Não, eu não tenho _____ _____.

(queixar se de)
— Sua vida então deve ser difícil!
— Muito pelo contrário! Ficando em casa à noite, não sou assaltado. Não _____ a lugar algum e não _____ presentes a ninguém, não gasto dinheiro. Não _____ em outras pessoas, não aumento meus problemas. Não me _____ com nada, não me canso. Minha vida é boa.
— Não tenho _____.

Voz passiva

Picada de aranha mata?

Esta pergunta **é feita** frequentemente e, infelizmente, a maioria das pessoas pouco ou nada sabe sobre esses animais. **Temem-se** mais as aranhas enormes, peludas, dessas de filme de terror, e não **se dá** muita importância àquelas pequeninas, que costumam aparecer dentro de casa e no jardim. Pois saibam: um adulto **pode ser morto** pela picada de uma aranha pequena. Raramente as aranhas de aspecto aterrorizante são realmente perigosas.

A. Estabeleça livremente o diálogo, usando a Voz Passiva em sua resposta. Observe o exemplo.

—Vocês já fizeram o trabalho?

(Futuro do Presente) — Ainda não. Ele só **será feito** amanhã.

1. — Eles já trouxeram a encomenda?
   (Perfeito do Indicativo) — Já. Ela _____

2. —Vocês podem assinar este documento?
   (Presente do Indicativo) — Nós não. Ele só ____
   _____

3. — O diretor autorizou a compra do material?
   (Presente do Subjuntivo) — Não. Eu duvido que a compra _____

4. — O médico já examinou o rapaz?
   (Futuro Imediato) — Não houve tempo. O rapaz só
   _____

5. — A diretoria já apresentou um novo plano de ação?
   (Imperfeito Contínuo do Indicativo) — Quando eu saí da sala, o plano _____

6. — A casa da praça foi demolida?
   (Mais-que-Perfeito do Subjuntivo) — Graças a Deus não. Teria sido uma pena se ela _____
   _____

7. — O assassino foi preso?
   (Futuro do Subjuntivo) — Ainda não. Será um alívio para todos quando _____

8. — A reunião foi adiada?
   (Perfeito do Subjuntivo) — Não sei, mas duvido que ela _____

9. —Você conheceu a velha catedral antes da demolição?
   (Mais-que-Perfeito do Indicativo) — Não. Quando me mudei para cá ela já _____

10. —Você acha que eles estão fazendo aquele trabalho?
    (Perfeito Composto do Indicativo) — Sinto muito, mas ultimamente nada _____

B. Diga o que é:

obstáculo intransponível
convite intransferível
elemento insubstituível
texto inteligível
palavras ininteligíveis
compromisso inadiável
assinatura ilegível
forma apresentável
artista incomparável
coragem insuperável
ferimento incurável

dor suportável
problema irremediável
ato condenável
homem invisível
cadeira dobrável
deslize desculpável
oferta irrecusável
artigo vendável
risco calculável
valor inestimável
copo descartável

Voz passiva com verbos abundantes

O nome dele **tinha sido impresso** com erros.

Ninguém sabia dizer-lhe quem **tinha imprimido** seu nome daquele jeito.

Verbos abundantes

Estes verbos tem dois particípios – um regular usado na Voz Ativa e um irregular, usado na Voz Passiva. Os principais são:

aceitar	aceitado	aceito
acender	acendido	aceso
eleger	elegido	eleito
entregar	entregado	entregue
enxugar	enxugado	enxuto
exprimir	exprimido	expresso
expulsar	expulsado	expulso
extinguir	extinguido	extinto
imprimir	imprimido	impresso
limpar	limpado	limpo
matar	matado	morto
pegar	pegado	pego
prender	prendido	preso
salvar	salvado	salvo
soltar	soltado	solto
suspender	suspendido	suspenso

A. Complete com o Particípio na forma adequada.

1. (prender – soltar) Todos ficaram surpresos quando souberam que o criminoso que a polícia tinha _____ tinha sido _____ novamente.

2. (aceitar) Talvez suas sugestões sejam _____

3. (limpar – enxugar) Finalmente tudo estava em ordem! Mariana tinha _____ a casa e _____ a louça.

4. (matar) Ele foi _____ pela picada de uma aranha. Aranhas daquele tipo já tinham _____ duas pessoas antes.

5. (salvar) Embora os bombeiros tivessem _____ várias pessoas, aquele homem, infelizmente, não pôde ser _____

6. (aceitar) O meu trabalho teria sido _____ se a comissão tivesse _____ os trabalhos escritos a mão.

7. (pegar) Se ele tivesse _____ um avião, ele não teria sido _____, pela polícia.

Voz passiva com se

Procura-se uma gata siamesa...

Perdeu-se uma gata siamesa de nome Filó (ver coleira).

Dá-se uma boa gratificação a quem encontrá-la. Entregá-la à rua das Brisas, 9. Não **se aceitam** gatos similares.

A. Substitua os verbos destacados por suas formas na Voz Passiva com **se**. Faça outras modificações se necessário.

O parque do Pantanal Mato-Grossense **foi criado** em 1981. Lá **é encontrada** a maior concentração de fauna das três Américas. Jacarés aos milhares **podem ser vistos** em rios, lagos e baías. Os visitantes não avançam cem metros sem que **seja visto** grande número de capivaras, antes, queixadas, lontras e cachorros-do-mato. A beleza do cenário não **é descrita** facilmente tal é a riqueza que apresenta.

Preposição: Para – Por

Para indica: finalidade (uma casa para morar)
tempo (para sempre)
direção (Vou para Paris)
destinação (uma carta para você)

Por indica: tempo (= durante) (por dois dias)
causa, motivo (por amor)
preço (por 100 dólares)
meio (por carta)
modo (por inteiro)
agente da voz passiva (escrito por mim)
em lugar de (Ele vai falar por mim)
através de (pela janela)

A. Complete com **para** ou **por**.

1. Comprei este aparelho _____ um bom preço.
2. Vou dar-lhe a notícia _____ telefone.
3. Vou ficar em casa _____ escrever algumas cartas.
4. Este filme foi estrelado _____ um artista famoso.
5. Temos um bom programa _____ domingo.
6. Você precisa estudar muito _____ ser um bom profissional.
7. Escreva seu nome _____ extenso.
8. Ela começou a chorar _____ estar nervosa.
9. Reserve seu hotel _____ suas férias de verão.
10. Paguei um absurdo _____ este apartamento.
11. Ele vai ficar conosco _____ pouco tempo.
12. Esta reunião é _____ organizar a festa.
13. Ele vai ser julgado _____ roubo.
14. Este samba foi composto _____ Noel Rosa.
15. Vou sair um pouco _____ ver as vitrinas.
16. Não se preocupe! Eu posso fazer isso _____ você.
17. Não quero ir _____ o escritório hoje.
18. Ontem fui ao *shopping center* _____ comprar roupa de verão.
19. Não respondi _____ não saber o que dizer.
20. Eu amo você. Farei tudo _____ você.

COTIDIANO BRASILEIRO

Cena Carioca

Ano-novo: festa na praia

Velas, flores e fogos na praia marcaram o início do Ano-Novo no Rio de Janeiro. Multidões, homens e mulheres de todas as idades e muitas crianças, todos vestidos de branco, dirigiram-se ontem, desde a tarde, para a praia de Copacabana, levando oferendas à Iemanjá – a bela e vaidosa deusa do mar. Lançaram-se às águas enormes quantidades de flores, perfumes, espelhos e adornos. À meia-noite, Copacabana exibiu um belo espetáculo de luzes que consumiu toneladas e toneladas de fogos de artifício.

Cerca de 200 barcos, entre saveiros, lanchas, veleiros e iates, acompanharam do mar a queima de fogos da orla da praia. Saindo da Marina da Glória ou do cais do Iate Clube, os iates navegavam pelo mar em frente de Copacabana, levando a bordo orquestras, bufês e centenas de convidados que, vestidos de branco e com champanha na mão, saudaram, na noite de ontem, a chegada do Ano-Novo.

Hoje a praia e a superfície do mar estão coalhadas de flores. Foi um belo o espetáculo de ontem. O de hoje também é.

A. Responda.

1. Em que dia foi publicada a notícia?
2. Todos os acontecimentos noticiados tiveram como cenário a praia e o mar. Resuma, em poucas palavras, os vários fatos desenrolados.
3. Por que as oferendas à Iemanjá eram, principalmente, flores, perfumes, espelhos e adornos.

LINGUAGEM COLOQUIAL

Como reduzir seu estresse

Algumas dicas para viver melhor:

Ria mais! – Uma boa gargalhada desopila o fígado e é um santo remédio para pressão alta.

Não seja perfeccionista! – Encare seus limites. Não saia por aí correndo atrás da perfeição. Nem todas as tarefas exigem seu sangue. Não caia nessa!

Contenha a sua raiva! – Não esquente a cabeça por nada. Não ligue para as pequenas chateações do dia a dia. Corta essa! Se alguém lhe pegar no pé, conte até 10. Não esqueça: caaaaalma!

Não enrole! – Há algo a ser feito? Então faça-o já! Não deixe nada cozinhando. Livre-se logo da tarefa. Não enrole!

Corte as interrupções! – No escritório, o entra-e-sai deixa você uma pilha e prejudica sua concentração. Acabe com isso! Se puder, suma do mapa! Esconda-se na sala de reuniões ou na biblioteca! Só saia de lá com o trabalho completo, prontinho!

Não vá na onda! Não deixe que te façam a cabeça! Não seja maria-vai-com-as-outras, sempre dizendo amém. Leia os jornais, ouça rádio. Tenha a sua própria opinião! Pés no chão, meu amigo!

Enturme-se! – No escritório, não fique de lado, de modo algum! Faça amigos, envolva-se com eles. Bata papo, dê uma mãozinha aqui, outra ali a quem precisar, e peça socorro, você mesmo, se precisar. É o jeito. É assim que o negócio funciona.

Curta as férias! – Fique de olho no calendário e, na primeira oportunidade, mande-se, que ninguém é de ferro! Aprenda a curtir a natureza, a liberdade, os amigos do peito, o-não ter-o-que-fazer... Se der, estique as férias. Você vai ver, você vai voltar outro para o batente: sem grilos, com uma vontade louca de trabalhar.

Reescreva as sugestões dadas, usando a linguagem menos coloquial. Observe o exemplo: Ria mais! Uma boa gargalhada faz bem para seu fígado e é um bom remédio para pressão.

GRAMÁTICA NOVA (I)

Dificuldades especiais da língua portuguesa (1)

Meio – metade

> o meio (substantivo)
> meio, meia (adjetivo)
> meio (advérbio)
> a metade

Observe.

O meio – substantivo

1. O meio da rua.
   No meio da mesa.
   o meio = ponto equidistante das extremidades.
   Corte o papel **no meio**.
   Ele largou a palestra **no meio**.
   No meio da viagem, eles decidiram voltar.

2. Na foto, ele está **no meio dos** colegas. (entre os colegas)

3. Ele usou todos **os meios** para vencer a eleição. (recursos)

   Não temos **meio** de alcançá-lo.

4. Eu soube do que aconteceu **por meio de** Júlia. (através de)

5. É uma família sem **meios**. (sem recursos financeiros)

Meio – meia (adjetivo)

Andei **meio** quilômetro.
Quem quer **meia** laranja?
Vamos almoçar ao **meio**-dia e **meia**.

Meio (advérbio)

Estou **meio** cansada.
Elas estão **meio** confusas porque as instruções foram dadas **meio** às pressas.

A metade

a metade – cada uma das duas partes iguais em que se divide um todo.

A primeira **metade** da aula foi interessante; na segunda **metade**, dormi.

Quem quer **metade** desta maçã?

A. Complete.

1. Observe-a. A linha passa bem (em) _____ do círculo.

2. Observe b e c. Aqui estão as duas _____ do círculo.

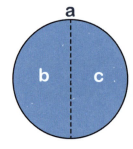

B. Complete.

1. *E-mails* são um _____ de comunicação muito, muito rápido.

2. A família desistiu de comprar o apartamento porque não tem _____ para pagar a taxa de condomínio. É muito alta.

3. Ela vive modestamente porque tem poucos _____ _____.

4. Ela vendeu _____ da produção e não sabe o que fazer com a outra _____.

5. No _____ de tantos problemas, ela ficou _____ desanimada.

6. Ele entrou no _____ da aula e perdeu a _____ da explicação.

C. Complete com **metade**, **meio**, **meia**, **meios**.

> *Prezado amigo* _____
>
> *Venho, por* _____ *desta carta, pedir sua colaboração para uma causa nobre. Em nosso bairro, mora uma família sem* ____ _____ *, que vive de forma precária,* _____ *abandonada pelos poderes públicos. São 6 pessoas,* _____ *das quais sem emprego, e a outra* _____ *com salários extremamente baixos, trabalhando apenas* _____ *período. São pessoas esforçadas que precisam apenas de uma oportunidade para ajustarem-se à nossa realidade e viverem felizes no* _____ *de nós.*

Tornar – Tornar-se

A seca tornou a região um deserto.

A região tornou-se um deserto
por causa da seca.

Faça frases. Siga o modelo acima.

1. A vida difícil tornou-a uma pessoa dura.

_____

_____

2. As discussões tornaram seu casamento um inferno.

_____

_____

3. A falta de verba tornará o projeto inviável.

_____

_____

4. A ociosidade torna as pessoas preguiçosas.

_____

_____

5. Duvido que todo esse dinheiro torne vocês mais felizes.

_____

_____

Já

1) **já** = agora mesmo!
   Saia **já** daqui! **Já**!, **Já**!

2) Já = em algum tempo passado.
   Eu **já** estive aqui antes.

3) Já = antecipadamente
   Quando você chegar, eu **já** estarei pronto.

4) desde já = desde agora
   Desde já aviso a vocês que não vou fazer nada.

5) já que = visto que
   Já que não temos dinheiro, não vamos viajar.

Assinale o sentido de **já** nas frases seguintes, usando a numeração acima.

1. Eu **já** disse o que tinha de dizer. ( )

2. Estamos nos preparando para a reunião **desde já**. ( )

3. Amanhã, vamos sair bem cedo porque às oito horas elas **já** estarão lá. ( )

4. **Já que** ninguém quer me ajudar, farei o trabalho sozinho. ( )

5. Vocês **já** ouviram um absurdo desses? ( )

6. Venha **já** aqui, que não posso esperar mais. Venha **já**! ( )

193

Mesmo

mesmo, mesma, mesmos, mesmas – adjetivo

a) com ideia de repetição:

Exemplos: Ele sempre usa **o mesmo carro** para viajar.
Nós não queremos ouvir **a mesma música**.
Ele visita sempre **os mesmos museus**.
São sempre **as mesmas pessoas**.
– Uma expressão brasileira: Estou cansado dessa **mesmice**.
(= Estou cansado da **mesma situação**)

b) com valor enfático (próprio(s)/próprias(s))

ele mesmo, ela mesma
Exemplos: Eu **mesmo (mesma)** não acreditava no que estava vendo.
Os **funcionários mesmos** corrigiram o trabalho.

mesmo – advérbio

a) valor enfático; vem sempre depois do verbo

Exemplos: Eles queriam **mesmo** viajar.
Eles queriam **realmente** viajar.
Nós falamos **mesmo** a verdade.
Nós falamos **realmente** a verdade.

b) mesmo – com ideia de concessão

Exemplos: **Mesmo** trabalhando à noite, não vamos conseguir acabar com o serviço.
Mesmo sem dinheiro, ele vive viajando.

A. Substitua as palavras destacadas pelas formas da palavra **mesmo**.

Eles **próprios** organizaram a viagem. Compraram vários livros, viram os pontos principais das cidades para não visitarem os lugares **de sempre**.

Queriam, **realmente**, fazer uma viagem diferente. Nem visitar os monumentos habituais, nem comer as comidas comuns.

Esperavam, na verdade, conhecer aspectos novos dos países. Eles sabiam que não conseguiriam voltar tão cedo para lá, **não importava quanto economizassem**.

B. Complete com a palavra **mesmo**, na forma correta e dê o seu sentido.

1. Já li muitos livros de vários autores. Com o tempo, estou lendo sempre os _____ autores, embora não os _____ livros.

2. Meus amigos _____ aconselharam-me a fazer a viagem.

3. Nós queríamos _____ ver esse filme, mas não conseguimos.

4. _____ indo de avião, você chegará tarde.

5. Os responsáveis _____ pelo problema não vieram à reunião.

6. _____ tomando mais cuidado, eles fizeram os _____ erros.

7. Desde quando você compra a _____ marca de carro?

8. As _____ pessoas que pediram para entrar, saíram no meio da conferência.

9. Ele saiu depois do jantar, _____ sem vontade.

10. Não adianta! Eu não gosto _____ desse livro.

194

PAUSA

Trabalhando com palavras

quebrar	queimar	molhar
trincar	torrar	inundar
rasgar	incinerar	represar
esfarelar	cremar	afogar
picar	incendiar	afundar
moer	tostar	naufragar
retalhar	arder	boiar
rachar	acender	flutuar
despedaçar	bronzear	banhar
fraturar	derreter	encharcar

A. Observe, uma a uma, as palavras de cada coluna e explique seu sentido exato.

B. Complete com palavras da 1ª coluna.

1. _____ o pão

2. _____ os documentos

3. _____ ossos

4. _____ lenha

5. _____ o sigilo

6. _____ meu coração

C. Faça o mesmo, trabalhando agora com a 2ª coluna.

1. _____ os papéis

2. _____ a luz

3. _____ a pele

4. _____ o cadáver

5. _____ o pão

D. Use as palavras da 3ª coluna para completar as lacunas.

1. O mar está perigoso. Você pode se _____ _____.

2. Saí na tempestade e voltei com as roupas _____.

3. Feche a janela! A chuva está _____ as cortinas.

4. Depois do naufrágio, pedaços de madeira _____ no mar.

5. O navio _____ na costa do Japão.

6. Ele não morreu. Embora não soubesse nadar, ele não _____ porque sabia _____.

E. Faça frases, usando as palavras em sentido figurado. Observe o exemplo.

Exemplo: (inundar) O candidato inundou a cidade com propaganda.

1. inundar

2. afogar

3. naufragar

4. represar

5. incendiar

6. arder

7. acender

8. queimar

9. moer

10. rasgar

11. torrar

GRAMÁTICA NOVA (II)

Regência nominal (1)

substantivos	preposição + substantivos	preposição + infinitivos
admiração	a, por	
amor	a	
antipatia	por, a	
aversão	a	a
capacidade	de, para	de, para
doutor	em	
dúvida	sobre, acerca de	
falta	a, de	
horror	a, de	de

adjetivos	preposição + substantivos	preposição + infinitivos
acessível	a	
acostumado	a, com	a
adequado	a, para	para
agradável	a	de
ansioso	por	por, para, de
apto	a	a, para
capaz	de	de
cheio	de	
contente	com, por	de, em, por
contrário	a	a
diferente	de	
difícil		de
entendido	em	em
equivalente	a	a
fácil		de
favorável	a	a
feliz	com, por	de, em, por
grato	por, a	por

A. Complete.

1. O problema não foi fácil _____ resolver. Todos nós estávamos ansiosos _____ encontrar uma saída compatível _____ a situação.

2. Eu tenho amor _____ animais em geral, mas tenho horror _____ cobras.

3. Faltas frequentes _____ (o) trabalho são desfavoráveis _____ (a) imagem do funcionário.

4. Você é capaz _____ explicar-me por que seu chefe é tão difícil _____ agradar?

5. Ele está apto _____ (o) trabalho, mas ainda não está acostumado _____ (o) ambiente e _____ (os) colegas.

6. Ele é contrário _____ (a) expansão da empresa, porque acha que nossa capacidade _____ administração não é suficiente.

7. Você, que é entendido _____ vinhos, diga-me que vinho é mais adequado _____ este prato.

8. Estamos todos felizes _____ o resultado do trabalho e contentes _____ receber este prêmio.

9. Grato _____ presente! Grato _____ tudo!

B. Relacione.

1. ansioso ( ) ao público
2. capaz ( ) de entender
3. fácil ( ) com o resultado
4. apto ( ) a fazer a tarefa
5. acessível ( ) do irmão
6. cheio ( ) por explicar
7. contente ( ) à medida
8. diferente ( ) de matar
9. contrário ( ) por poder ajudar
10. feliz ( ) de erros

196

C. Relacione.

1. amor   ( ) a aranhas
2. horror   ( ) de vergonha
3. dúvida   ( ) ao próximo
4. falta   ( ) em matemática
5. doutor   ( ) sobre suas intenções
6. capacidade ( ) de resistir

PONTO DE VISTA

Novo Manual do Bom Tom

As passagens abaixo, apresentadas aqui em sua forma original, foram extraídas do *Novo Manual do Bom Tom*, editado em 1890 por Laemmert e Cia., Rio de Janeiro.

Higiene

O primeiro enfeite é o asseio. O do corpo consiste em tomar banho pelo menos uma vez por semana, em lavar-se todos os dias, limpar os dentes, as orelhas e as unhas todas as manhãs, lavando a boca depois de comer.

Decencia do vestuario

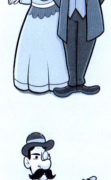

Um moço antes de casar-se deve seguir a moda em tudo o que não fôr ridículo. O homem casado deve igualmente segui-la, com prudência. Um chapéo preto e luzente, botins ou sapatos bem lustrosos, luvas asseiadas, são as cousas principaes. Caixa de ouro para rapé, relogio, luneta, tendo-se a vista curta, tambem de ouro, são os unicos objectos admissiveis para uma pessoa de juizo: os anneis, cadêas de ouro etc. são para os comicos.

Nos vestidos devem as senhoras de bom tom evitar a multiplicidade de côres para não ser objecto de riso, devendo vestir-se conforme a idade, na convicção de que não há cousa mais ridicula que uma senhora de cincoenta annos se apresente vestida como uma joven.

O enfeite de uma donzela será sempre mais modesto que o de uma casada, porque o verdadeiro modo de achar marido é parecer inclinar-se a um gosto simples. Obrando de outra maneira priva-se ela de receber ricos enfeites da mão de um esposo.

Nos saraos

Uma donzela não deverá apresentar-se em um baile sem ser acompanhada por seu pai, mãe, ou parentes superiores.

Um chefe de família não consentirá que sua esposa ou sua filha valsem ou dansem a polka, excepto se quizer parecer-se com o louco que lançou fogo à casa para se divertir vendo-a arder.

A. Agora responda.

1. Em que sentido o conceito de higiene mudou nestes últimos cem anos?

2. Estabeleça as diferenças no modo de vestir das pessoas antigas e das modernas.

3. Como eram consideradas as mulheres maduras antigamente? E modernamente?

4. Aponte no texto passagem que indica:

   a) Ser o casamento para as mulheres antigas um fim em si mesmo.

   b) Dependerem as mulheres antigas dos recursos de seus maridos.

5. Descreva a posição da mulher moderna em relação ao casamento e à sua dependência econômica.

6. No texto está clara a preocupação da sociedade em impedir o desencaminhamento das mulheres (não se fala no desencaminhamento dos homens...).

   a) Aponte a passagem.

   b) Discuta: até que ponto a despreocupação da família moderna propicia os problemas que hoje em dia atingem os jovens (drogas, promiscuidade sexual, violência, desorientação, insatisfação etc.).

7. Os acessórios do homem antigo eram: chapéu, sapato ou bota, caixa de rapé, relógio e luneta. Quais são os acessórios do homem moderno?

   Onde está, realmente, a diferença entre eles?

8. Redação.

   Em um texto de cerca de 20 linhas, compare a vida de antigamente com a de hoje em dia.

LINGUAGEM FORMAL

Morte e Vida Severina

A peça *Morte e Vida Severina* é uma das obras mais famosas do moderno teatro brasileiro. Seu autor, João Cabral de Melo Neto, retrata, em versos, o universo trágico do sertão pernambucano, muitas vezes castigado pela seca.

As pessoas que abandonam suas casas e suas terras para tentar a sorte na cidade grande (Recife) são chamadas de retirantes. No título da peça, aparece a palavra Severino(a), ligada à ideia de severo (= duro, áspero). Severino, além disso, é um dos nomes mais usados no Nordeste.

O retirante explica ao leitor quem é e a que vai

— O meu nome é Severino
não tenho outro de pia.
Como há muitos Severinos,
que é santo de romaria,
deram então de me chamar
Severino de Maria;
como há muitos Severinos
com mães chamadas Maria,
fiquei sendo o da Maria
do finado Zacarias.
Mas isso ainda diz pouco:
há muitos na freguesia,
por causa de um coronel
que se chamou Zacarias
e que foi o mais antigo
senhor desta sesmaria.
Como então dizer quem fala
ora a Vossas Senhorias?
Vejamos: é o Severino
da Maria do Zacarias,
lá da serra da Costela,
limites da Paraíba.
Mas isso ainda diz pouco:
se ao menos mais cinco havia
com nome de Severino
filho de tantas Marias
mulheres de outros tantos,
já finados Zacarias,
vivendo na mesma serra
magra e ossuda em que eu vivia.
Somos muitos Severinos
iguais em tudo na vida:
na mesma cabeça grande
que a custo é que se equilibra,
no mesmo ventre crescido
sobre as mesmas pernas finas,
e iguais também porque o sangue
que usamos tem pouca tinta.
E se somos Severinos
iguais em tudo na vida,
morremos de morte igual,
mesma morte Severina:
que é a morte de que se morre
de velhice antes dos trinta,
de emboscada antes dos vinte,
de fome um pouco por dia
(de fraqueza e de doença
é que a morte Severina
ataca em qualquer idade,
e até gente não nascida).
Somos muitos Severinos
iguais em tudo na sina:
a de abrandar estas pedras
suando-se muito em cima,
a de tentar despertar
terra sempre mais extinta,
a de querer arrancar
algum roçado da cinza.
Mas, para que me conheçam
melhor Vossas Senhorias
e melhor possam seguir
a história de minha vida,
passo a ser o Severino
que em vossa presença emigra.

João Cabral de Melo Neto (1920 – 1999)
– *Morte e vida Severina*

Xilogravura de Pergaminno Design.

Vocabulário

Expressões típicas do falar nordestino, guardando uma tradição do português colonial.

– não tenho outro de pia	– pia batismal, pia onde se celebra o batismo
– santo de romaria	– peregrinação, reunião de devotos
– finado Zacarias	– falecido
– na freguesia	– povoado, povoação
– coronel	– chefe político, proprietário de terras
– sesmaria	– divisão territorial do tempo do Brasil-colônia
–Vossa(s) Senhoria(s)	– tratamento de respeito dado a uma pessoa de nível social alto
– a sina	– destino, fado
– o roçado	– a plantação

A. Explique

1. – Não tenho outro de pia – _____
_____

2. – Como há muitos Severinos,

   Que é santo de romaria – _____

   – _____

3. – Há muitos na freguesia,

   Por causa de um coronel – _____

   – _____

4. – e que foi o mais antigo

   senhor desta sesmaria – _____

   – _____

5. – iguais em tudo e na sina – _____

6. – a de querer arrancar

   algum roçado da cinza – _____

   – _____

B. Responda às questões.

1. O que o poeta quis dizer com: terra magra e ossuda? Ele compara a terra com quem?

   _____

2. Como o poeta descreve, fisicamente, o ambiente da região?

   _____

3. O que quer dizer: "sangue de pouca tinta"?

   _____

4. Os habitantes dessa região têm vida longa? Explique.

   _____

5. O que quer dizer "morte e vida severina"?

   _____

UNIDADE
10

Texto Inicial	A máquina extraviada – J. J. Veiga	202
Gramática em Revisão	Transformando orações	206
Cotidiano Brasileiro	Cena de verão	207
Linguagem Coloquial	Expressões idiomáticas	208
Gramática Nova (I)	Período composto – Conjunções de Indicativo	209
	Ideia de alternância e adição	209
	Ideia de explicação e conclusão	210
	Ideia de causa	211
	Ideia de oposição	211
Pausa	Frasezinhas cinéticas	212
Gramática Nova (II)	Conjunções de Indicativo e Subjuntivo – todas as situações	213
	Regência nominal (2)	214
Ponto de Vista	Carta de um leitor	216
Linguagem Formal	Um homem de consciência – Monteiro Lobato	217

TEXTO INICIAL

A máquina extraviada

Você sempre pergunta pelas novidades daqui deste sertão, e finalmente posso lhe contar uma importante. Fique o compadre sabendo que agora temos aqui uma máquina imponente, que está entusiasmando todo mundo.

Desde que ela chegou, não me lembro quando, não sou muito bom em lembrar datas, quase não temos falado em outra coisa; e da maneira que o povo aqui se apaixona até pelos assuntos mais infantis, é de admirar que ninguém tenha brigado ainda por causa dela, a não ser os políticos.

A máquina chegou uma tarde, quando as famílias estavam jantando ou acabando de jantar, e foi descarregada na frente da Prefeitura. Com os gritos dos choferes e seus ajudantes (a máquina veio em dois ou três caminhões) muita gente cancelou a sobremesa ou o café e foi ver que algazarra era aquela. Como geralmente nessas ocasiões, os homens estavam mal-humorados e não quiseram dar explicações, esbarravam propositalmente nos curiosos, pisavam-lhes os pés e não pediam desculpa, jogavam pontas de cordas sujas de graxa por cima deles, quem não quisesse se sujar ou se machucar que saísse do caminho.

Descarregadas as várias partes da máquina, foram elas cobertas com encerados e os homens entraram num botequim do largo para comer e beber. Muita gente se amontoou na porta mas ninguém teve coragem de se aproximar dos estranhos porque um deles, percebendo essa intenção nos curiosos, de vez em quando enchia a boca de cerveja e esguichava na direção da porta. Atribuímos essa esquiva ao cansaço e à fome deles e deixamos as tentativas de aproximação para o dia seguinte; mas quando os procuramos de manhã cedo na pensão, soubemos que eles tinham montado mais ou menos a máquina durante a noite e viajado de madrugada.

A máquina ficou ao relento, sem que ninguém soubesse quem a encomendara nem para que servia. É claro que cada qual dava o seu palpite, e cada palpite era tão bom quanto o outro.

As crianças, que não são de respeitar mistério, como você sabe, trataram de aproveitar a novidade. Sem pedir licença a ninguém (e a quem iam pedir?), retiraram a lona e foram subindo em bando pela máquina acima, até hoje ainda sobem, brincam de esconder entre os cilindros e colunas, embaraçam-se nos dentes das engrenagens e fazem um berreiro dos diabos até que apareça alguém para soltá-las; não adiantam ralhos, castigos, pancadas; as crianças simplesmente se apaixonaram pela tal máquina.

Contrariando a opinião de certas pessoas que não quiseram se entusiasmar, e garantiram que em poucos dias a novidade passaria e a ferrugem tomaria conta do metal, o interesse do povo ainda não diminuiu. Ninguém passa pelo largo sem ainda parar diante da máquina, e de cada vez há um detalhe novo a notar. Até as velhinhas da igreja, que passam de madrugada e de noitinha, tossindo e rezando, viram o rosto para o lado da máquina e fazem uma curvatura discreta, só faltam se benzer. Homens abrutalhados, como aquele Clodoaldo seu conhecido, que se exibe derrubando boi pelos chifres no pátio do mercado, tratam a máquina com respeito; se um outro agarra uma alavanca e sacode com força, ou larga um pontapé numa das colunas, vê-se logo que são bravatas feitas por honra da firma, para manter fama de corajoso.

Ninguém sabe mesmo quem encomendou a máquina. O prefeito jura que não foi ele, e diz que consultou o arquivo e nele não encontrou nenhum documento autorizando a transação. Mesmo assim não quis lavar as mãos, e de certa forma encampou a compra quando designou um funcionário para zelar pela máquina.

Devemos reconhecer – aliás todos reconhecem – que esse funcionário tem dado boa conta do recado. A qualquer hora do dia, às vezes também de noite, podemos vê-lo trepado lá por cima espanando cada vão, cada engrenagem, desaparecendo aqui para reaparecer ali, assoviando ou cantando, ativo e incansável. Duas vezes por semana ele aplica kaol nas partes de metal dourado, esfrega, esfrega, sua, descansa, esfrega de novo – e a máquina fica faiscando como joia.

Estamos tão habituados com a presença da máquina ali no largo, que se um dia ela desabasse, ou se alguém de outra cidade viesse buscá-la, provando com documentos que tinha direito, eu nem sei o que aconteceria, nem quero pensar.

Ela é o nosso orgulho, e não pense que exagero. Ainda não sabemos para que ela serve, mas isso já não tem maior importância. Fique sabendo que temos recebido delegações de outras cidades, do estado e de fora, que vêm aqui para ver se conseguem comprá-la. Chegam como quem não quer nada, visitam o prefeito, elogiam a cidade, rodeiam, negaceiam, abrem o jogo: por quanto cederíamos a máquina. Felizmente o perfeito é de confiança e é esperto, não cai na conversa macia.

Em todas as datas cívicas a máquina é agora uma parte importante das festividades. Você se lembra que antigamente os feriados eram comemorados no coreto ou no campo de futebol, mas hoje tudo se passa ao pé da máquina. Em tempo de eleição todos os candidatos querem fazer os seus comícios à sombra dela, e como isso não é possível, alguém tem de sobrar, nem todos se conformam e sempre surgem conflitos. Mas felizmente a máquina ainda não foi danificada nesses esparramos e espero que não seja.

A única pessoa que ainda não rendeu homenagem à máquina é o vigário, mas você sabe como ele é ranzinza, e hoje mais ainda, com a idade. Em todo caso, ainda não tentou nada contra ela, e ai dele. Enquanto ficar nas censuras veladas, vamos tolerando; é um direito que ele tem. Sei que ele andou falando em castigo, mas ninguém se impressionou.

Até agora o único acidente de certa gravidade que tivemos foi quando um caixeiro da loja do velho Adudes (aquele velhinho espigado que passa brilhantina no bigode, se lembra?) prendeu a perna numa engrenagem da máquina, isso por culpa dele mesmo. O rapaz andou bebendo em uma serenata, e em vez de ir para casa achou de dormir em cima da máquina. Não se sabe como, ele subiu à plataforma mais alta, de madrugada rolou de lá, caiu em cima de uma engrenagem e com o peso acionou as rodas. Os gritos acordaram a cidade, correu gente para verificar a causa, foi preciso arranjar uns barrotes e alavancas para desandar as rodas que estavam mordendo a perna do rapaz. Também desta vez a máquina nada sofreu, felizmente. Sem a perna e sem o emprego, o imprudente rapaz ajuda na conservação da máquina, cuidando das partes mais baixas.

Já existe aqui um movimento para declarar a máquina monumento municipal – por enquanto. O vigário, como sempre, está contra; quer saber a que seria dedicado o monumento. Você já viu que homem mais azedo?

Dizem que a máquina já tem feito até milagre, mas isso – aqui para nós – eu acho que é exagero de gente supersticiosa, e prefiro não ficar falando no assunto. Eu – creio que também a grande maioria dos munícipes – não espero dela nada em particular; para mim basta que ela fique onde está, nos alegrando, nos inspirando, nos consolando.

O meu receio é que, quando menos esperarmos, desembarque aqui um moço de fora, desses despachados, que entendem de tudo, olhe a máquina por fora, por dentro, pense um pouco e comece a explicar a finalidade dela, e para mostrar que é habilidoso (eles são sempre muito habilidosos) peça na garagem um jogo de ferramentas, e sem ligar a nossos protestos se meta por baixo da máquina e desande a apertar, martelar, engatar e a máquina comece a trabalhar. Se isso acontecer, estará quebrado o encanto e não existirá mais máquina.

J. J. Veiga – *A Máquina Extraviada*

A. Certo ou errado.

De acordo com o texto,

	C	E
1. a máquina foi deixada na praça porque ninguém soube informar aos choferes e ajudantes onde deveriam entregá-la.	( )	( )
2. os homens que transportaram a máquina até a cidade trataram mal os curiosos.	( )	( )
3. um caminhão enorme transportou a máquina.	( )	( )
4. no processo de aproximar-se da máquina, as crianças revelaram mais coragem do que os adultos.	( )	( )
5. até agora a máquina ainda é tratada pelos habitantes como uma novidade.	( )	( )
6. os habitantes observam a máquina com temor.	( )	( )
7. a máquina não é perigosa.	( )	( )
8. nem todos os habitantes da cidade afeiçoaram-se à máquina.	( )	( )
9. a máquina tem poderes sobrenaturais.	( )	( )
10. o encanto da máquina reside em seu mistério.	( )	( )

B. Escolha a melhor alternativa.

1. A máquina perderá seu encanto se
   a) começar a funcionar.
   b) se integrar definitivamente na paisagem da cidade.
   c) for removida para outro local.
   d) for declarada monumento.

2. O narrador
   a) censura a presença da máquina na cidade.
   b) não liga para a máquina.
   c) está ligado afetivamente à máquina.
   d) ironiza o interesse dos habitantes pela máquina.

3. A atitude do vigário em relação à máquina
   a) representa a opinião dos habitantes.
   b) é isolada.
   c) é favorável a ela.
   d) representa a opinião de uma minoria.

4. A máquina é
   a) baixa, mas enorme, cheia de engrenagens.
   b) alta, com mais de uma plataforma.
   c) alta, dourada e tem uma plataforma.
   d) pesada e escura, cheia de rodas e engrenagens.

C. Responda, de acordo com o texto.

1. Em que sentido a posição do prefeito se opõe à do vigário?
2. Como são a cidade e seus habitantes?
3. Para quem o narrador está contando o fato?
4. Tente interpretar a figura da máquina. Com que intenção o autor escreveu esse conto? (Trata-se de uma crítica aos tempos modernos, à credulidade dos homens, a seu vazio interior? Qual é a sua interpretação pessoal?)

D. Indique, no texto, a passagem que diz que

1. a máquina não foi recolhida a nenhum depósito.
2. as crianças gritam muito quando ficam presas nas engrenagens.
3. a pessoa encarregada da manutenção da máquina faz um bom trabalho.
4. o vigário não tem um bom gênio.
5. a máquina tem um efeito positivo sobre a população.
6. o prefeito não se deixa convencer facilmente.

E. Explique estas palavras e expressões:

1. esbarrar em
2. ralho (ralhar com)
3. ficar ao relento
4. a ferrugem tomaria conta do metal
5. largar um pontapé
6. chegam como quem não quer nada
7. rodeiam, negaceiam
8. abrem o jogo
9. ai dele!
10. um moço desses despachados
11. desandar a apertar
12. quebrar o encanto

F. Qual é a ideia comum às palavras de cada um destes grupos?

1. abrutalhado
   pontapé
   pancada
   danificar
   martelar

2. engrenagem
   roda
   cilindro
   plataforma
   engate

3. cuidar de
   espanar
   faiscar
   zelar por
   esfregar

G. Relacione o verbo à ilustração correspondente.

a. esbarrar
b. esguichar
c. derrubar
d. rolar
e. agarrar
f. sacudir
g. trepar
h. esfregar

( )
( )
( )
( )
( )
( )

205

GRAMÁTICA EM REVISÃO

Transformando orações

Observe:

O importante é a ida dele.
O importante é que ele vá.
O importante é ele ir.

A. Transforme as orações, como no modelo acima.

1. É importante sua colaboração.
2. Importa a ida dele ao médico.
3. Sua compreensão é necessária agora.
4. Ficou provada a falsidade da assinatura.
5. Não era segredo nosso desejo de partir.
6. Sua vinda é oportuna.
7. Acredita-se na existência de seres vivos em outros planetas.
8. Teme-se a repetição do fato.
9. Desconfia-se do conteúdo perigoso das caixas.
10. O diretor exigiu a presença de todos.
11. Duvido da sinceridade dele.
12. Tudo depende de nossa persistência.
13. Meu maior desejo era a aprovação do meu pedido.
14. Somos favoráveis à contratação de mais operários.
15. Só lhes peço uma coisa: a preservação do meu sossego.

B. Reescreva as orações, como no modelo.

Convenci-me de que o fato era verdadeiro.
Convenci-me da veracidade do fato.

1. Temos assistido pela televisão, diariamente, **a nossa privacidade ser invadida por espetáculos**.
2. É importante **que participemos daquele programa**.
3. Ele anunciou **que solucionara o caso**.
4. Nunca duvidei de **que ele era invulnerável**.
5. Aspiramos a **que todos sejam felizes**.
6. Nas reuniões, estávamos acostumados a **que ele permanecesse em silêncio**.
7. Não garanto **que ele venha**.
8. Concordei com **que você fosse a Paris**.
9. Ficamos sabendo, ontem, **que ele morreu**.
10. Aguardo **que me telefone amanhã**.

C. Modifique o texto. Empregue outra forma do verbo.

É possível **que eu vá trabalhar** em um país estrangeiro, longe de casa. Mas, o caso não é a distância, nem o tipo de país. O problema é **que me peçam** para ficar lá por dez anos, pelo menos. Tempo longo demais.
    Seria melhor para mim **se me oferecessem** um trabalho de responsabilidade, mas por um prazo mais curto: cinco anos, talvez.
    Terei uma reunião com o presidente e tomarei cuidado **quando falar com ele**.

COTIDIANO BRASILEIRO

Cena de verão

Templos da boa forma. Vamos lá, braços arremessados à frente, bumbum arrebitado aos ares, que é hora do culto ao corpo. Suor e magia ao som de mil mega-hertz para exorcizar gordurinhas indesejáveis, ossos salientes, barriguinhas, e culotes arqui-inimigos da beleza. Gatos e gatas dourados, de olhar fixo no espelho, embevecidos na própria imagem do corpo único e absoluto, harmônico nos passos e saltos, na busca da perfeição para o verão, ávidos por queimar os malfadados quilinhos a mais adquiridos durante as festas de fim de ano.

Há academias para todos os gostos e estilos. Muitas têm aparelhos computadorizados que indicam para cada aluno a carga e a sequência de exercícios a serem feitos. Há aulas de ginástica diferentes, que combinam boxe tailandês e treinamento militar, há piscinas semiolímpicas em espaços com paredes de vidro e teto retrátil. Há salas de musculação com equipamentos de última geração, com monitores de TV dando, o tempo todo, dicas de saúde e nutrição. E para descansar de tanta malhação, há *jacuzzis* instalados em salas com cascata, iluminação tranquila e aromas relaxantes.

O ambiente é alegre e gostoso e os próprios alunos, supercoloridos em suas malhas de malhar, se encarregam de enfeitar os locais. Em matéria de malha, vale tudo: malha curta ou comprida, inteira ou duas peças, cavada ou fechada, mas sempre ricas em detalhes.

Há de tudo nas academias: cabeleireiros de grife, empório chique de alimentos naturais, restaurantes com cibercafé e cardápios cheios de pratinhos leves e saborosos. Butiques são infalíveis e lá se pode comprar toda a parafernália alegre para complementar o visual dos dispostos praticantes. Academias: uma indústria que cresceu como um bolo de fermento feito em casa.

As academias suam a camisa para atrair o pessoal para a malhação, e a turma, por sua vez, se agita, feliz, cuidando do belo corpinho, pronta para exibi-lo nas praias e pelas ruas da cidade.

Verão – a estação mais narcisista do ano.

A. Explique:

1. ...barriguinhas e culotes arqui-inimigos da beleza.
2. Ávidos por queimar os malfadados quilinhos a mais.
3. Butiques são infalíveis.
4. Comprar a parafernália alegre.
5. O visual dos dispostos praticantes.
6. As academias suam a camisa.
7. Verão – a estação mais narcisista do ano.

B. Dê sua opinião sobre exercícios intensos para condicionamento físico. O que você acha da modelagem física?

LINGUAGEM COLOQUIAL

Expressões idiomáticas

Papagaio! Para vencer na vida, a gente não pode ter sangue de barata. A gente precisa ser um pé-de-boi, ter fôlego de gato, coragem de leão, olhos de águia (para acertar na mosca) e estômago de avestruz (para engolir os sapos que vão surgindo pelo caminho.)

Não é qualquer um que tem memória de elefante,

fôlego de gato,

olhos de lince,

estômago de avestruz,

pé-de-boi,

coragem de leão.

A. Você entende o sentido destas frases?

1. Dá bode ser amigo da onça.
2. Eles vivem como cão e gato porque de qualquer dificuldade fazem um cavalo de batalha.
3. Você não trabalha, fica aí cozinhando o galo e depois quem paga o pato sou eu.
4. Ele foi procurar sarna para se coçar, mas acabou caindo do cavalo.
5. Martins é macaco velho. Ele não compra gato por lebre.
6. Já está carne de vaca fazer vaquinha.
7. Tire o cavalinho da chuva! Vai dar zebra!

B. Procure na coluna à direita e o sentido das expressões à esquerda.

1. não ter nada com o peixe
2. voltar à vaca fria
3. água que passarinho não bebe
4. ser vaquinha de presépio
5. galinha morta
6. fazer gato e sapato de alguém
7. ser peixe fora d'água
8. levantar a lebre
9. chorar lágrimas de crocodilo
10. dizer cobras e lagartos de alguém
11. tempo de vacas magras
12. soltar os cachorros
13. ser coruja

( ) pinga
( ) negócio da China
( ) dominar e aproveitar-se de alguém
( ) ter orgulho de alguém
( ) ser alheio ao problema
( ) falar mal de alguém
( ) retomar o assunto
( ) não ser sincero
( ) apontar uma irregularidade
( ) não estar integrado
( ) época difícil
( ) cair em cima, reclamar
( ) concordar com tudo

208

C. Ligue as expressões da esquerda com as de mesmo sentido à direita.

1. Vá amolar o boi
2. Ser uma sarna
3. Cair do cavalo
4. Matar cachorro a grito
5. Fazer boca-de-siri
6. Virar uma onça

( ) ter vida de cachorro
( ) ser fechado como uma ostra
( ) soltar os cachorros
( ) vá pentear macacos!
( ) dar com os burros n'água
( ) grudar como carrapato

D. Reformule as ideias usando expressões coloquiais.

1. Isso vai causar problemas!
2. Eu não tinha nada a ver com o caso, mas acabei sofrendo as consequências.
3. Ele vai ficar furioso se perder este negócio da China.
4. Para não perder o emprego, muitas vezes precisamos concordar com tudo e aceitar desaforos sem reclamar.
5. Deixe-me em paz! Sei que você falou horrores de mim para meus amigos.

GRAMÁTICA NOVA (I)

Período composto – Conjunções de Indicativo

Ideia de alternância e de adição

(não) ... nem   ou ... ou
não só ... mas também

Não é nada fácil administrar um país tão grande como o Brasil. O vasto território e as grandes diferenças sociais **não só** dificultam a tarefa, **mas também**, muitas vezes, a tornam praticamente impossível. Mas **não** podemos **nem** queremos desistir da luta. **Ou** resolvemos nossos problemas **ou** teremos problemas maiores ainda no futuro.

Reformule as ideias numa só frase. Use as conjunções ao lado.

1. O prefeito quis construir uma escola e também uma creche para as crianças menores.
2. O diretor da empresa precisa pensar nos problemas atuais e também prever as dificuldades futuras.
3. Ele não concordou com a nossa ideia, mas também não apresentou ideia melhor.
4. Não posso acreditar! Não quero acreditar!
5. É impossível estudar e trabalhar ao mesmo tempo. Escolha!
6. Não havia saída: se não pagassem a multa, seriam presos.
7. Você deve preocupar-se com os seus problemas e também com os problemas dos outros.
8. Não vou fazer esse trabalho e não vou ajudar você a fazê-lo.

209

9. Não há escolha: se você não alugar logo um apartamento, terá de continuar no hotel.

10. Ele não sabe o que aconteceu! Ele não quer saber!

Ideia de explicação e de conclusão

logo	porquanto	porque (que)
portanto	por isso	assim
por conseguinte	pois	

Até o final de junho, a Companhia do Metrô está cadastrando pessoas com mais de 65 anos de idade para fornecer passes e carnês com direito a viagens gratuitas nos trens metropolitanos. **Por conseguinte**, os interessados devem apresentar xerox da Carteira de Identidade ou Carteira de Trabalho e duas fotos 2 x 2, nos postos de cadastramento. Providencie logo seus documentos, **pois** o prazo expira no final de junho.

Leia as frases e coloque as conjunções no quadro, de acordo com seu sentido.

1. O plano tinha sido elaborado cuidadosamente; **logo**, não houve problemas.

2. O aeroporto estava interditado, nenhum avião pôde, **pois**, levantar voo.

3. Ele festejou com os amigos **porque** conseguiram o emprego tão desejado.

4. Não gosto dos filmes de ficção científica; **portanto**, não vou ao cinema para vê-los.

5. Todos na rua corriam à procura de abrigo; **pois** nuvens negras cobriam rapidamente o céu.

6. Todos falavam ao mesmo tempo; **por conseguinte**, ninguém entendia ninguém.

7. Estava doente, **por isso** não foi trabalhar.

8. O partido da oposição ganhou as eleições, **porquanto** ninguém estava contente com o governo.

9. Venha já para dentro **que** vai chover!

10. Todos os lugares no estádio eram numerados, **assim** todos assistiam aos jogos sentados.

Conclusão	Explicação

Pois – conjunção explicativa e conclusiva

De acordo com a posição na frase, a conjunção **pois** pode ser:

Conclusiva – ela vem **depois do verbo**, entre vírgulas.

Exemplo: O material empregado na construção era de primeiríssima qualidade; a casa **era**, **pois**, muito sólida.

Explicativa – ela vem **antes do verbo**.

Exemplo: Você não tem muito tempo para pegar o avião. Pegue logo um táxi, **pois** o aeroporto **fica** longe da cidade.

A. Una as frases. Use conjunções que indiquem explicação ou conclusão.

1. O calor este ano está intenso. Todos devem tomar muita água para evitar desidratação.

2. As fortes chuvas fizeram o rio transbordar. Muitos morros deslizaram.

3. O movimento de fregueses declinava. A noite ia caindo.

4. Não toque nesse vaso. Ele é muito valioso.

5. Depois de muitos dias de chuva, hoje o sol apareceu. Vamos à praia.

B. Use **pois** para unir as frases. Coloque-o adequadamente na frase.

1. Ele sempre ajudou os irmãos. Nesse momento, difícil, espera ajuda de todos eles.

2. Não gasto dinheiro à toa. O custo de vida está muito alto.

3. A praia estava lotada. O céu estava limpo, com o sol claro, após tantos dias de chuva.

4. Nesse ano, já viajamos muito. Nos próximos feriados, não sairemos da cidade.

5. O céu estava limpo, com sol claro, após tantos dias de chuva. A praia estava lotada.

6. Pense bem antes de falar. Sua opinião é decisiva.

7. Sua opinião é decisiva. Pense bem antes de falar.

C. Una as frases. Não repita as conjunções.

1. Tremi de emoção ao ler aquelas palavras impressas. Lá estava o meu nome, em letra de fôrma, no jornal.

2. Os Hotéis Luxor são os melhores da cidade. Hospede-se sempre em um deles.

3. "Hoje é dia de pagar a prestação da televisão, vem aí o sujeito com a conta na certa."[1]

Ideia de causa

porque	já que	pois
como = porque	uma vez que	porquanto
visto que		

Uma causa justa

— Por que você não trouxe as encomendas que lhe pedi?

— **Porque** havia fila em todos os lugares. Uma loucura! **Como** (= porque) amanhã, sexta-feira, é feriado e, **visto que** todo mundo quer aproveitar o fim de semana prolongado, os supermercados, padarias e mercearias estão lotados. Não consegui comprar nada.

— Bem, **já que** você não trouxe nada, não faço nada para o jantar. Vamos comer fora.

[1] Fernando Sabino

A. Imagine você uma outra situação. Escreva o parágrafo, empregando as conjunções acima.

Exemplo: Chove há dias, sem parar./É verão./ Você alugou um apartamento caro na praia./As crianças não podem sair./Você decide voltar.

B. Substitua as conjunções por outras de mesmo sentido.

O jogo tão esperado foi interrompido **porque** os jogadores discutiram no campo. **Já que** ninguém se entendia no gramado, o público começou também a discutir. Os guardas não puderam fazer nada, **pois** eram poucos para tanta gente.

Os torcedores deixaram o estádio decepcionados, **visto que** haviam esperado por esse jogo ansiosamente.

Ideia de oposição:

mas	contudo	entretanto
porém	todavia	no entanto

Há sempre um **mas** em tudo o que é bom.

Um ótimo emprego está à sua espera. Oferecemos salário inicial altíssimo e cobrimos todas as suas despesas, de moradia a alimentação. Carro à disposição e escola paga para as crianças. **Mas** você deve ter no máximo 35 anos, três diplomas de nível superior e falar e escrever corretamente 5 idiomas, entre eles o chinês.

A. Una as frases, usando as conjunções acima, sem repeti-las.

1. A festa estava preparada no jardim, com velas às mesas e a piscina iluminada. Chovia sem parar. A festa foi no salão.

2. Ele é muito eficiente. Não estou de acordo com seu plano de expansão.

3. Era meu melhor amigo. Tinha mau gênio.
4. Tinha muito dinheiro. Não sabia gastá-lo.
5. Os planos para implantação da fábrica eram avançadíssimos. Não havia pessoal capacitado para o trabalho.

B. Complete o texto abaixo com as conjunções adequadas, sem repeti-las.

Todos queriam assistir ao espetáculo com os cantores de música folclórica, _____, como não havia lugar para tanta gente dentro do teatro, os organizadores resolveram fazê-lo em praça pública. As autoridades, _____, não deram autorização para isso. Os responsáveis, _____, foram à justiça e conseguiram permissão do juiz.

PAUSA

Frasezinhas cinéticas

Para você ler

1. —Devagar! Cuidado com o abismo!
   —Que a
                b
                 i
                  i
                   i
                    i
                     i
                      i
                       s
                        m
                         o
                          ?

2. Que estrada mais c^heⁱa^de^bu^ra^co^s!

3. D^es^de c^ed^o e^st^ou c^om s^ol^uç^oo^o!

4. POR FAVOR CHEGUE PARA LÁ!

5. Ele passou por aqui feito um

6. Nossa! Que

7. —Vamos ao cinema?

8. A notícia o ABALOU !

9. Ele está cada vez mais cego!

10. ESTOU TREMENDO DE MEDO!

GRAMÁTICA NOVA (II)

Conjunções de Indicativo e Subjuntivo

A. Complete com uma conjunção.

1. Não ligou a televisão _____ estivesse passando um bom filme. Não valeria a pena. A filharada logo chegaria. _____ pedisse silêncio, haveria correria, gritaria, risadas. E adeus, sossego!

2. Não conte comigo! Não vou ajudá-lo, _____ _____ você trabalhe seriamente. _____ _____ fizer isso, então tudo bem.

3. Não conte comigo! Não vou ajudá-lo, _____ você me implore de joelhos.

4. Ninguém o viu sair. Aliás, ele também chegou _____ ninguém o visse. Ele é muito estranho.

5. Pedi que me telefonasse até as três horas _____ precisava muito falar com ele. _____ ele não telefonou até agora, vou sair. _____ ele telefone, diga-lhe para me chamar depois das oito.

6. Os feriados foram horríveis. _____ fez frio, _____ choveu. A praia ficou deserta.

7. Este funcionário não progride _____ inteligência é o que não lhe falta.

8. Este candidato não só é jovem, dinâmico, preparado, _____ também muito sensato. É, sem dúvida, o homem certo para o cargo.

9. Perca as esperanças! Não vamos conseguir fechar o contrato _____ nossa oferta seja boa, _____ a política está do lado deles.

10. Tudo bem. Tenho certeza de que vamos conseguir fechar o negócio primeiro _____ nossa oferta é boa e depois _____ a política está do nosso lado.

B. Complete.

Cara D. Teresinha

Tome conta do escritório enquanto eu (estar)_____ ausente. Quando (telefonar)_____, anote o nome e o endereço. De manhã, logo que (chegar)_____, não se esqueça de regar as samambaias. Depois que (fazer)_____ isso, (reunir)_____ a correspondência à proporção que (ir)_____ chegando e, (enviar)_____ pelo correio no endereço que deixei, para não deixar acumular. Tendo um tempinho, (procurar)_____ o documento sobre o Imposto Predial. Depois que (arrumar)_____ a estante, não acho mais nada.
Importante: (ligar)_____ a secretária eletrônica depois de todos (sair) _____.

Obrigado pela colaboração
Armando F. L. Ferraz

213

C. Complete.

1. (chegar) Depois que ele _____, ninguém mais trabalhou.

2. (chegar) É sempre assim: depois que _____, ninguém mais trabalha.

3. (chegar) Só podemos jantar depois que ela _____.

4. (saber) Telefone-me logo que _____ detalhes do assunto.

5. (saber) Telefonei para meu amigo logo que _____ o que tinha acontecido.

6. (saber) O repórter sempre telefona a seu jornal logo que _____ de um caso interessante.

7. (esquecer) Tenho problemas sempre que _____ a chave de casa.

8. (estar) Amanhã, enquanto eu _____ trabalhando, você _____ tomando sol à beira da piscina. Não é justo!

9. (estar – viver) Antigamente, quando você _____ conosco, você _____ melhor.

10. (fazer – esforçar-se) Quanto menos você _____ _____, menos lhe pagaremos, claro, mesmo porque você não _____ para melhorar.

11. (trabalhar) Naquela firma, era um horror! Quanto mais eu _____, mais trabalho tinha para fazer.

12. (ir) Ele foi desistindo do projeto à medida que os problemas _____ surgindo. Uma pena!

D. Una as duas frases com uma das duas conjunções, **como** ou **embora**. Faça as modificações necessárias dos tempos verbais.

1. O correio já estava fechado. A encomenda só segue amanhã.

   _____

2. Ela estava com muita febre. Não deixou que chamassem o médico.

   _____

3. Cláudia era bonita e rica. Nunca estava contente.

   _____

4. O incêndio atingiu enormes proporções. Os bombeiros dominaram-no depressa.

   _____

5. O mar continuava agitado. Era proibido tomar banho naquela praia.

   _____

6. A plateia já estava lotada. Compramos entradas para o balcão.

   _____

E. Complete.

No ano passado, quando nós (comprar) _____ nossa casa, ficamos tranquilos. Assim que (juntar) _____ dinheiro para mobiliá-la, nossa alegria foi imensa. Mas, enquanto não (poder) _____ realizar tudo isso, continuamos trabalhando muito. À medida que (ir tendo) _____ dinheiro, (ir guardando) _____ para o futuro. Graças a Deus, tudo deu certo.

Quando a casa (ficar) _____ pronta, pudemos respirar aliviados e assim que os operários (sair) _____, nós (mudar-se) _____.

F. Refaça o exercício E. Comece assim:

Daqui a alguns anos, quando nós (comprar) _____ nossa casa, ficaremos tranquilos.

Regência Nominal (2)

substantivos	preposição mais substantivo	preposição mais Infinitivo
medo	a, de	de
obediência	a	
ódio	a, de	de
orgulho	de	de
pressa	de, para	de, para
raiva	de	de
respeito	a, para com, por	
simpatia	por	
preferência	por	por
vergonha	de	de
vontade	de	

214

adjetivos	preposição mais substantivo	preposição mais infinitivo
habituado	a, com	a
idêntico	a	
igual	a	a
maior	de	
menor	de	
necessário	a, para	para
orgulhoso	de, com, por	de, em, por
paralelo	a	
parecido	a, com	
prejudicial	a, para	
preferível	a	a
próprio	a, para, de	
próximo	a, de	de
resistente	a	a
satisfeito	com, por	de, em, por
semelhante	a	a
triste	com, por	de, em, por
útil	a, para	para

A. Complete com a preposição adequada.

1. Muita gente tem medo _____ (o) escuro, mas tem vergonha _____ admitir.

2. O fumo é prejudicial _____ (a) saúde. Pessoas habituadas _____ fumar têm vontade _____ parar, mas nem sempre o conseguem.

3. Meu problema é idêntico _____ (o) seu. Um é igual _____ (o) outro.

4. Maiores _____ 12 anos podem entrar livremente. Menores _____ 18, só com autorização dos pais.

5. Tenho orgulho _____ meu trabalho. Estou satisfeito _____ os resultados. Sei que o que faço é útil _____ muita gente.

6. Nova York não é muito diferente _____ São Paulo. Aliás, Nova York é muito parecida _____ São Paulo. Ambas são cidades muito grandes, cheias _____ oportunidades e problemas.

7. Esta bactéria é resistente _____ muitos antibióticos.

B. Relacione.

1. semelhante   ( ) com a situação
2. triste   ( ) para menores
3. próximo   ( ) de fugir
4. impróprio   ( ) do Rio
5. vontade   ( ) ao problema anterior
6. preferência   ( ) pelo azul

C. Faça o mesmo.

1. preferência   ( ) a dormir cedo
2. satisfeito   ( ) à avenida
3. habituado   ( ) em receber o prêmio
4. necessário   ( ) com o resultado
5. orgulho   ( ) pela praia
6. paralelo   ( ) para o país

PONTO DE VISTA

Carta de um Leitor

Corte de cabelo

"Tenho 51 anos e uma vasta cabeleira. Não porque use produtos milagrosos, mas porque sigo a tabela lunar. Nada de superstição, nada de misticismo. Apenas ciência. Corto meus cabelos só na lua crescente. Há 20 anos, não me cai um fio de cabelo. Aos 31 anos eu estava descambando para a calvície. Ao pentear-me, os cabelos caíam às pencas. No banho, a mesma coisa. Até que me sugeriram: 'Corte na lua crescente.' Cortei na lua crescente, conforme a orientação, e pronto. É sabido que os índios cultuavam os astros, só faziam certas coisas nas fases certas da lua. Suponho que também o corte de cabelo. Não conheço índio careca."

(Londrina, PR)

A. Responda.

1. Qual a tese defendida pelo autor?
2. Que argumento usa ele a favor de sua tese?
3. O que você acha da ideia? Tem ela algum fundamento científico ou é pura superstição?
4. Se puder, apresente outros métodos desse tipo, mesmo que tenham objetivos diferentes.

B. Redação.

Superstições. Desenvolva o tema em texto de aproximadamente 20 linhas.

LINGUAGEM FORMAL

Um homem de consciência

Chamava-se João Teodoro, só. O mais pacato e modesto dos homens. Honestíssimo e lealíssimo, com um defeito apenas: não dar o mínimo valor a si próprio. Para João Teodoro, a coisa de menos importância no mundo era João Teodoro.

Nunca fora nada na vida, nem admitia a hipótese de vir a ser alguma coisa. E por muito tempo não quis nem sequer o que todos ali queriam: mudar-se para a terra melhor.

Mas João Teodoro acompanhava com aperto de coração o deperecimento visível de sua Itaoca.

— Isto já foi muito melhor, dizia consigo. Já teve três médicos bem bons – agora só um e bem ruinzote. Já teve seis advogados e hoje mal dá serviço para um rábula ordinário como Tenório. Nem circo de cavalinhos bate mais por aqui. A gente que presta se muda. Fica o restolho. Decididamente, a minha Itaoca está se acabando...

João Teodoro entrou a incumbir a ideia de também mudar-se, mas para isso necessitava dum fato qualquer que o convencesse de maneira absoluta de que Itaoca não tinha mesmo conserto ou arranjo possível.

— É isso, deliberou lá por dentro. Quando eu verificar que tudo está perdido, que Itaoca não vale mais nada, então arrumo a trouxa e boto-me fora daqui.

Um dia aconteceu a grande novidade: a nomeação de João Teodoro para delegado. Nosso homem recebeu a notícia como se fosse uma porretada no crânio. Delegado, ele! Ele que não era nada, nunca fora nada, não queria ser nada, não se julgava capaz de nada...

Ser delegado numa cidadinha daquelas é coisa seríssima. Não há cargo mais importante. É o homem que prende os outros, que solta, que manda dar sovas, que vai à capital falar com o governo. Uma coisa colossal ser delegado – e estava ele, João Teodoro, de-le-ga-do de Itaoca!...

João Teodoro caiu em meditação profunda. Passou a noite em claro, pensando e arrumando as malas. Pela madrugada botou-as num burro, montou no seu cavalinho magro e partiu.

Antes de deixar a cidade foi visto por um amigo madrugador.

— Que é isso, João? Para onde se atira tão cedo, assim de armas e bagagens?

— Vou-me embora, respondeu o retirante. Verifiquei que Itaoca chegou mesmo ao fim.

— Mas, como? Agora que você está delegado?

— Justamente por isso. Terra em que João Teodoro chega a delegado, eu não moro. Adeus.

E sumiu.

Monteiro Lobato (1882 – 1948)
(Editora Brasiliense)

A. Assinale a alternativa correta.

1. João Teodoro abandonou sua cidade, Itaoca, porque:
   - ( ) não queria ser delegado de uma cidade sem importância.
   - ( ) percebeu que Itaoca estava condenada a ser uma cidade morta.
   - ( ) ser delegado em Itaoca era cargo muito pesado para ele.

2. João Teodoro era fiel a Itaoca porque:
   - ( ) seu temperamento era ser fiel às pessoas e às coisas.
   - ( ) era um homem sem importância e em Itaoca sentia-se bem.
   - ( ) Itaoca era uma cidade sem futuro como ele.

B. O fim da história é a consequência de uma série de colocações.

1. Diga, em algumas sentenças, no que consistia a atitude coerente de João Teodoro.

2. Destaque no texto o parágrafo que determina a atitude de João Teodoro.

C. Um pouco de gramática.

1. Destaque do texto três superlativos com sufixo e um superlativo com a forma:

   o mais ... de

   o menos ... de

2. Destaque um diminutivo formado com auxílio de palavras.

3. Qual o valor dos diminutivos: **ruinzote** e **cidadinha**.

4. Forme um adjetivo derivado de hipótese.

5. Você sabe explicar o valor do verbo **estar** na frase:

   "— Mas como? Agora que você **está** delegado?"

   Qual a forma mais corrente para a frase?

CRÉDITOS

iStockphoto

Página 8 – Cristian Lourenço
Página 8 – Lucato
Página 17 – FelipeGoifman
Página 41 – Campwillowlake
Página 46 – Diegograndi
Página 50 – xeni4ka
Página 51 – EvgeniyShkolenko
Página 57 – g-stockstudio
Página 64 – sunabesyou
Página 72 – betonociti
Página 78 – KatarzynaBialasiewicz
Página 81 – ipopba
Página 90 – Andrey_Kuzmin
Página 92 – zoroasto
Página 97 – Leandro A Luciano
Página 110 – Macrovector
Página 111 – Warpaintcobra
Página 111 – Saddako
Página 111 – cyoginan
Página 111 – GlobalP
Página 119 – Adrio
Página 119 – fongfong2
Página 119 – LUCKOHNEN
Página 122 – Rawpixel
Página 164 – Brunomili
Página 188 – Okea
Página 188 – dabldy
Página 197 – klebercordeiro
Página 205 – Prathaan
Página 205 – PhotoLau
Página 205 – master1305
Página 205 – Volha Shakhava
Página 205 – FOTOKITA
Página 205 – Hakase_
Página 205 – ConstantinosZ
Página 205 – skynesher
Página 207 – nd3000

Quadros e gravuras

Páginas 147 a 151 – Quadros cedidos pelos artistas.

– Trenzinho de Parati – J. Araújo.
– Sem título 1966, Xilogravura, 33 x 48 cm. Raimundo de Oliveira.
– Retirantes, Xilogravura, H. C. – Renina Katz.
– Colhendo Batatas, Candido Portinari.
– Cinco Moças de Guaratinguetá, Tela 92 x 70 cm, E. Di. Cavalcanti.
– Pássaros, Kazuo Wakabayashi.
– Arrebentação, Óleo sobre tela, 100 x 040 cm, Tikachi Fukushima.
– Operários 1933, Óleo sobre tela, 150 x 205 cm, Tarsila do Amaral.
– Homenagem a Manuel Bandeira. Escultura de Francisco Brennand.
– A feira I 1924, Óleo sobre tela, Tarsila do Amaral.
– Monumento aos Bandeirantes, Victor Brecheret. Foto de Luiz Carlos Murauskas/Folha Imagem
– Candangos, Bronze patinado, Bruno Giorgi. Foto: Folha Imagem

Página 198 – Simulação de uma capa de literatura de Cordel. Gravura por Pergaminno Design.